l'auto-hypnose

*Tout homme qui sait lire
porte en lui puissance
de se magnifier lui-même,
de multiplier ses voies
d'existence, et
de faire de sa vie
une entité pleine de
signification et d'intérêt.*

ALDOUS HUXLEY

l'auto-hypnose

Leslie M. Le Cron

Sa technique et son utilisation dans la vie quotidienne

éditions du jour

5705 est, rue Sherbrooke, Montréal

SELF HYPNOTISM:
THE TECHNIQUE AND ITS USE IN DAILY LIVING
Original English language edition published by Prentice-Hall, Inc.,
Englewood Cliffs, N. J., Copyright © 1964
by LESLIE M. LECRON
Traduit par Anne-Marie Barrelet

Distributeur: Agence de Distribution Populaire
955 rue Amherst
Montréal
Tél.: 523-1182

Maquette de la couverture : Jacques Gagnier

Editions française et allemande aux Editions Ramòn F. Keller · Genève
Tous droits réservés,
y compris la publication d'extraits ou toute forme de reproduction.

ISBN : 0-7760-0490-5

A LYN, MA FEMME

Table des matières

Préface

LESLIE LeCRON est loin d'être un débutant dans le domaine de l'hypnose. Il y fait depuis longtemps figure de chef de file. Il est l'auteur de beaucoup d'autres ouvrages, que l'on ne peut cependant confier au débutant, car ils sont beaucoup plus techniques et spécialisés. C'est à ce titre, d'ailleurs, qu'ils sont étudiés dans le monde entier par les médecins spécialistes de l'hypnose.

Nous lui devons également un ouvrage synoptique intitulé « Experimental Hypnosis » (Hypnose expérimentale). Ses conférences sur le sujet sont d'un esprit brillamment novateur, et il dirige aussi les Séminaires d'Hypnose, organisation qui groupe les médecins de toutes appartenances qui désirent étudier les techniques hypnotiques. J'ai eu le privilège de fréquenter ses cours, et je suis heureux de l'occasion qui m'est offerte de prendre ici personnellement position. Il est réconfortant de savoir que le livre de M. LeCron va influer positivement sur l'état de santé de plusieurs milliers de personnes ; il sera aussi un guide sûr pour élargir les horizons des connaissances en matière d'hypnose et d'auto-hypnose des médecins, dentistes et psychologues, et des milieux médicaux en général.

Aujourd'hui plus qu'hier, les hommes cherchent des voies d'auto-défense. Vous trouverez ici comment améliorer votre état de santé, comment atteindre l'égalité d'humeur ou la sérénité de l'âme, et trouver le succès dans votre vie professionnelle. Leslie LeCron prouve à ses lecteurs que ces buts peuvent être atteints par la SAINE PENSÉE. Nous nous laissons tous influencer par nos pensées, et c'est pourquoi s'ouvrent à nous quantité de possibilités nouvelles et merveilleuses, dès que nous possédons ses techniques. Cet ouvrage nous fait comprendre notre propre MOI. Il utilise les forces du subconscient, nous apprend à nous relaxer, de corps et d'esprit, et nous donne confiance en nos propres possibilités.

S'aider soi-même présente, comme le dit l'auteur, une multitude d'avantages, comparativement à d'autres thérapies. Tout repose sur le principe qui veut que la connaissance de soi-même conduise à la confiance en soi. Celle-ci, à son tour, conduit à une efficace auto-discipline, pour aboutir finalement à une vie plus saine et une santé plus solide.

La formule de Leslie LeCron pour faire de sa vie un succès trouve sa meilleure expression dans ses propres paroles :

« La recherche de la conscience intérieure est la clé de » l'auto-connaissance. Elle détermine les causes des problèmes » caractériels, de ceux du comportement, des troubles » émotionnels, de bien des maladies, phobies, angoisses et » craintes, de beaucoup de défaillances et de souffrances » humaines.

» Lorsqu'on a fait le tour des causes qui régissent ces » manifestations, il est beaucoup plus aisé de trouver la » solution de ces problèmes, de vaincre les difficultés et enfin » de procéder aux changements qui ouvriront la voie vers » la santé, le bonheur et le succès. »

En ma qualité de psychologue praticien, je ne puis que me prononcer en faveur de la guérison par autosuggestion. Personne ne nie que certaines maladies requièrent l'aide d'un spécialiste. Mais avec une bonne formation, le profane peut aussi faire beaucoup pour soulager ses maux.

Aussi un ouvrage tel que celui que j'ai l'honneur de préfacer était-il d'une urgente nécessité. Le grand public devrait être mieux informé en matière de maladies émotionnelles : les hommes devraient apprendre à contrôler leurs réactions émotionnelles, à atteindre une maturité dans ce domaine et à développer leur sens des valeurs. C'est exactement ce que se propose ce livre. Il familiarise le lecteur avec toutes les techniques qui lui permettront d'employer les ressources de son esprit pour les mettre au service de son épanouissement personnel.

Dᵣ Méd. FRANK S. CAPRIO

Introduction

De nombreux ouvrages traitent de l'épanouissement de la personnalité et des méthodes propres à surmonter les difficultés émotionnelles. Bon nombre de ces études contiennent conseils et techniques d'une incontestable valeur. Elles embrassent les domaines de la pensée positive à l'auto-hypnose, et exposent les théories matérialistes, les conceptions religieuses et métaphysiques.

Il est certain que les nombreux lecteurs de ces livres en ont essayé les techniques et les ont trouvées utiles. D'autres pensaient sans doute en faire autant, mais ont renoncé à les étudier, après s'être rendu compte que ces méthodes étaient compliquées et prenaient beaucoup de temps.

En général, les méthodes préconisées avaient pour objectif de faire modifier au lecteur ses habitudes de penser et d'influencer la partie subconsciente de son esprit. Mais la plupart de ces livres ont un défaut en commun : ils n'expliquent pas les causes et motifs à partir desquels ces conditions psychologiques et corporelles se développent.

Vous devez connaître la cause de ce qui vous préoccupe

Si vous voulez améliorer votre état, il est de toute première importance que vous connaissiez les principes de votre problème. Il vous faut déterminer exactement vos traits caractériels et vos modes de comportement. Vous ne devez pas négliger d'examiner l'éventualité de maladies émotionnelles.

En accédant directement à la connaissance de votre être intérieur vous découvrirez les raisons et les causes de tous vos problèmes personnels ; c'est la seule clé qui vous permette de surmonter les difficultés psychologiques et de transformer vos habitudes de penser et d'agir.

Ce moyen vous est offert dans ce livre. Il est unique en son genre : c'est le pendule de cristal. Ses résultats sont si spectaculaires que vous crierez au miracle ! Et pourtant cette technique a déjà été utilisée par des centaines de médecins et psychiatres ; elle a fait ses preuves en tant que moyen rapide et facile de connaître les événements et circonstances qui ont servi de base aux désordres émotionnels. Le pendule de cristal vous donne la puissance de changer toute votre vie.

Ce livre vous fera mieux comprendre la façon dont travaille et réagit votre subconscient. Vous apprendrez comment prendre un contact direct avec le subconscient, et comment l'influencer pour arriver à vous épanouir harmonieusement.

Peut-on se soigner soi-même ?

La question est pertinente. Une personne qui souffre de désordres émotionnels ou qui se trouve devant un problème ou une maladie qui la touche, est-elle à même de se sortir d'affaire sans aide ? Vaut-il mieux qu'elle soit traitée professionnellement ? Si vous êtes atteint d'une maladie psychologique ou émotionnelle, pouvez-vous vraiment vous soigner vous-même ?
Bien sûr, il arrive que l'on se trouve en présence de faits trop profondément ancrés ou trop graves pour que l'on puisse se passer d'aide médicale. Cependant, il y a une foule d'autres symptômes où les méthodes d'autothérapie peuvent s'appliquer et où il sera même facile de trouver la solution des problèmes, de corriger de mauvaises habitudes de penser, donc de recouvrer la santé. Ceci s'applique aux difficultés émotionnelles, aux traits caractériels et aux habitudes faussées et même — à un stade plus avancé — aux maladies psychosomatiques. Trop souvent, dans ces maladies, le médecin ne traite manifestement que les symptômes, sans s'attaquer aux causes. Or il est rare que des médicaments suppriment les causes de la maladie qui sont enfouies très profondément dans la conscience.

Chaque homme est un cas particulier

Ce sont les conflits intérieurs et les trop fortes dépenses d'énergie qui sont les causes les plus courantes de la tension nerveuse. Mais dans notre monde moderne, y a-t-il un seul être humain qui échappe encore à ces tensions et à ces surcharges nerveuses ? On pourrait même prétendre que « l'homme normal » n'existe pas.

Chacun de nous a ses particularités. De temps à autre, nous nous comportons de façon illogique ou comme si nous subissions une contrainte et nous souffrons de maladies produites émotionnellement. Même un simple rhume peut avoir un arrière-fond psychologique. Habituellement ces difficultés sont centralisées par le subconscient. Il est rare que nous en connaissions nous-même les causes, mais notre conscience centrale en est profondément marquée. C'est en combinant une prise de conscience de ces causes avec les méthodes d'auto-thérapie décrites dans ce livre que nous pourrons remédier à nos problèmes et retrouver l'équilibre.

Les premiers chapitres de ce livre traitent de la structure et du fonctionnement de la conscience centrale, des raisons qui peuvent provoquer un comportement erroné et des maladies émotionnelles. Plusieurs méthodes vous sont proposées pour entrer en contact avec votre subconscient et connaître les raisons pour lesquelles vous vous comportez de telle ou telle façon. Les chapitres suivants proposent des méthodes d'auto-thérapie qui vous permettront de surmonter vos difficultés, en modifiant vos habitudes de penser et d'agir.

Les avantages de l'auto-thérapie

Celui qui éprouve des difficultés voudrait s'en défaire au plus vite — c'est bien naturel — c'est-à-dire : immédiatement, et non pas l'année prochaine seulement. Beaucoup de maladies présentant peu de gravité peuvent en fait être guéries très rapidement. D'autres, par contre, nécessitent un traitement plus long. On peut évidemment bien penser qu'avec l'aide d'un psychothérapeute, d'un psychologue ou d'un psychiatre, ou encore d'un médecin spécialisé dans les maladies psychosomatiques, un traitement arrive à des résultats plus rapides qu'avec l'auto-thérapie. Cependant les frais ainsi occasionnés, la difficulté où l'on peut se trouver de savoir à qui s'adresser, des échecs éprouvés lors de traitements précédents, ou encore des troubles légers peuvent parler en faveur de l'auto-thérapie.

Fixez-vous un but et tenez-vous-y

Si vous voulez réussir votre traitement, il ne vous suffira pas de connaître de façon générale les causes habituelles des difficultés morales ou des maladies physiques. Ce ne sont pas les caractères généraux qui importent, il vous faut connaître ceux qui s'appliquent à votre cas particulier. Vous pouvez négliger alors tous les autres symptômes. Mais il est rare que l'on connaisse consciemment les causes de son mal ; votre tâche sera donc de les faire affleurer à votre conscience. Le résultat vous paiera de toutes vos peines. Vous vivrez, au lieu de vous contenter d'exister.

Beaucoup de lecteurs qui utiliseront ces méthodes d'auto-traitement seront très surpris d'arriver aussi vite à un résultat.

La santé, le bonheur et la réussite sont des buts que nous poursuivons tous, et que vous pouvez atteindre par vos efforts personnels.

Faites usage de la totalité de ce livre

Il se peut que vous estimiez que certains chapitres, qui traitent d'une maladie déterminée, ne vous concernent pas directement. Ne les sautez pas, lisez-les quand même. Souvent ils s'appliquent aussi à d'autres maux. Par exemple les maux de tête peuvent avoir les mêmes origines que l'arthrite et d'autres maladies encore.

Ce livre relate de nombreux récits de cas particuliers : ils vous expliqueront comment faire travailler votre subconscient pour qu'il vous donne les indications dont vous avez besoin et que vous ne connaissez pas consciemment.

Sur le temple d'Apollon, à Delphes, une ancienne inscription grecque disait : « Connais-toi toi-même ». Et c'est bien cette connaissance de soi qui est la clé du Bonheur, de la Santé et de la Réussite.

CHAPITRE PREMIER

Ce qu'il faut savoir du subconscient

Votre programme de perfectionnement personnel présuppose une certaine connaissance de l'essence de l'esprit, de la façon dont il travaille, notamment comment fonctionne le subconscient.

C'est de votre être intérieur que procèdent vos difficultés. Or, vous pouvez apprendre à influencer votre esprit et à déceler l'origine des souffrances que vous voulez guérir. C'est par l'hypnose que vous y parviendrez le mieux.

Dans les chapitres qui suivent, vous apprendrez à connaître les possibilités de l'hypnose et de l'auto-hypnose.

La structure de la conscience

L'existence d'une conscience intérieure ou centrale est généralement admise, qu'on la nomme « conscience sous-jacente », « sujet pensant, le « SOI », ou qu'on emploie toute autre dénomination. Le terme le plus usité en psychiatrie est le « subconscient » ; mais ce terme a deux significations : l'une se rapporte à l'être intérieur, tandis que l'autre a trait à une période d'inconscience, ou de non-conscience, par exemple lorsqu'on dort, qu'on est sous l'influence d'une drogue ou qu'on a subi un traumatisme. Pour éviter toute confusion, nous indiquons que nous utiliserons ce terme dans sa signification première seulement.

Il est regrettable que nos connaissances soient aussi limitées en ce qui concerne la structure et le fonctionnement de cette partie intérieure de notre esprit.

Et pourtant, déjà dans l'antiquité grecque, Hippocrate et Esculape avaient perçu dans notre esprit cette subconscience sous-jacente. Dans les temps modernes, c'est Sigmund Freud qui a fait faire un bond prodigieux à nos connaissances, grâce à ses recherches sur le processus du subconscient et ses concepts psychanalytiques. Mais, depuis lors, les progrès réalisés dans cette discipline sont bien minces. Il faut le noter, car l'on admet pourtant que beaucoup de maladies ont pour origine des causes émotionnelles ou psychiques.

Le pourcentage admis varie suivant les estimations. Certains pensent que la bonne moitié des maladies se rattache à cette catégorie. D'autres portent cette estimation à 80 %.

Une sommité canadienne, le Dr Hans Selye, pense qu'un état dépressif est responsable de toutes les maladies — même des maladies infectieuses —, puisqu'il diminue nos forces de résistance et nous livre de ce fait aux infections.

Aux Etats-Unis et, dans une mesure légèrement moindre, dans les autres pays de langue anglaise, les idées de Freud sont enseignées dans toutes les Facultés de médecine et les centres psychiatriques, où la plupart des médecins les admettent. Dans les autres parties du monde, Freud recueille moins d'audience : le psychiatre y prend plutôt pour base les travaux et les théories du médecin russe Pavlov. Nous exposerons ci-après ces différentes théories.

La conception freudienne de la partie intérieure de notre esprit est, sans aucun doute, correcte à bien des points de vue, mais elle échoue dans son explication causale des opérations et, de plus, elle se révèle trop mécanique dans son ensemble. Freud nous a fait mieux comprendre certains processus de son fonctionnement. Il considérait que l'esprit est formé de trois couches bien distinctes, dont la première est la conscience — c'est-à-dire ce qui nous fait penser et discuter. Il l'appelle l'« EGO ». Il appelle « SUPEREGO » la partie de la conscience qu'il estime supérieure. La couche inférieure, qu'il appelle le « SOI », est le siège de la mémoire et de nos instincts. Les théories de Freud ont prévu encore une quatrième couche de la conscience, entre le « SOI » et l'« EGO », qu'il appelle « PRECONSCIENCE ».

Le terme « subconscient » utilisé dans ce livre comprendrait le « Soi » de Freud, sa « préconscience » et son « superego ».

Le Dr Carl Jung, psychiatre suisse bien connu, estime que le super-ego n'est pas exactement la conscience, mais que c'est la partie la plus spirituelle de notre esprit. Il l'a nommé l'esprit « super-conscient ». Jung le considère comme faisant partie d'une subconscience universelle, directement reliée à Dieu, ou une part de l'Etre Suprême. Cette idée se retrouve d'ailleurs dans certaines philosophies orientales.

L'écriture automatique

Il y a, bien sûr, d'autres conceptions quant à la structure interne de notre esprit. Feu Anita Mühl, une sommité du domaine psychiatrique, a effectué des expériences dans le domaine de l'écriture automatique, en essayant d'en apprendre davantage par ce moyen. L'écriture automatique est un phénomène fascinant. Lorsque vous tenez une plume ou un crayon tendre à la main, le subconscient peut prendre le contrôle des muscles de la main et vous faire écrire intelligiblement, sans que vous sachiez ce que vous écrivez. Tandis que votre main écrit rapidement, vous pouvez fort bien lire un journal ou un livre. Il est intéressant de noter que certains automates sont même arrivés à lire tandis que leur main droite écrivait automatiquement un texte, et leur main gauche un autre texte tout à fait différent... Il y avait donc trois activités mentales menées de front ! La planchette Ouija, par exemple, ressemble beaucoup aussi à l'écriture automatique.

Le Dr Mühl prétendait que quatre personnes sur cinq pouvaient apprendre l'écriture automatique, après un entraînement de quelques heures seulement. D'autres font mention d'un pourcentage beaucoup plus faible.

Sous l'effet de l'hypnose, n'importe quel bon médium — ou presque — peut écrire automatiquement. Les gens qui crayonnent machinalement apprennent facilement l'écriture automatique ; elle en est une manifestation similaire.

Lors d'expériences faites sur cinquante sujets différents, le Dr Mühl a pu déterminer sept niveaux différents du subconscient, chacun parfaitement identifiable. Ceux-ci classés, elle put partir d'un niveau correspondant au « super-conscient » de Jung pour descendre jusqu'au niveau le plus bas de l'esprit, dans cet arrière-fond où l'on relègue le « diable » ou le « mauvais esprit ». A ce niveau, il semble que l'on rencontre nos impulsions originelles, nos premiers instincts, — en un mot l'homme des cavernes qui vit encore en nous.

Le subconscient, un calculateur électronique

Une autre théorie de la structure de la partie intérieure de la conscience a été brillamment exposée par le Dr Maxwell Maltz (Psycho-Cybernetics, Prentice Hall Inc, Englewood Cliffs, New-Jersey).

Norbert Wiener fut le premier à avancer l'idée de la cybernétique, selon laquelle le subconscient fonctionne beaucoup à la manière d'un calculateur électronique, et agit ainsi sur le cerveau. Ce serait un déroulement purement mécanique, mais si compliqué qu'en comparaison le plus développé des ordinateurs électroniques ne serait qu'un jeu d'enfant. Cette théorie semblerait dénier au subconscient la capacité de raisonner.

D'autres psychologues, les déterministes, ont nié l'existence du subconscient, car ils pensent que nous sommes entièrement contrôlés et déterminés par notre condition et notre destin ; ce qui nous arrive, notre conduite comme nos pensées, procèdent de réactions purement mécaniques. Les psychologues actuels n'admettent plus cette théorie. Elle est d'ailleurs facilement réfutée du fait de l'existence de l'écriture automatique, qui prouve bien l'existence d'une partie intérieure de la conscience, qui pense et raisonne.

On peut aussi en faire la preuve par les mouvements commandés par le subconscient, en réponse à des questions qui appellent uniquement le « oui » ou le « non ». Nous en ferons la description dans un chapitre suivant.

C'est là une expérience accessible à tous et qui est de fait une variante intéressante de l'écriture automatique.

On a dit — et c'est parfaitement exact — que le subconscient ne raisonne pas de façon déductive, tandis que la conscience, elle, fonctionne inductivement et déductivement.

Le subconscient contrôle le mécanisme du corps

L'une des tâches de la conscience centrale est le contrôle du corps, par l'intermédiaire du cerveau. Le tout fait penser à un thermostat. Une partie du cerveau règle l'activité autonome du système nerveux (vasomoteur) et, par son entremise, contrôle chaque organe, chaque glande. Le subconscient est probablement apte également à contrôler les réactions chimiques et électriques. Des expériences hypnotiques ont scientifiquement démontré le contrôle effectué par le subconscient sur beaucoup de ces mécanismes.

Par la suggestion hypnotique, la circulation du sang peut être contrôlée, on peut accélérer ou freiner le rythme cardiaque, modifier l'activité des organes et des glandes, accélérer considérablement la guérison d'une plaie ou d'une blessure, élever ou abaisser la température du corps. Les suggestions hypnotiques peuvent encore susciter quantité d'autres modifications corporelles.

Comment le subconscient pense et juge

Si nous voulons influencer le subconscient en notre faveur, il importe de comprendre sa manière de travailler. Celle-ci nous paraît souvent enfantine, fruste, sans maturité. Le subconscient accepte tout littéralement.

Or, souvent, nous n'exprimons pas ce que nous pensons réellement. Prenons, par exemple, une expression couramment utilisée comme : « cela me rend fou ». Nous voulons dire par là que nous sommes vivement contrariés mais, au point de vue littéral, nous disons que nous sommes devenus insensés, ou fous.

Dans l'hypnose, il semble que le subconscient affleure plus facilement à la surface de la conscience, où parfois il peut reprendre à son compte, en apparence, le rôle des pensées conscientes, comme c'est le cas dans l'écriture automatique.

Lorsque nous posons la question suivante à quelqu'un en état de veille : « Voulez-vous me dire où vous êtes né ? », l'interpellé répondra presque invariablement par un nom de lieu. Il interprète la question comme un désir de connaître un lieu bien précis, et le nomme.

Dans un état d'hypnose profonde, l'intéressé répondra soit par « oui », soit simplement par un hochement de tête. C'est là une réponse littérale parfaitement correcte. Oui, le patient veut bien nous le dire. Voilà un bon exemple de ce qu'est la compréhension littérale du subconscient.

Ce qu'il faut savoir du subconscient

Cette acceptation littérale du subconscient peut se retourner contre nous. Il n'est pas nécessaire d'être sous hypnose pour que nous nous fassions certaines illusions.

Ainsi un médecin, après avoir tout essayé pour soigner un mal qui lui résiste, pourrait-il dire au patient : « Je crains qu'il n'y ait rien à faire, vous ne vous débarrasserez jamais de ces symptômes, votre vie durant ! ». Littéralement, comment ce postulat s'interprète-t-il ? Cela revient à dire que le patient mourra si ces symptômes viennent à disparaître ! Une telle interprétation pourrait empêcher le patient de guérir, puisqu'il perdrait *ipso facto* ses symptômes et pourrait donc mourir...

Il va de soi que jamais le médecin n'a pensé ce postulat dans le sens où le subconscient l'a compris.

Selon notre éducation, les études que nous avons faites et notre maturité d'esprit, notre manière de voir consciente se modifie.

Le subconscient peut, lui aussi, corriger certaines manières de voir mais, le plus souvent, il s'en tiendra à celles qu'il a enregistrées pendant l'enfance.

Si quelque incident vous est arrivé à l'âge de six ans, votre subconscient garde trace de l'événement à la lumière de votre mentalité de six ans. Un incident survenu autrefois et qui a violemment effrayé l'enfant — par exemple, la vue soudaine d'un serpent — peut se développer en phobie ou en terreur panique, même à la vue d'un simple orvet, parfaitement inoffensif. En toute conscience, l'intéressé sait bien qu'il existe des serpents inoffensifs, même si leur vue lui répugne. Il arrive même que la réaction panique se déclenche à la seule vue d'une photo ou d'un dessin représentant un serpent.

Une partie de votre traitement d'auto-guérison consistera à modifier les points de vue subconscients, à la lumière des événements survenus antérieurement.

Faute et auto-punition

De temps à autre, nous réagissons tous sous l'influence d'une impulsion inconsciente. Habituellement nous ne voulons pas admettre cette contrainte, parce qu'illogique et échappant à la raison.

D'autres fois, nous nous rendons compte que nous avons agi
« contraints et forcés », et nous nous demandons pourquoi.
Certaines de ces contraintes peuvent nous nuire et nous handicaper
sérieusement.

Une de mes clientes, institutrice, en était arrivée à se laver les mains
trois à quatre heures par jour, sous l'effet d'un impératif intérieur.
Ces incessants lavages rendaient ses mains extrêmement rugueuses.
Elle n'arrivait pas à s'affranchir de cette manie dont l'origine lui
échappait. De toute évidence cette cause se perdait dans un passé
oublié, où ses mains avaient fait quelque chose de mal dont elle se
sentait coupable. Elle essayait donc sans succès d'effacer sa faute.
Cet exemple est une parodie de la scène de Shakespeare où Lady
Macbeth se lave frénétiquement les mains en s'écriant : « Va t'en,
maudite tache ! ».
Lorsqu'on éprouve de violents sentiments de culpabilité, ceux-ci
appellent un impérieux besoin de punition. Le terme technique pour
désigner l'auto-punition est le *masochisme.*
Dans les grandes fabriques, des statistiques ont prouvé que les 80 %
des accidents qui se produisent n'arrivent qu'à 20 % des employés.
Cela signifie que les accidents sont souvent d'origine subconsciente
et, partant, intentionnels. Chacun de nous fait ou pense des choses
dont il a honte. Un grand nombre d'accidents provient donc d'un
besoin inconscient d'auto-punition.
La conscience centrale semble n'accorder aucun intérêt aux
conséquences, mais viser seulement à la libération d'un besoin
immédiat.
Lorsque quelqu'un est victime d'un grave accident, provoqué par
sa conscience, il peut perdre ses revenus pendant un certain temps,
il a de gros frais médicaux et doit supporter des dépenses importantes
pour son hospitalisation. Il peut même rester infirme pour le restant
de ses jours, voire même perdre la vie.

S'il s'agit d'un accident d'origine masochiste, sa famille toute entière
en souffrira également. Mais le subconscient ignore ces conséquences.
Il est étrange de noter que, parfois, une part du subconscient pousse
quelqu'un à mal agir, tandis qu'une autre part — peut-être le
super-conscient — le punit de ce mal.

Le travail de notre mémoire

La conscience centrale est également le dépôt de notre mémoire.
Il semblerait que nous enregistrions chaque perception comme une
image de cinéma, avec son plan sonore, les autres sens y participant
aussi : l'enregistrement met donc en cause la vue et l'ouïe, mais
aussi le toucher, l'odorat et le goût. Sous hypnose, l'enregistrement
peut être « déroulé » à nouveau.
Une infime partie des événements vécus fait l'objet de souvenirs
conscients. La majorité des gens n'a qu'une mémoire très restreinte
des événements survenus avant l'âge de cinq ans. Peut-être arrive-t-on
à se rappeler quelques faits saillants ou particulièrement intéressants.
Ici et là, on peut rencontrer une mémoire véritablement précoce
mais, souvent, il ne s'agit en fait que d'événements qui ont été relatés
plus tard à l'enfant.
Cependant notre capital-mémoire subconscient conserve tous les
événements que nous avons vécus, jusque dans leurs moindres détails.
Consciemment, nous oublions, mais le subconscient, lui, n'oublie
jamais. Bien des faits que nous avons consciemment oubliés continuent à nous affecter, sous différentes formes.
On peut utiliser l'hypnose pour prouver l'étendue de notre mémoire
subconsciente. Très souvent des perturbations émotionnelles nous
ramènent à des souvenirs d'enfance, à la suite de traumatisme (par
peur ou par choc).
Souvent nous refoulons le souvenir d'événements désagréables.
Nous les repoussons de la conscience, car nous ne voulons plus y
penser. Ils peuvent donc se perdre pour le souvenir conscient, alors
qu'ils s'ancrent d'autant plus profondément dans notre subconscient ;
plus tard, ils peuvent être la cause de fâcheuses perturbations.

Que savoir de notre subconscient ?

Si nous refoulons ainsi nos souvenirs, nous n'aurons ensuite plus
aucune connaissance consciente des causes de nos ennuis.
Quand la mémoire s'éveille-t-elle ? C'est là une question abstruse.
Prend-elle naissance à quelques mois, à un ou deux ans, ou même
avant ?

Certains médecins familiers de l'hypnose sont convaincus qu'il reste, dans la mémoire subconsciente, un souvenir de la venue au monde. Certains croient même à une mémoire fœtale.

Le Dr Nandor Fodor a écrit un ouvrage (« Search for the Beloved », Hermitage Press, New-York), dans lequel il cherche à prouver l'existence d'un souvenir pré-natal et natal, par l'interprétation et l'analyse des rêves.

Un sujet sous hypnose peut sembler se souvenir de sa venue au monde et donnera des détails de ce qui s'est vraisemblablement passé. Quant à moi, je suis convaincu qu'il s'agit bien de souvenirs réels, mais comment en faire la preuve scientifique ? Le sujet hypnotisé pourrait inventer, ou se souvenir d'événements qui lui ont été relatés, mais qu'il avait oubliés.

Le rappel de souvenirs anciens ou refoulés peut aider à surmonter les difficultés émotionnelles car, en grandissant, le caractère change. Ce rappel est également précieux pour guérir les troubles psychosomatiques.

Nous étudierons les manières d'y parvenir dans les chapitres suivants.

Un protecteur : la conscience centrale

Une tâche importante de la conscience centrale est d'assurer notre protection. Cette partie du psychisme est toujours éveillée et prête à fonctionner, que nous soyons éveillés ou non. Elle est toujours disponible, même si la conscience est « hors-circuit », à la suite d'un coup ou sous l'influence d'un narcotique.

La mère d'un bébé peut dormir profondément, mais à son premier gémissement ou à son premier cri, elle s'éveillera immédiatement. Son subconscient lui souffle : « Viens vite, éveille-toi, peut-être le bébé n'est-il pas bien ».

Si, par inadvertance, vous touchez quelque chose qui vous brûle, votre conscience centrale envoie immédiatement des messages aux muscles de votre bras, et vous enlevez précipitemment votre main, avant d'avoir pu analyser la situation.

Dans bien d'autres cas, le subconscient est en alerte pour vous prévenir du mal ou du danger. Et cependant, tout à fait paradoxalement, ce subconscient peut aussi provoquer la maladie, jusqu'à pousser au suicide.

Le subconscient règne donc en maître sur toutes nos difficultés caractérielles, névroses, psychoses, maladies psychomatiques, etc. Pour en venir à bout, il faut donc modifier à la fois attitudes conscientes et subconscientes, ces modifications découlant de la connaissance des origines et des causes de ces conditions.

De ce qui précède, nous pourrions inférer qu'un « second Moi » nous habite. Ce serait un point de vue erroné. Nous n'avons qu'un psychisme, même s'il est composé de plusieurs « couches » différentes. On a pu comparer l'esprit humain à un iceberg se déplaçant sur la mer ; la partie consciente serait celle qui émerge, le subconscient celle qui est sous l'eau et qui est manifestement plus importante dans ses dimensions.

L'homme est une unité de corps et d'esprit, mais l'un l'autre s'influencent. C'est donc la personnalité tout entière qu'il faudra considérer lors du traitement de troubles émotionnels. C'est par l'intermédiaire du cerveau que le subconscient influence le corps.

RÉSUMÉ :

Vous devez avoir maintenant une bonne vue d'ensemble de votre structure spirituelle. Nous pensons et connaissons par la partie consciente de notre esprit tout entier. Sous la surface de la connaissance, il y a le subconscient et le super-conscient. On ne sait pas grand-chose de l'un ni de l'autre, le second surtout étant évanescent.

Les phénomènes de l'écriture automatique nous apportent la preuve que le subconscient raisonne, même si c'est de façon puérile sous certains angles. Le subconscient accepte tout littéralement ; souvent il retient des points de vue datant de l'enfance qui, dans l'auto-thérapie, doivent être modifiés. Il contrôle le mécanisme de tout le corps et, dans certaines maladies, on peut s'en servir pour guérir.

CHAPITRE 2

Le contact direct avec votre subconscient

Dans le programme d'améliorations personnelles que vous tenez à réaliser, ce que vous avez appris du subconscient vous permettra de l'influencer pour découvrir les raisons de vos comportements négatifs et les causes des conditions que vous voudrez modifier ou éliminer. Vous pourrez ainsi vous servir de votre subconscient pour qu'il commence à fonctionner en votre faveur et que vous ayez le bénéfice de ses possibilités remarquables.

La connaissance des causes ou des raisons provoquant certaines résultantes est l'un des principaux buts à atteindre pour arriver à modifier celles-ci. Quantité de moyens vous sont offerts pour cette introspection.

Et la psychanalyse ?

Les techniques principalement utilisées en psychanalyse pour arriver à cette connaissance se fondent sur la libre association d'idées et l'interprétation des rêves.

Par « association libre », on veut dire : expression sans retenue de toutes les pensées.

Le sujet dit ce qui lui passe par la tête, sans retenue, et sans souci de la honte qu'il pourrait en éprouver. On lui inculque qu'il est important de ne rien garder par devers lui. Des pensées qui lui semblent d'importance mineure peuvent, au contraire, être chargées de sens.

Mais il n'est pas facile d'apprendre à s'exprimer aussi librement. En fait, il se passe un certain temps jusqu'à ce que le sujet arrive ainsi à dire tout ce qui lui vient à l'esprit. Certaines personnes y voient une insurmontable difficulté.

Evidemment, cette méthode prend beaucoup de temps, car notre pensée peut graviter autour de sujets parfaitements banals. Nous avons aussi tendance à passer sous silence ce qui nous est désagréable. Certains patients se bloquent et les séances succèdent aux séances sans que rien d'utile n'en résulte.

Graduellement le patient devrait — du moins en théorie... — arriver aux racines de ses troubles, et cette connaissance même devrait les faire régresser. Lorsque la conscience revient à la surface, il doit se faire une sorte d'assimilation mentale, amenant un changement du point de vue du subconscient.

Souvent les rêves se révèlent de très bons « fils d'Ariane » ! Si le rêve ne se complique pas trop, il peut être aisé de comprendre sa signification, mais il ne faut pas qu'il soit masqué par d'obscurs symboles.

Il faut presque toujours des connaissances spéciales et beaucoup d'habileté pour comprendre la signification d'un rêve. A ce propos, les livres « populaires » d'interprétation des rêves, ou Clés des songes, n'ont aucune valeur réelle et sont un tissu de non-sens.

Pour se familiariser avec ce domaine, on peut lire des textes psychiatriques qui enseignent comment interpréter un rêve de façon péremptoire. Ces textes sont passionnants à lire.

Pour son auto-thérapie personnelle, il peut être utile de lire l'un de ces livres, si vous en avez le temps, mais n'y voyez pas une condition indispensable.

Les meilleurs textes à consulter sont :
a) le livre de Gutheil « Handbook of Dream Analysis » (Liveright, New-York) et
b) le livre de Fodor « New Approaches to Dream Interpretation » (Citadel Press, New-York).

Il existait une édition populaire du livre de Gutheil, mais elle est malheureusement épuisée.

La psychanalyse est une méthode de traitement qui a fait ses preuves, mais qui nécessite tant de temps et coûte si cher qu'elle finit par être réservée uniquement aux milieux riches. Il est difficile d'obtenir des indications statistiques exactes quant aux cures qu'elle compte à son actif, mais on peut déduire des publications existantes que ce traitement ne guérit qu'une personne sur quatre.

D'autres méthodes sont plus rapides et donnent de bien meilleurs résultats. L'hypno-analyse est une variante des méthodes analytiques, où le patient est sous hypnose. Les mêmes buts sont atteints, mais plus vite.

D'autres techniques, basées sur l'hypnotisme, se distinguent par une célérité encore plus grande et des résultats plus spectaculaires.

Autres aspects de l'écriture automatique

L'écriture automatique est probablement le moyen idéal d'obtenir des informations sur le subconscient. Il faut se rendre à l'évidence : le subconscient sait exactement ce qui provoque nos difficultés émotionnelles ou nos maladies psychosomatiques. C'est l'information que nous cherchons précisément.

Avec l'écriture automatique, on peut questionner le subconscient, qui répond automatiquement. Le subconscient peut parfois même donner des informations volontaires. Toutefois des refoulements peuvent empêcher que nous obtenions l'information désirée.

L'écriture automatique est un phénomène fascinant. Les mots coulent, généralement sans espaces entre eux. Parfois l'écriture est très lisible, mais d'autres fois les lettres sont mal formées et rendent la lecture ardue. L'écriture peut être très lente — ou, au contraire, on voit la main qui vole littéralement sur le papier. Normalement l'écriture va de gauche à droite, mais elle peut aussi être inversée, ou renversée, ou encore il faut la lire réfléchie dans un miroir. Elle peut aussi être une combinaison de ces formes. On rencontre souvent une condensation de mots. Le mot : « deuxième » peut être écrit : « 2ème », ou encore le chiffre 2 remplace tout simplement les lettres inutiles.

Autres méthodes de communication directe avec la conscience centrale

Comme il n'est pas toujours possible d'utiliser la méthode de l'écriture automatique, par manque de temps ou pour d'autres raisons, on peut avoir recours à une variante de ce phénomène, accessible à chacun.

Il faut prévoir un code de communication, au moyen de signaux contrôlés subconsciemment. En langage spécialisé, on les nomme « réponses idéo-motrices ». Les questions doivent être posées de telle façon que le subconscient puisse répondre par signes, qui signifient « oui », ou « non ». Ces signaux sont donnés par les mouvements d'un objet qu'on emploie comme pendule.

La méthode du pendule

On peut utiliser comme pendule n'importe quel objet léger, par exemple une bague ou une rondelle métallique. L'objet est attaché à un fil de 12 à 17 centimètres de long.

Certains grands magasins vendent une petite balle luminescente au bout d'une chaînette, qui remplit parfaitement cet emploi. Cette petite balle est vendue comme moyen de prédire l'avenir et elle n'est qu'une variante de la planchette Ouija.

Le pendule est employé depuis des centaines d'années comme moyen de prédire l'avenir. Mais l'utilisation que nous en faisons n'a naturellement rien à voir avec ces prophéties. Nous ne l'utiliserons que pour obtenir des renseignements du subconscient. C'est de loin le moyen le plus facile et le plus rapide de connaître les causes de nos maladies émotionnelles ou autres.

Cette technique a été enseignée à plusieurs milliers de praticiens par un petit groupe de médecins, dentistes et psychologues groupés sous le nom de « Hypnosis Symposiums » (Séminaires d'Hypnose). On l'a utilisée dans plusieurs milliers de cas, avec d'excellents résultats, et parmi ceux qui la pratiquent se trouve un grand nombre de médecins.

Pour utiliser le pendule, vous devez tenir le fil ou la chaînette entre le pouce et l'index, tandis que le coude s'appuie au bras d'un fauteuil, sur une table, voire sur le genou.

Le pendule peut ainsi se mouvoir librement. Il peut osciller selon quatre directions de base, soit :

a) dans le sens des aiguilles d'une montre,
b) dans le sens contraire aux aiguilles d'une montre,
c) de gauche à droite,
d) dans la direction de votre corps.

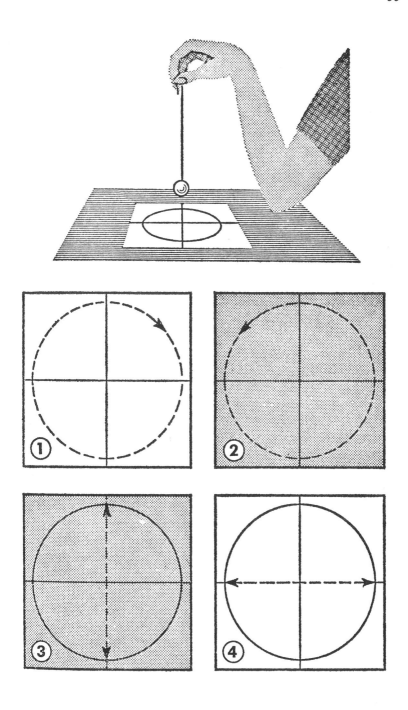

Le choix du sens est laissé à votre subconscient. L'un des mouvements du pendule signifie : « oui », l'autre : « non », le troisième peut vouloir dire : « je ne sais pas », et le quatrième : « je ne peux pas répondre à cette question ». Cette dernière réponse peut être importante, car elle indique une résistance du subconscient.

Vous pouvez fixer arbitrairement, d'avance, la signification de chaque mouvement mais, en fait, il vaut mieux laisser ce soin au subconscient. La collaboration s'établit mieux, et vous y trouverez la preuve que le subconscient pense et raisonne.

Lorsque vous tiendrez le pendule vous devrez, volontairement, le mouvoir dans chacune des quatre directions, puis le garder immobile, et demander quelle position signifie « oui ». Il n'est pas nécessaire de le faire nommément, il vous suffit de penser cette question mentalement. On demande au subconscient de choisir, parmi les quatre positions, celle qui va signifier « oui ».

Vous pouvez formuler votre demande comme suit : « Que mon subconscient choisisse, parmi ces quatre mouvements, celui qui doit signifier « oui » ! Le pendule fonctionnera mieux si vous le fixez du regard.

Habituellement, il commence à osciller au bout de quelques secondes mais il arrive aussi parfois qu'il faille un moment, comme pour « chauffer le moteur ». Si le pendule ne se met pas rapidement à osciller, pensez fortement, plusieurs fois, le mot « oui ». Assurez-vous que vous n'imprimez pas vous-même un mouvement au pendule. Essayez de le maintenir parfaitement immobile, et vous constaterez qu'il bouge de sa propre initiative. Si toutefois il ne se produisait aucune oscillation, demandez à quelqu'un d'autre de poser les questions pour déterminer la signification des quatre mouvements. Lorsque vous avez pu déterminer la position de la réponse affirmative, posez la question pour établir le mouvement du « non » puis, dans les deux mouvements restants, faites choisir la position du « Je ne sais pas », le quatrième mouvement étant obligatoirement « Je ne veux pas répondre ».

Vous trouverez cette façon d'opérer très intéressante. Les assistants poussent souvent des cris de surprise lorsque le pendule oscille en donnant sa réponse. Les oscillations peuvent être de faible amplitude mais, en général, elles forment un arc clair et net.

Le tout n'a rien de sorcier. Les plus sceptiques doivent reconnaître que le subconscient pense et raisonne, et qu'il peut également contrôler les mouvements musculaires. Ces mouvements font constamment l'objet d'un contrôle du subconscient. Tandis que vous lisez ce postulat, votre subconscient contrôle vos muscles respiratoires. Lorsque vous marchez, vous ne pensez pas à tous vos mouvements et à leur coordination : et pourtant, quand vous étiez petit, vous avez dû apprendre à marcher. Après ces premiers pas et de nombreuses chutes, un réflexe conditionné s'est établi et votre subconscient a pris le contrôle de tous les muscles en question. Lorsque vous marchez, vos mouvements deviennent donc automatiques.

Il en va de même quand on apprend à taper à la machine. Vous dactylographieriez très lentement si vous deviez penser à la position de chaque touche et à la force de frappe nécessaire.

Chaque expérimentateur constatera, presque sans exception, que le pendule se meut pour répondre aux questions qui lui sont posées. S'il n'oscillait pas avec vous, ce serait presque certainement un signe de résistance du subconscient. Celui-ci pourrait envisager que vous cherchez à lui faire dire quelque chose qu'il n'est pas prêt à vous faire connaître.

La méthode du mouvement des doigts

Il y a un autre moyen semblable de questionner le subconscient : c'est l'utilisation des réponses faites par les mouvements des doigts sous contrôle involontaire. A l'état de veille, cette méthode exige un peu plus de temps et nécessite un plus grand effort que la première. Mais sous hypnose, rares sont ceux dont les doigts resteront immobiles et ne répondront pas.

Quelquefois l'on obtient des réponses par la méthode du mouvement des doigts, alors que le pendule ne répond pas, et vice versa.

Pour déclencher ces mouvements des doigts, posez la main sur la poitrine, ou sur l'accoudoir d'une chaise. Les doigts doivent être libres de leurs mouvements, et détendus. Puis demandez à votre subconscient de choisir l'un des dix doigts qui doit représenter la réponse « oui ». Lorsqu'un doigt s'est levé, posez la question pour obtenir le « non », et ainsi de suite. Assurez-vous que vous ne bougez pas volontairement les doigts. Si vous le préférez, vous pouvez choisir vous-même, arbitrairement, le doigt qui correspond à telle réponse. Ainsi l'index droit signifie « oui », le gauche « non », le pouce droit « je ne sais pas » et le pouce gauche « je ne veux pas répondre ». Vous pouvez, bien sûr, désigner d'autres doigts, si vous le désirez, par exemple tous de la même main.

Regardez vos doigts avec attention lorsque vous demandez à votre subconscient de leur faire faire un mouvement. Vous ressentirez probablement un picotement dans le doigt qui va bouger, car ses muscles commencent à le lever.

En utilisant le pendule ou les mouvements des doigts, assurez-vous que vous ne faites aucun effort volontaire et, lorsque vous posez des questions, essayez de ne jamais susciter la réponse sciemment.

Comment interroger le subconscient

La formulation des questions nécessite de l'habileté et de l'expérience. Les histoires racontées ici vous familiariseront avec ce problème. Les questions doivent être claires, et non pas vagues ni ambiguës. Souvenez-vous que le subconscient prend tout littéralement. Les questions doivent être posées comme le reflet exact de votre pensée.

Il peut arriver que, après avoir obtenu des réponses à vos questions, vous constatiez que le pendule oscille en diagonale ou qu'un doigt différent de celui qui a été désigné bouge. Votre subconscient essaie, dans ce cas, de vous communiquer quelque chose. Cela peut signifier « peut-être », ou « cela se pourrait ». Mais cela peut signifier aussi que votre question n'est pas claire et ne peut recevoir de réponse circonstanciée.

Lorsque vous utilisez cette technique pour votre auto-thérapie, il vaut mieux coucher par écrit les questions que vous désirez poser, en vous assurant au préalable qu'elles sont bien précises et formulées de façon exacte. Notez également les réponses que vous recevrez. A côté de l'usage que vous en ferez dans votre auto-traitement, vous jugerez sans doute utile d'obtenir d'autres informations de votre subconscient. Si, dans une alternative, vous avez un choix à faire, votre subconscient vous y aidera, puisqu'il a accès à un fichier complet dont votre mémoire consciente ne se souvient pas.

Souvent, lorsque vous sentez quelque chose intuitivement, quand vous vous tracassez pour ceci ou pour cela, laissez à votre subconscient la bride sur le cou. Vous arrive-t-il d'égarer un objet que vous ne retrouviez plus ? Votre subconscient peut fort bien vous aider à le situer.

Lorsque cette méthode vous sera devenue plus familière, quantité d'autres applications possibles s'imposeront à vous.

Toutefois, j'aimerais vous déconseiller formellement de chercher à vous faire prédire l'avenir par votre subconscient. Certains faits amènent à penser que cette partie de notre esprit peut, parfois, avoir quelque connaissance de l'avenir. Mais il n'en existe aucune preuve scientifique.

Vous obtiendriez probablement des réponses à vos questions sur le futur, si votre subconscient est doué d'esprit de collaboration et de bonne volonté mais, en réalité, il s'agirait plutôt de supputations fantaisistes.

Si vous choisissez cette méthode pour savoir quel cheval gagnera une course donnée, elle risque de vous coûter cher !

Dans mes expériences et celles que relatent bon nombre de thérapeutes qui utilisent la technique des questions « idéo-motrices », les réponses obtenues sont généralement correctes. Le subconscient ne donne en principe pas de réponses fausses, il se contente de faire savoir parfois qu'il ne veut pas répondre. Mais il y a certains patients qui mentent spontanément, et les réponses données par leur subconscient sont évidemment faussées. Une certaine réserve est donc de mise jusqu'à ce que les réponses aient pu être vérifiées. Chez les menteurs pathologiques ou les menteurs par habitude, le subconscient peut répondre de façon inadéquate ; mais ce sont là des cas tout à fait exceptionnels.

Si la réponse obtenue vous paraît fausse, il vaut mieux poser à nouveau la question, mais sous une forme légèrement modifiée. Peut-être n'avez-vous pas été clair. Souvent, lors de mes expériences, j'ai constaté que le pendule ou les doigts répondaient affirmativement, alors que le patient prétendait au contraire que la réponse devait être négative. Mais, invariablement, c'était la réponse du subconscient qui était la bonne.

Une autre version de ce type de questions est l'interprétation des rêves. Mais il arrive qu'un praticien pourtant averti ne puisse donner une version certaine de la signification d'un rêve. On peut alors utiliser la méthode des questions, puisque c'est précisément le subconscient qui a provoqué le rêve et qu'il en connaît donc le symbolisme et la signification intrinsèque.

Il y aurait ici certaines possibilités de diagnostic, quoique ce domaine n'ait pas été exploré scientifiquement.

Le subconscient peut dire de façon certaine s'il s'agit d'une maladie organique ou purement physique, ou si elle a un arrière-fond émotionnel ou psychologique. Il est possible que le subconscient puisse indiquer quel organe ou quelle partie du corps se trouve touché par la maladie ; mais un médecin qui utiliserait la méthode des questions ne pourrait s'empêcher de se fier plutôt à son diagnostic et à ses connaissances médicales qu'aux indications données par le subconscient de son patient. En cas de doute, il peut utiliser la méthode des questions, mais dans un but de vérification.

Certains médecins ont déjà utilisé cette technique et, par la suite, ils ont constaté que la réponse obtenue était effectivement correcte. Une jeune cliente se plaignait un jour de violentes douleurs dans le bassin. La veille, elle avait consulté son gynécologue. Il l'avait examinée, pensant qu'il pouvait s'agir d'une grossesse extra-utérine ou de quelque autre cause, mais il n'avait pas trouvé de raisons organiques à ses douleurs. Le jour où elle vint me voir, ses douleurs avaient encore empiré.

Elle me demanda si le pendule pourrait nous donner une réponse qui détecterait l'origine du mal. Nous posâmes donc quelques questions. La réponse à la question de savoir s'il s'agissait d'une grossesse extra-utérine fut « oui ». Je la renvoyai donc d'urgence chez son médecin, car il y avait certainement une cause à ses douleurs croissantes. Il fit alors un examen plus approfondi et découvrit qu'effectivement il s'agissait bien d'une grossesse extra-utérine.

Une expérience intéressante fut faite par des obstétriciens et d'autres médecins qui travaillaient en collaboration et se communiquaient les résultats de leurs travaux. Les données de cette expérience étaient les suivantes : puisque le subconscient a des connaissances infuses, est-ce que le subconscient d'une femme enceinte pourrait déterminer le sexe de l'enfant à naître ?

A l'aide du pendule, ou par la technique des doigts, on interrogea 402 femmes : 360 indiquèrent de façon exacte le sexe de l'enfant. Dans trois cas, les patientes savaient même qu'elles auraient des jumeaux, et si c'étaient des garçons ou des filles.

Dans les cas où l'on constata des erreurs, les femmes interrogées avaient indiqué le sexe qu'elles souhaitaient pour leur enfant. Probablement leur désir orientait-il leur réponse, sur une base volontaire, plutôt que sous le contrôle du subconscient.

Si vous utilisez cette méthode d'investigation avec un tiers, il est presque toujours possible de savoir si les mouvements sont conscients ou inconscients.

Avec le pendule, la main ou les doigts, il semble qu'il n'y ait aucun mouvement, ou que le mouvement soit imperceptible ; il existe en réalité, sinon le pendule resterait immobile.

Si la personne que l'on questionne contrôle consciemment ses mouvements, on peut voir la main bouger, et l'oscillation du pendule est plus prononcée.

Avec la technique du mouvement des doigts, le doigt qui répond tremble toujours un peu avant de se lever lentement. Parfois il faut un peu de temps pour qu'il se lève. Avec de la pratique et de l'expérience, le mouvement peut devenir plus rapide, mais on remarquera toujours un certain tremblement. Le doigt peut se lever seulement d'une fraction de centimètre, ou encore se dresser lentement en position verticale. Lorsque le contrôle est volontaire, le mouvement est toujours doux et beaucoup plus rapide, et le doigt se lève plus haut. En l'observant, vous verrez si la personne que vous interrogez provoque volontairement ou non le mouvement. Dites-lui bien que, dans ce cas, le résultat est faussé.

Dans l'auto-traitement, vous utiliserez parfois l'autosuggestion. Pour arriver à un résultat effectif, l'idée doit être acceptable pour le subconscient, sinon il ne réagira pas. C'est en le questionnant que vous verrez si le subconscient veut bien arriver au résultat que vous désirez.

D'autres méthodes d'investigation

Bien qu'elle ne soit pas aussi précise, il y a encore une autre manière d'obtenir des réponses du subconscient, car l'esprit conscient peut altérer la situation. On imagine, les yeux fermés, que l'on regarde un tableau noir. Puis l'on pose la question et l'on demande au subconscient d'écrire la réponse sur ce tableau noir imaginaire à la craie blanche. Si vous avez une imagination féconde et si ce genre de vision vous est familier, vous arriverez souvent à des résultats. Lorsque ce processus « marche », cette méthode se révèle rapide.

Vous pouvez employer un autre stratagème. Lorsque vous vous heurtez à des difficultés pour découvrir la cause ou l'origine d'une situation donnée, faites passer une suggestion au subconscient et, s'il réagit, vous aurez la réponse que vous cherchiez. Le soir, en vous couchant, fermez les yeux et suggérez-vous que vous aurez la réponse le lendemain au réveil. Vous devez spécifier de façon tout à fait précise ce que vous cherchez. L'expérience peut échouer mais, souvent, vous trouverez la réponse.

Il est reconnu que nos pensées — pour la plupart — échappent au subconscient par association d'idées. Nos pensées agissent comme « des excitants » les unes sur les autres. Nous pouvons donc diriger le déroulement de notre pensée, mais celle-ci est émise en fait par le subconscient.

Dans les chapitres suivants, les exemples relatés vous feront comprendre comment l'on doit poser les questions : vous connaîtrez les types de questions qui vous intéressent et comment il faut les formuler. Vous découvrirez certainement qu'il est fascinant d'utiliser la méthode du pendule ou celle du mouvement des doigts.

L'exploration du subconscient est la clé de la connaissance personnelle. Vous déverrouillerez la porte qui vous cache ce qui motive votre caractère, votre comportement, vos ennuis émotionnels et vos maladies, les phobies, peurs et anxiétés dont vous souffrez, et quantité de problèmes personnels.

Lorsque vous en connaîtrez les motivations et les causes, il vous sera beaucoup plus facile d'y trouver une solution et de vous en rendre maître ; vos changements intérieurs vous apporteront succès, bonheur et santé.

Vous pouvez parfaitement utiliser un pendule que vous aurez fabriqué vous-même. Quant à la petite balle de lucite pendue à une chaînette, peut-être pourrez-vous vous la procurer chez le fabricant, V. G. Mathison, 1214 W, 30th St Los Angeles 7, Californie. Elle existe en deux grandeurs : la petite à un dollar, et la plus grande à deux dollars. La petite balle de lucite présente l'avantage d'être un objet qui convient à merveille pour fixer l'attention, au début de l'auto-hypnose.

Comment développer l'écriture automatique

Avant de commencer à appliquer un programme d'amélioration personnelle, essayez d'apprendre l'écriture automatique. Peut-être vous découvrirez-vous des dons dans cette discipline ! En tout cas, consacrez-y un peu de votre temps, cela en vaut la peine. Si vous griffonnez fréquemment, l'écriture automatique vous sera vite familière. Elle vous ouvrira l'accès de votre subconscient et vous aidera beaucoup à réaliser votre programme.

Installez-vous confortablement, sur une simple chaise. Prenez une planchette que vous mettrez sur vos genoux. Prenez un rouleau de papier, découpez-y une feuille qui recouvre toute la planchette. Si vous devenez un bon automate, vous pouvez aussi utiliser tout le rouleau de papier, en le déroulant au fur et à mesure sur votre planchette.

Ne vous asseyez pas à une table ou devant un bureau : votre bras n'aura jamais la même liberté d'action qu'avec une simple planchette sur les genoux. Utilisez un crayon très tendre ou une plume à bille légère, voire un crayon à marquer la lessive. Au lieu de le tenir comme vous le faites habituellement, prenez-le entre le pouce et l'index. Tenez-le droit, de façon à ce que la pointe repose sur le papier. Commencez en haut à gauche de votre feuille.

Ordonnez maintenant à votre subconscient de contrôler votre main et d'écrire ce qu'il trouvera bon. Ecrivez votre nom, en tenant la plume comme il est dit plus haut. Faites quelques cercles, puis retournez vers la marge supérieure de gauche de la planchette.

Ne faites plus d'autres mouvements volontaires. Certaines personnes constateront que leur main se mettra immédiatement à se mouvoir, mais généralement il faut quelques minutes pour que le mouvement se manifeste. Au début, vous pouvez avoir des lignes ou des figures géométriques, comme s'il fallait une mise en train. Regardez fixement votre main et pensez fortement qu'elle va commencer à bouger. Vous éprouverez peut-être une sensation de fourmillement dans les muscles, ou vous perdrez toute sensation dans le bras, comme s'il ne vous appartenait plus. Si vous commencez à écrire, essayez de ne pas interpréter les mots que se forment. L'écriture automatique ne ressemblera pas à votre écriture habituelle. Les mots ne seront probablement pas séparés par des espaces. Les mouvements peuvent être plus saccadés. La main peut se déplacer très lentement ou, au contraire, voler littéralement sur le papier. Vous pouvez aussi fermer les yeux, si vous voulez, pour éviter la tentation de déchiffrer ce que votre main écrit.

Poursuivez vos essais pendant vingt minutes au moins. Si cela vous semble nécessaire, recommencez. Pour l'auto-hypnose, cette technique vous donnera sans aucun doute d'excellents résultats.

Si vous n'arrivez pas à susciter l'écriture automatique, ne vous découragez pas. Il n'y a probablement qu'une personne sur cinq qui y arrive spontanément, sans beaucoup d'efforts et de pratique.

RÉSUMÉ :

Dans ce chapitre, vous avez appris votre pouvoir d'entrer en communication directe avec le subconscient et d'en obtenir des informations. Vous pouvez y arriver par la méthode des questions et des réponses, que ce soit en utilisant la technique du pendule, celle du mouvement des doigts ou encore en voyant des mots écrits sur le tableau noir, en une « vision de l'esprit ». Vous pouvez aussi développer l'écriture automatique et, par son truchement, obtenir des informations plus détaillées.

Ces techniques sont d'une valeur inestimable pour la recherche des causes de vos maux et pour leur guérison.

CHAPITRE 3

L'Hypnose, une puissante force du Bien

Vous désirez naturellement, dans le programme d'améliorations personnelles que vous avez établi, arriver au but dans les délais les plus brefs.

L'auto-hypnose vous offre ce raccourci.

Il se peut que vous ayez des conceptions fausses de cette discipline mais, avec une compréhension et des connaissances adéquates, vous pouvez bénéficier de ses nombreux avantages. L'hypnose vous ouvre facilement l'accès au subconscient et, en retour, le subconscient, pour aider aux changements que vous désirez obtenir, peut facilement être influencé par l'hypnose.

Fausses conceptions populaires de l'hypnose

Dans le grand public, on se fait une idée tout à fait fausse de l'hypnose, et il arrive que des médecins agissent de même.

Et pourtant, il y a probablement vingt à trente mille femmes dans notre pays qui ont accouché sous hypnose. Des milliers d'autres ont suivi des traitements thérapeutiques où les techniques hypnotiques figurent en bonne place.

Malheureusement les conceptions erronées continuent à prévaloir et bien des gens qui pourraient tirer profit de l'hypnose s'en privent volontairement.

Chacun — ou à peu près — pense qu'une personne hypnotisée devient inconsciente. Or la plupart d'entre nous ont une peur innée ou une prévention contre cette perte de conscience.

En réalité, le sujet est toujours complètement éveillé, même au stade le plus profond de l'hypnose. Il sait ce qu'il dit et ce qu'il fait. Il n'y a aucune perte de connaissance, malgré l'hypnose. Il n'y a d'ailleurs, à part une impression d'indifférence ou de léthargie, que très peu de sensations différant de l'état de veille. Si vous le vouliez, vous pourriez parfaitement vous mouvoir, mais il semble que cet effort vous paraisse superflu. Parler requiert un effort pour vaincre cette léthargie.

On peut éprouver d'autres sensations mineures mais, en général, un sujet qui a été sous légère hypnose n'en est pas affecté. Il trouve cela tout à fait normal.

Quelqu'un qui est en profonde hypnose en a parfaitement conscience. Même à un stade moyen, on éprouve la sensation de quelque chose de profondément « différent ». L'hypnotiseur habile suscitera un phénomène hypnotique qui prouvera au sujet qu'il est en hypnose. L'hypnotiseur peut, par exemple, suggérer que les yeux du patient ne peuvent pas s'ouvrir. A sa grande surprise, le sujet s'aperçoit qu'effectivement, quelque peine qu'il se donne, il ne peut les ouvrir. On peut suggérer aussi qu'un bras est devenu très pesant, ce qui entrave ses mouvements. Lorsque ces suggestions agissent, le sujet a la preuve qu'il est en état d'hypnose. Sinon il ouvrirait les yeux ou bougerait son bras.

Une autre conception fausse, bien ancrée dans l'esprit du grand public, est que le sujet doit se plier à toutes les suggestions qui lui sont faites.

L'hypnotiseur n'est pas omnipotent et le sujet n'est jamais sous sa puissance. L'hypnose serait très dangereuse si l'hypnotiseur avait ce pouvoir. Il y a des milliers de gens qui lisent des livres spécialisés sur l'hypnose et qui apprennent à la susciter. D'aucuns profiteraient de cette puissance pour soumettre le sujet à leur entière volonté et en tirer profit. La presse, vous le pensez bien, s'emparerait avec délices de chaque cas d'abus de l'hypnose et de chaque crime commis sous son influence.

Or personne, sous hypnose, ne peut être amené à agir contre ses principes ou à obéir à une suggestion inacceptable pour lui. D'ailleurs, la peur de perdre son propre contrôle empêcherait le sujet d'entrer en hypnose ou, du moins, d'atteindre un stade de profonde hypnose. Une autre crainte, que l'on mentionne souvent, et qui provient aussi d'une mauvaise interprétation, veut qu'une personne sous hypnose soit amenée à révéler quelque fait qu'elle voulait cacher. Puisque la conscience demeure entière, le sujet sait ce qu'il dit. Il ne livrera pas davantage sous hypnose un « secret d'Etat » qu'il ne le fera à l'état de veille.

Une autre croyance, de même type, voudrait que, sous hypnose, l'on soit inapte à mentir, ou à donner de fausses informations. Si un sujet hypnotisé trouve son intérêt à mentir, il peut parfaitement le faire.

Un jour un jeune homme m'amena sa femme pour qu'elle fût hypnotisée et qu'il sût ainsi si, oui ou non, elle lui avait été infidèle. Il était intensément, paranoïaquement jaloux. Je lui dis que je n'acceptais d'hypnotiser sa femme que si elle le voulait bien, et qu'il ne pourrait pas assister au début de l'hypnose ; il pourrait poser ses questions ensuite. Lorsque je me trouvais seul avec la jeune femme, je lui dis qu'elle n'avait rien à craindre : il ne pourrait pas lui faire violence mentalement et, malgré l'hypnose, elle pourrait répondre ce qu'elle voudrait.

Elle me certifia qu'elle n'avait rien à cacher et me dit qu'elle était tout à fait d'accord pour être questionnée sous hypnose. Lorsqu'il lui posa la question, elle nia toute infidélité, ce qui le satisfit, du moins sur le moment. Sans doute sa jalousie paranoïaque l'entraîna-t-elle plus tard à d'autres suspicions... Mais ce ménage fut sauvé cette fois-là, parce qu'il croyait que l'on ne pouvait pas mentir en état d'hypnose. Souvent, l'on me demande : « Et si je ne me réveillais pas après l'hypnose ? ». C'est un cas extrêmement rare, car le patient se réveille facilement dès qu'on le lui demande. En fait on peut même se réveiller de soi-même à n'importe quel moment. Dans les cas très rares où l'on éprouve une difficulté à se réveiller, il y a un motif ou une raison à cela. Peut-être le sujet se sent-il si bien qu'il ne tient pas à quitter cet agréable état de relaxation.

Si l'hypnotiseur s'en allait en laissant le sujet sous hypnose, ce dernier s'éveillerait dès qu'il le désirerait.

Quels sont les dangers de l'hypnose ?

Y a-t-il certains dangers à l'hypnose ? Un hypnotiseur inexpérimenté peut effectivement provoquer des troubles. Il peut, par exemple, oublier de supprimer une suggestion qu'il a faite, ou omettre de rendre la sensibilité qu'il avait supprimée, lors d'une narcose sous hypnose. Pourtant, dans la règle, ce genre de suggestion perd

rapidement de sa puissance. Dans tous les cas, il est parfaitement
téméraire de se faire hypnotiser par quelqu'un qui n'en a pas
qualité.

La science des hypnotiseurs de foire ne va généralement guère plus
loin qu'amener rapidement l'hypnose et produire certains phénomènes
ainsi étiquetés.

Par contre, médecins, psychologues ou dentistes entraînés à
l'utilisation de l'hypnose, connaissent les quelques dangers que peut
présenter l'hypnose, et savent comment les éviter.

En ce qui concerne l'auto-hypnose, il y a des milliers de gens qui
l'ont étudiée, et j'attends toujours le premier cas où son utilisation
aurait eu de mauvais résultats. La seule précaution à observer est de
supprimer toute suggestion ou phénomène hypnotique avant de vous
réveiller.

Ce livre n'a pas la prétention d'être un traité d'hypnotisme. A ceux
qui voudraient se familiariser davantage avec cette discipline, nous
recommandons les ouvrages spécialisés.

*Pourquoi l'hypnose n'est-elle pas davantage employée par les
médecins ?*

Il y a de multiples raisons à cela. Les médecins ont souvent les
mêmes préventions que le grand public. Beaucoup d'entre eux
craignent son utilisation, à la suite d'articles parus dans la presse
médicale et les magazines non spécialisés. La plupart de ces articles
émanent de psychiatres qui s'opposent à l'utilisation de l'hypnose
hors de leur contrôle. L'Association Américaine des Psychiatres
recommande que l'application des méthodes psychothérapeutiques
soit faite par des médecins praticiens et des spécialistes, et l'Association Américaine des Médecins s'est ralliée à cette recommandation.
A mon sens, l'une des principales raisons de la faible utilisation
des possibilités de l'hypnose comme moyen curatif provient surtout
du temps qu'elle prend. Trente ou quarante minutes (sinon plus)
sont indispensables pour une séance d'hypnothérapie. Lorsqu'un
médecin très occupé voit quarante à cinquante patients par jour,
il ne peut que très rarement consacrer autant de temps à un
seul. Et il n'est pas rare que certains médecins « productifs »

voient jusqu'à quatre-vingts patients — et même plus — par jour !
Le temps est donc bien mesuré pour que chaque patient puisse profiter
d'un traitement de valeur...

Le Dr David Cheek, de San Francisco, très connu comme gynécologue, et qui a des années d'expérience hypnotique, a publié un
intéressant article dans le *Northwest Medicine* (février 1962) mettant
l'accent sur les craintes mal fondées et le regrettable manque de
connaissances en hypnose fréquents dans les milieux médicaux, et
même chez les psychiatres.

Il mentionne dans cet article un questionnaire envoyé à 930 psychiatres californiens concernant l'hypnose. Cinquante seulement indiquent
avoir parfois fait usage de l'hypnose comme technique curative, et
vingt à cinquante disent qu'ils l'ont trouvée d'un intérêt certain.
Comme je connais personnellement la plupart de ces vingt médecins,
je puis ajouter qu'ils concédaient à l'hypnothérapie l'importance la
plus manifeste.

De toute évidence, quelque chose pèche à la base, si vraiment il
n'y a qu'un tel pourcentage : 2 % qui trouve de la valeur à cette
technique. Pourquoi est-elle primordiale pour eux, tandis qu'elle ne
l'est pas pour les 30 autres médecins qui l'ont aussi employée ? La
réponse, sans doute, c'est que ces 30 médecins n'en avaient pas une
connaissance suffisante, et qu'ils ne savaient pas l'appliquer efficacement. Sinon, eux aussi, lui auraient reconnu une valeur primordiale.
Constatation regrettable : il y aurait donc 98 % des psychiatres
californiens qui ignorent une méthode de traitement d'une valeur
inestimable... On peut présumer que le même pourcentage s'applique,
grosso modo, aux Etats-Unis tout entiers ! Ce n'est pas le cas en
Russie, où la plupart des psychiatres utilisent, eux, cette méthode.
Ce manque d'intérêt provient du fait que les médecins n'ont guère
d'occasions de se familiariser avec l'hypnothérapie, ni à l'Université,
ni dans les cours qu'ils suivent plus tard. Les Facultés de médecine
n'ont prévu que trois ou quatre Séminaires traitant de l'Hypnose.
Les médecins-dentistes n'ont pas été plus favorisés, à quelques
exceptions près.

Environ 15.000 à 18.000 médecins, médecins-dentistes et psychologues
ont été initiés aux techniques hypnotiques par des cours privés. En
1952, j'eus le sentiment que des cours de ce genre devaient être

donnés par un team d'instructeurs et j'organisai un groupe de travail Nous tînmes plus de 76 Séminaires enseignant l'hypnose aux professionnels. Ces Séminaires s'organisèrent dans différentes villes des Etats-Unis, au Canada, à Mexico et aux Caraïbes. Par la suite d'autres groupes similaires s'organisèrent également.

L'intérêt suscité provoqua la fondation de deux Sociétés nationales spécialisées, qui comprennent maintenant environ 4000 membres. Chacune publie un journal trimestriel spécialisé concernant l'hypnose. Ses membres sont des experts dans cette technique. Mais il y a évidemment d'autres hypnothérapeutes qui travaillent activement sans se rattacher à ces sociétés.

Et pourtant certains médecins, qui ont suivi ces cours, n'utilisent pas l'hypnose pour leurs traitement, ou l'utilisent de façon épisodique, pour les raisons déjà mentionnées plus haut.

Quelques caractéristiques de l'hypnose

Le stade atteint par la personne hypnotisée est qualifié, suivant son degré, de : léger, moyen ou profond.

Au *stade léger,* on note habituellement les symptômes ou les manifestations suivants : relaxation avec tendance à l'immobilité, palpitation des paupières lorsque les yeux sont fermés, inaptitude à les ouvrir lorsqu'on le suggère, mains que l'on ne peut plus décroiser, sentiment de pesanteur, notamment dans les bras et les jambes, catalepsie des membres (extrême rigidité ou relâchement des muscles, avec tendance à garder la position qu'on leur imprime), et un type partiel de régression de la maturité.

Certains de ces phénomènes seront expliqués ci-après.

Le *stade moyen* de transe amène la catalepsie complète du corps, l'anesthésie de toutes les parties du corps, partielle ou complète, profonde relaxation, amnésie partielle au réveil sur suggestion, très grande lassitude, contrôle de certaines fonctions organiques, telles la circulation du sang et la salivation.

Dans l'*hypnose profonde,* on atteint une régression complète de l'âge mental, avec possibilité d'ouvrir les yeux sans s'éveiller (souvent déjà possible au stade moyen), anesthésie complète, amnésie partielle, contrôle des fonctions du corps, hallucinations positives ou négatives des cinq sens, déformation de la notion du temps.

Il y a d'autres symptômes et phénomènes, mais ceux-ci en sont les principaux. A tous les stades, il y a contact avec l'hypnotiseur. Les suggestions posthypnotiques sont effectives à n'importe quel stade, mais plus la catalepsie est profonde, mieux elles se réalisent. On appelle suggestion posthypnotique celle qui est faite pendant l'hypnose et trouve sa réalisation après le réveil.

Il est possible de dire à quelle profondeur de l'hypnose se trouve le patient, soit en observant les symptômes, par des tests, soit en posant des questions avec les réponses « idéo-motrices », ce que nous décrirons au chapitre suivant. Certains éléments sont caractéristiques des trois stades, mais cependant les réponses individuelles peuvent varier. Un patient peut ne pas parvenir à l'anesthésie hypnotique à un stade très profond, tandis qu'un autre y parvient déjà à un stade léger.

Le phénomène le plus important qui soit utilisé dans l'auto-thérapie est *la régression partielle de l'âge mental*.

Cette possibilité de remonter le temps jusqu'à quelque événement passé ou qui s'est passé à un certain âge, et de le revivre pleinement avec les cinq sens à la fois, donne un résultat d'un poids beaucoup plus grand que le simple fait de s'en souvenir. La régression complète, parfois appelée revivification, n'est en réalité jamais totale. Sinon, il faudrait atteindre un stade très profond, et il serait exceptionnel d'arriver à cette régression avec l'auto-hypnose.

Lorsque l'hypnotiseur suggère au patient qu'il a maintenant tel âge, celui-ci semble effectivement retrouver l'âge en question, avec un type complet de régression. Il se conduira par exemple comme un enfant de cinq ans, si on lui suggère cet âge. La vie qui a passé depuis semble évanouie. Des recherches ont démontré que cette régression était effective, et que ce n'était pas une simple apparence. Chez la plupart des sujets, on obtient aisément un stade partiel de régression avec une très légère hypnose. Le sujet semble s'enfoncer dans le passé ; il revit une expérience exactement comme elle lui est arrivée, ses cinq sens en éveil : la vue, l'ouïe, etc. Mais il garde en même temps conscience de l'identité de l'hypnotiseur et de l'endroit géographique où il se trouve au moment même. Il y a donc dans ce phénomène une espèce de pluralité et d'ubiquité.

C'est ce type de régression qui est le plus employé en psychothérapie et en auto-thérapie. Il est facile à susciter, et le sujet est à même d'analyser et de comprendre ce qui lui est arrivé pendant la régression. Il pourra comprendre comment une expérience passée peut encore l'atteindre dans sa vie actuelle.

Dans la forme complète de régression, il n'y a pas de connaissance ou de compréhension, car l'événement est vu avec la même optique qu'au moment où il s'est passé.

Avec l'un ou l'autre de ces types de régression, on peut retrouver des événements de la petite enfance dont on ne pourrait normalement plus se souvenir. Plus loin, des exemples vous montreront la façon d'employer la régression.

Vous vous êtes auto-hypnotisé à différentes reprises

Vous êtes certainement entrés en hypnose spontanément des centaines ou des milliers de fois, suivant l'âge que vous avez. Il nous arrive à tous d'entrer en transes un jour ou l'autre, même si l'on n'appelle pas ces comportements « hypnose ».

Le Dr Griffith Williams, de la Rutgers University, a mentionné ces états spontanés dans un article sur « L'Hypnose expérimentale » (Experimental Hypnosis, New-York, Macmillan, LeCron, éditeur). Les rêves éveillés ne sont autre chose qu'une forme d'hypnose, parfois légère, souvent profonde. Lorsque nous concentrons notre attention, par exemple en lisant un livre, en regardant un film ou un programme TV, ou même à notre travail, nous avons tendance à entrer en transes. Il est même probable, comme Estbrooks l'a relevé, que nous en faisons autant lorsque nous éprouvons une forte émotion, telle que la peur ou l'angoisse.

Dans une cérémonie religieuse, spécialement par la musique et le rituel, bien des assistants entrent spontanément en transes. Presque chaque conducteur peut se remémorer des situations qui conduisent à l'hypnose : sur la grand-route, vous êtes bien calé dans votre voiture, les mains sur le volant, les yeux fixés sur la ligne blanche de dépassement, tandis que ronronne votre moteur. Et, tout à coup, vous vous rendez compte que vous avez traversé une ville et qu'elle est derrière vous, mais que vous n'en gardez aucun souvenir. En réalité, vous étiez en état d'hypnose, expérimentant le phénomène de l'amnésie ; vous vous êtes alors réveillé vous-même.

La prise de conscience de cet état coutumier et spontané, dont nous avons tous fait l'expérience une fois ou l'autre, devrait nous enlever toute crainte ou appréhension d'être hypnotisés ou d'utiliser l'hypnose. L'état de transes est un phénomène tout à fait habituel et normal.

RÉSUMÉ :

Dans ce chapitre, vous avez appris quelques caractéristiques de l'hypnose. Bien dirigée, elle n'est nullement dangereuse et les médecins professionnellement entraînés à son maniement savent comment éviter les petits désagréments qu'elle pourrait présenter.

Vous n'éprouverez aucune insécurité — sous aucun aspect — à faire usage de l'auto-hypnose. Vous savez que, même en transes, vous êtes toujours conscients et vous ne « démissionnez » jamais, à quelque stade que vous alliez. Vous ne perdrez jamais votre propre contrôle.

Des milliers de médecins ont été entraînés à pratiquer l'hypnose et l'utilisent maintenant pour leurs traitements.

Les associations qui groupent ces médecins peuvent vous donner les noms de quelques-uns d'entre eux qui exercent dans votre région.

Vous voilà maintenant familiarisés avec quelques-uns des phénomènes les plus intéressants qui se produisent dans les trois différents stades de l'hypnose.

Les états communs et spontanés d'hypnose que nous rencontrons journellement sont normaux et la prise de conscience de ceux-ci doit vous délivrer de toute crainte à ce sujet.

CHAPITRE 4

L'auto-hypnose vous donne la clé d'une vie plus heureuse

Maintenant que vous connaissez la vérité concernant l'hypnose, vous voilà prêt à apprendre le moyen de vous hypnotiser vous-même, pour votre propre profit. Vous pouvez en effet influencer et toucher votre subconscient plus facilement sous hypnose. Vous pouvez ainsi faire travailler votre subconscient en votre faveur.

La plupart des gens trouvent relativement aisée l'étude approfondie de l'auto-hypnose. D'aucuns trouvent cette discipline difficile, tandis que d'autres arrivent à l'appliquer avec succès au premier essai. Il faut compter cependant avec une certaine pratique, un apprentissage de son mécanisme étant nécessaire. Vous constaterez que c'est en multipliant les expériences que vous y parviendrez.

La façon la plus simple d'apprendre les techniques de l'hypnose est d'aller voir un médecin ou un psychologue qui pratique l'hypnose. Une, deux, voire trois visites peuvent être nécessaires (mais gardez-vous comme du feu de qui se dit « hypnotiseur » !). Lorsque votre thérapeute vous aura mis en hypnose, il vous fera des suggestions posthypnotiques qui vont vous permettre de vous mettre ensuite de vous-même en état de transes.

Il vous indiquera une courte formule à l'aide de laquelle vous pourrez vous mettre en état de réceptivité et approfondir l'hypnose. Chaque fois que vous utiliserez cette formule, vous réaliserez les suggestions posthypnotiques et vous vous mettrez facilement en transes. Au bout de quelques séances d'exercice, il devrait vous être facile d'atteindre rapidement un stade assez profond.

La méthode de l'auto-hypnose

Si vous n'aviez pas la possibilité de vous faire hypnotiser par un thérapeute spécialiste de la question, la méthode ci-après vous indiquera la marche à suivre pour réaliser l'auto-hypnose.

Pour vous exercer à cette technique, il est bon de fixer des yeux quelque objet. Par la suite, vous n'en aurez plus besoin. N'importe quel objet fait l'affaire : une image au mur, une auréole au plafond, n'importe quoi que vous contemplez facilement. L'un des meilleurs objets conducteurs est une bougie allumée, placée de telle manière que vous puissiez aisément la contempler. La flamme vacillante de la bougie a un effet hypnotique. Un feu de cheminée produit aussi le même effet. Le pendule, avec sa petite balle en lucite, est également un excellent objet sur lequel se concentrer. Si vous avez un tourne-disques, vous constaterez que la musique douce et lente y aide aussi.

Installez-vous confortablement, couché ou assis. Regardez la flamme de la bougie (ou tout autre objet choisi) et prenez trois ou quatre profondes inspirations, pour vous aider à vous relaxer. Vous n'avez nul besoin de vous exprimer à haute voix, il suffit de penser vos suggestions.

Vous pouvez vous suggestionner ainsi : « tandis que je contemple la flamme de cette chandelle, mes paupières vont devenir de plus en plus lourdes. Bientôt elles seront si lourdes qu'elles se fermeront. Bientôt je vais être en hypnose ». Vous pouvez formuler ces pensées comme vous le voulez, en les répétant plusieurs fois tandis que vous regardez la bougie. Lorsque vous avez le sentiment que vos paupières deviennent plus lourdes, laissez-les se fermer, si vous en éprouvez le désir. Une minute ou deux doivent suffire ; il est complètement inutile de fixer plus longtemps l'objet choisi.

Lorsque vos yeux se ferment, vous devez avoir un mot ou une phrase-clé prêt à servir de signal à votre subconscient pour déclencher l'état d'hypnose. Voici une bonne phrase-clé : « Relaxe-toi maintenant », ou toute autre formulation du même genre. Le « maintenant » utilisé dans la phrase est important, car il signifie « immédiatement », pas plus tard. Cette phrase devrait aussi être répétée lentement, par trois fois.

Vous devez alors commencer à relâcher vos muscles. Commencez par les pieds. Laissez les muscles de votre pied droit se relaxer, des doigts à la hanche — puis le pied gauche, de la même façon. Remuez légèrement les doigts et contractez fortement vos muscles, pour commencer, puis laissez-les se décontracter. Relaxez ensuite l'estomac et les muscles abdominaux, puis la poitrine et les muscles respiratoires.

Vous constaterez probablement que votre respiration se ralentit et provient du bas de vos poumons : c'est la respiration diagphrag-matique.

Parfois, pour commencer, la respiration s'accélère, comme le pouls quand le patient est en hypnose. Mais à un stade plus profond, le pouls et la respiration ralentissent.

Puis, relâchez les muscles de votre dos, en continuant par les épaules et la nuque. Nous sommes souvent tendus à cet endroit. Continuez par les bras, depuis les épaules au bout des doigts. Lorsque vous vous enfoncez un peu plus profondément dans l'hypnose, les muscles faciaux se détendent aussi et se relâchent d'eux-mêmes. Un certain relâchement de la musculature du visage ainsi que la fixité de l'expression sont des signes typiques de l'hypnose.

Pensez en vous-même : « Maintenant, je vais de plus en plus profond », en le répétant plusieurs fois. Imaginez-vous alors que vous vous trouvez en haut d'un escalier roulant, comme on en trouve dans les grands magasins. Imaginez-vous que les marches de l'escalier descendent devant vous et regardez les rampes. Comptez lentement à rebours de dix à zéro en vous imaginant, lorsque vous commencez à compter, que vous venez de pénétrer sur l'escalier roulant et que vous vous tenez les mains aux rampes, tandis que les marches descendent et vous emportent de plus en plus bas. Lorsque vous arrivez à zéro, vous devez alors, en esprit, quitter l'escalier roulant. Les trois premières fois que vous vous suggestionnez, vous devez répéter ce processus trois fois, en vous imaginant sur l'escalier, descendant d'un étage à l'autre, comptant chaque fois à rebours comme au début. Après quelques exercices, il vous suffira d'une seule fois pour suivre ce déroulement. Si, comme certaines personnes, vous éprouvez une répugnance pour les escaliers mécaniques, substituez-y un ascenseur, ou même simplement des escaliers. Un patient me dit une fois qu'il n'aimait pas descendre et me demanda s'il ne pourrait pas plutôt monter. Pourquoi pas ? Il n'y a en fait pas de différence. Seulement l'idée de descendre s'associe au concept « plus profond ». Si vous préférez monter, évitez les mots « profond » et « plus profond », et substituez-y « haut » et « plus haut ».

Vous devez maintenant être tout au moins en état d'hypnose légère. Certains patients estimeront qu'à ce moment-là, ils sont déjà descendus très profond. Si vous le désirez, vous pouvez émettre de nouvelles suggestions pour descendre encore plus profond. Vous pouvez imaginer que vous vous trouvez en quelque lieu agréable où vous pouvez bien vous reposer. Vous pouvez planter un décor imaginaire : au bord d'un lac ou de la mer, dans les montagnes, à la pêche, en bateau, à la maison dans votre salon, à votre guise. En vous concentrant sur cette scène imaginaire, vous descendrez plus profond en hypnose.

Le débutant se demandera probablement s'il obtient des résultats. Prenez une attitude mentale positive, et non pas négative. Lors de vos premiers exercices pratiques, ne vous tracassez pas pour savoir si vous arrivez à des résultats. C'est par la pratique que vous y arriverez. Surtout « n'essayez pas » de force, d'arriver à quelque chose. Par l'exercice, le succès vient tout seul. Toute tentative volontaire ne fait que vous entraver ; essayez de rester totalement passif. Pour commencer, tenez pour acquis que vous vous êtes mis en état d'hypnose — et probablement y arriverez-vous ainsi.

Comment mesurer la profondeur de l'hypnose ?

La profondeur de l'hypnose est fluctuante. A un stade profond, on remarquera une sorte de mouvement ondulatoire. Vous vous abîmez dans le creux de la vague, pour remonter à sa crête, très lentement. Si vous avez la sensation de ces phénomènes, vous avez sans doute atteint une bonne profondeur d'hypnose.

Les états hypnotiques sont habituellement subdivisés en :

stade léger,

stade moyen et

stade profond (c'est ce qu'on nomme le somnambulisme).

Vous vous demanderez sans doute à quelle profondeur vous êtes descendu. Dans vos six premières séances, n'y arrêtez pas votre attention. Plus tard, votre subconscient vous indiquera à quel stade vous êtes parvenu. Si nous fournissons au subconscient une jauge pour effectuer ses mesures, il pourra fournir cette indication, ce qu'il semble d'ailleurs faire très couramment, comme les tests l'ont prouvé. Vous pouvez connaître la profondeur atteinte en questionnant votre subconscient par la méthode des réponses « idéo-motrices ».

Cette jauge pour l'inconscient peut être déterminée de façon arbitraire. Par exemple, nous pouvons dire que le stade le plus léger se situe de 1 à 50 cm., le stade moyen de 50 à 100 cm., et le stade profond de 101 à 105 cm. Une profondeur encore plus grande de l'état hypnotique est appelée « transe totale ». Même pour un excellent sujet, il faut compter plusieurs heures d'induction pour atteindre pareille profondeur. Rares sont ceux qui peuvent descendre à pareille profondeur, et il est probable que l'auto-hypnose n'est pas suffisante pour y parvenir. Vous pouvez laisser cette phase entièrement de côté, elle ne présente qu'un intérêt de recherche.

Lorsque vous êtes en hypnose, vous pouvez en estimer la profondeur en utilisant la méthode de réponse des doigts ; une fois éveillés, vous pouvez en effet, pour apprendre de votre subconscient la profondeur que vous avez atteinte, utiliser soit les réponses « idéo-motrices » soit le pendule.

Les questions peuvent être formulées à peu près de la façon suivante : « Quel est le stade le plus profond que j'ai atteint aujourd'hui ? 20 cm. ou plus ? ». Si la réponse est « non », vous devez demander : « Etait-ce 15 cm. ou plus ? ». Mais si votre première question a eu « oui » pour réponse, vous pouvez ensuite demander si vous êtes arrivé à 25 cm., etc. En procédant ainsi, vous pouvez obtenir une donnée exacte de la profondeur atteinte. Une différence de plus ou moins 5 est suffisamment exacte pour le but que vous poursuivez.

Réveillez-vous reposé et rétabli

Lorsque vous voulez vous réveiller, il vous suffit de penser : « Maintenant, je vais me réveiller ». Puis comptez lentement jusqu'à trois, ou cinq, comme vous préférez. Vous constaterez que vous vous réveillerez toujours reposé, rafraîchi et vous sentant exceptionnellement bien. Malgré tout, suggestionnez-vous dans ce sens. Certains sujets se sont plaints, parfois, d'un léger mal de tête en se réveillant. C'est un fait rare, et la raison n'en est pas apparente, mais on peut prévenir cette possibilité par une suggestion.

Pendant l'hypnose, le temps peut sembler très fugitif. Vous constaterez parfois que vous êtes resté en transe une demi-heure quand vous pensiez que votre hypnose n'avait duré que quelques minutes. Si vous êtes fatigué lorsque vous commencez votre auto-hypnose, vous pouvez tomber dans un sommeil normal. Vous pouvez l'éviter par des suggestions de rester en hypnose jusqu'au moment de vous réveiller. Vous pouvez même régler la durée de l'hypnose. En regardant la bougie, ou avant de commencer le processus de relaxation, suggérez-vous de vous réveiller spontanément après un temps donné. Il en sera ainsi.

Dans un état très profond d'hypnose, il se produit une léthargie considérable, tant physique que mentale. Bouger ou penser semble trop compliqué. Vous pourriez avoir du mal à vous concentrer sur votre objet. C'est pourquoi, lorsque vous vous suggestionnez, il vaudrait mieux ne pas descendre plus loin qu'au stade moyen. La profondeur idéale pour l'auto-hypnose est, généralement, d'environ 35 cm. à 55 cm. de votre jauge. Même à un stade très léger, on peut arriver à de très bons résultats, mais le stade moyen est préférable.

Lorsque vous faites une suggestion précise à votre subconscient, répétez-la environ trois fois, laissez-lui un peu de temps pour l'enregistrer et l'assimiler à fond, tandis que vous dirigez votre attention sur un autre sujet n'ayant rien à voir avec le thème de votre suggestion.

Exercices d'autosuggestion et signification des résultats

Lors de vos premières séances, accordez-vous une demi-heure ou vingt minutes pour arriver à l'hypnose et l'approfondir. *Les quatre ou cinq premières fois, vous ne devez pas essayer de découvrir à quelle profondeur vous êtes allés.* Vous pourriez vous décourager en apprenant que vous n'avez atteint qu'un stade très léger, ou même imperceptible. Chaque fois que vous vous exercerez, vous descendrez un peu plus profond. Après environ huit à dix séances, vous atteindrez probablement le stade le plus profond, mais ce n'est pas une règle. Après la cinquième séance, vous pouvez vous livrer à quelques tests. Bien sûr, si vous êtes certain d'avoir atteint un stade très profond après une au deux tentatives, vous pouvez commencer les tests plus tôt. Lorsque les tests sont réussis, vous pouvez alors commencer à réaliser certains phénomènes intéressants et d'une valeur certaine.

Premier test : la lévitation de la main

Mettez-vous en état d'hypnose. Relaxez complètement vos bras, à vos côtés ou sur les accoudoirs d'une chaise. Concentrez votre attention sur votre bras droit, si vous êtes droitier, sur votre bras gauche, si vous êtes gaucher. Il se peut que vous ressentiez une lourdeur dans les bras. Suggérez-vous que cette lourdeur va rapidement disparaître, qu'elle quitte déjà lentement le bras.
Pensez alors : « Mon bras devient de plus en plus léger, de plus en plus léger. Tout son poids disparaît. Bientôt il sera aussi léger qu'une plume. Ma main va commencer à se lever. Le bras pliera au coude et la main flottera, se levant de plus en plus haut. Bientôt ma main touchera mon visage ».
Tandis que vous ferez ces suggestions, un sentiment de légèreté envahira peu à peu votre bras. Avant que votre main commence à se lever, vous sentirez des fourmillements dans les doigts, puis la main tout entière commencera à flotter. Continuez, répétez ces suggestions. Assurez-vous que vous ne faites aucun effort volontaire pour lever le bras, mais ne le retenez pas non plus. Il bougera de lui-même, contrôlé par votre subconscient.
Le temps que met la main pour atteindre le visage varie considérablement suivant les individus. Il peut s'agir de plusieurs minutes, mais en général ce laps de temps est plus court. Lorsque le bras commence à se lever, vous constaterez qu'il se meut par petites saccades, le mouvement étant très lent. Lorsque le bras prend de la hauteur, le mouvement peut devenir plus rapide (vous pouvez le suggérer) et moins saccadé. Lorsque votre main a touché votre visage, laissez votre bras retomber dans une position confortable. Si vous réussissez ce test, vous savez de façon certaine que vous avez atteint le stade léger de l'hypnose.
Si vous ratez ce test, recommencez l'expérience lors d'une de vos prochaines séances d'entraînement.

Le test des paupières et le test des mains jointes

Vous pouvez aussi utiliser un autre test. Lorsque vous fermez les paupières, suggérez-vous que vous allez compter jusqu'à trois, et que vous ne pourrez plus ouvrir les paupières. Répétez cette suggestion, en la complétant par la pensée suivante : « Plus j'essaierai de les ouvrir, plus mes paupières se fermeront ». Puis suggérez-vous comme suit :

1. Mes paupières collent fortement, mes paupières collent fortement.

2. Comme si elles étaient soudées ensemble, soudées ensemble, et je ne puis plus les ouvrir !

3. Maintenant elles sont fermées, fermées très fortement.

Ne cessez pas de répéter le mot « fermé », tandis que vous essayez d'ouvrir les yeux. Si le test réussit, vos paupières resteront closes, quoi que vous essayiez pour les ouvrir. En acceptant ces suggestions, votre subconscient bloque les impulsions nerveuses et les empêche d'atteindre les muscles de vos paupières, si bien qu'elles ne peuvent bouger. Les suggestions doivent être faites lentement, en laissant le temps nécessaire à les assimiler. Ne vous hâtez donc pas.

Un autre test intéressant, et semblable, est le *test des mains jointes*. Vous l'exécutez en joignant les mains devant vous, ou sur votre tête, paumes à l'intérieur. Tandis que vous joignez les doigts et que vous les nouez solidement ensemble, vous émettez les mêmes suggestions que pour les yeux, mais, dans votre formulation, en substituant « mains » à « paupières ». Si vous tenez vos mains devant vous, assurez-vous que les paumes sont bien pressées étroitement ensemble.

Suggestions pour l'auto-hypnose

Lorsqu'on atteint avec peine l'hypnose par les simples méthodes indiquées précédemment, il faut prévoir un travail préparatoire plus long. Il faut émettre davantage de suggestions, et employer un véritable langage symbolique. Après avoir répété votre phrase-clé trois fois, et avant d'utiliser l'escalier roulant imaginaire, faites-vous des suggestions dans le genre de celles-ci : « Je suis couché ici » confortablement, et je me relaxerai de plus en plus, à chaque » respiration. Mes yeux sont maintenant fermés, et je vais commen-» cer à ressentir une agréable sensation d'absence de désir. Je vais » ouvrir la porte à ce sentiment. C'est si agréable de se reposer. » Mes bras et mes jambes vont commencer à me sembler pesants. » Je bascule dans l'hypnose et me relaxe de plus en plus. Il semble » que tous les problèmes s'évanouissent, rien ne paraît plus importer.

» Je vais éprouver un sentiment de confort et de bien-être. Je vais
» descendre de plus en plus profond à chacune de mes inspirations.
» Quand je compterai à rebours et que j'imaginerai l'escalier roulant
» (ou l'ascenseur, ou les escaliers), j'irai plus profond à chaque
» chiffre. »

Cet exposé de mise en train peut être « mémorisé » tel qu'il est, ou
formulé en vos propres termes, mais avec les idées qu'il contient.
Lorsque vous vous l'êtes répété, utilisez la technique de l'escalier
roulant, pour descendre plus profond.

Après vos premières séances d'entraînement, lorsque vous commencerez à vous livrer à des tests ou que vous arrivez à produire un
phénomène hypnotique, vous constaterez que tout résultat atteint
vous entraîne encore plus profondément en hypnose.

Quelques utilisations de l'auto-hypnose

Dans bien des cas, l'auto-hypnose peut être fort utile. C'est le
meilleur moyen de vaincre les insomnies. Si vous connaissez ces
difficultés, mettez-vous en transes en allant au lit. Puis vous vous
suggérez de passer de l'hypnose au sommeil naturel, en formulant
cette suggestion comme suit : « Je désire me reposer graduellement,
» de plus en plus, être de plus en plus endormi. Dans un instant,
» je vais tomber dans un profond sommeil et je vais dormir ainsi
» toute la nuit. »

Dès que vous avez émis cette suggestion, vous devez en
détourner votre attention, et penser à quelque chose d'agréable qui
n'a aucun lien avec le sommeil. Ce dernier facteur est très important :
si vous continuiez à penser au sommeil, vous empêcheriez votre
subconscient de le provoquer. Lorsque cette méthode est bien appli-
quée, elle procure une bonne nuit de profond sommeil.

Il arrive que l'insomnie soit le symptôme d'un état névrosique.
Si c'est le cas, la suggestion ne suffira pas à supprimer l'insomnie,
et vous devrez en rechercher les causes.

Vous trouverez d'ailleurs, décrites plus loin, les différentes méthodes
pour vaincre l'insomnie.

L'auto-hypnose présente encore beaucoup d'autres avantages. En
l'utilisant, vous vous sentirez beaucoup plus reposé dans votre vie
de tous les jours. La suggestion hypnotique peut supprimer la fatigue.

Si vous vous sentez fatigué à la fin de la journée et si vous avez à sortir, consacrez un moment à l'hypnose, en vous suggérant de vous réveiller reposé et ragaillardi ; cela suffira pour que vous ayez le sentiment d'une force et d'une vitalité nouvelles.

Lorsque vous aurez appris comment produire l'anesthésie sous hypnose, cette connaissance pourra vous être souvent très utile. Vous pourrez « fermer la porte » à la douleur, et vous pourrez faire usage de cette technique lors de vos traitements dentaires ou s'il vous arrivait un accident grave.

N'oublions pas, cependant, que la douleur a une signification pratique, et il ne faut l'annihiler que dans des cas spéciaux, en pleine connaissance de cause. Par exemple, des douleurs ventrales peuvent être des symptômes d'appendicite. Dans ce cas, il serait donc dangereux de supprimer ces symptômes, dont l'action est celle d'une « sonnette d'alarme ».

Par contre, on pourra utiliser l'anesthésie sous hypnose pour des malades qui en sont au dernier stade d'un cancer et souffrent beaucoup, afin d'apaiser leurs derniers moments.

Il ne faut donc utiliser la narcose hypnotique que dans les cas bien précis où l'on voit de façon certaine qu'il faut avant tout arrêter la douleur.

L'opportunité de l'auto-hypnose peut également apparaître dans les études : si vous êtes un bon sujet hypnotique, capable d'ouvrir les yeux en restant en hypnose, vous pouvez étudier en état de transe. La puissance de concentration, la réceptivité, la mémoire et le résultat des épreuves seront fortement améliorés par l'hypnose.

Lorsque vous voulez ouvrir les yeux en état d'hypnose, il faut vous autosuggestionner en mentionnant que l'hypnose devient encore plus profonde dès que vous ouvrez les yeux. Sinon, vous risqueriez de vous éveiller, ou de diminuer la profondeur de l'hypnose en ouvrant les yeux. Probablement y a-t-il là une association d'idées entre « ouvrir les yeux » et « s'éveiller », comme c'est le cas dans le sommeil.

Comment une institutrice trouva de l'aide dans l'auto-hypnose

Une institutrice qui prenait des cours de vacances pour étudier la géométrie, afin d'augmenter ses chances professionnelles, me raconta que cette discipline présentait pour elle de grosses difficultés. Elle avait déjà accompli la première période d'un cours de six semaines, et me dit qu'elle haïssait cette branche. Elle n'y comprenait rien et n'arrivait pas à l'étudier convenablement. Comme elle était un excellent sujet, je lui conseillai d'étudier et de passer ses examens en hypnose. Elle suivit mon avis et obtint un magnifique diplôme. D'autres élèves ou étudiants ont également découvert que leurs facultés se trouvaient sublimées par cette méthode.

Le but principal de l'auto-hypnose est d'influencer le subconscient par la suggestion. Elle vous permettra, en un temps record, d'atteindre les buts que vous vous proposez pour votre propre thérapie.

Utilisation de la régression partielle de l'âge mental

Pour mener à bien votre programme d'amélioration personnelle, il vous sera parfois nécessaire de faire usage de la régression de l'âge mental. Lorsque vous voulez faire apparaître ce phénomène, vous devez éviter le stade profond de l'hypnose : sinon, vous n'arriverez à aucune connaissance des effets d'expériences passées. Vous pouvez remonter le temps à un stade très léger d'hypnose. Efforcez-vous tout d'abord de retourner à l'époque d'une expérience récente et sans portée. *Il y a là plus qu'un simple appel à la mémoire.* Votre but doit être de vivre à nouveau, avec vos cinq sens, une expérience passée.

Approfondissez votre hypnose et dirigez vos pensées sur le dernier repas que vous avez pris en compagnie de quelqu'un. Suggérez-vous, par exemple : « Je retourne à mon petit déjeuner de ce matin et » revis encore une fois ce moment. Je retourne en arrière, en arrière, » jusqu'à mon déjeuner de ce matin ». Répétez cette suggestion. Essayez maintenant de voir la scène. Peut-être au début, sera-t-elle un peu floue. Elle deviendra ensuite plus nette et plus vivante. Essayez de voir la table, devant vous, et regardez votre femme. Voyez ce qu'elle porte, notez le dessin et la couleur de ses vêtements. Essayez de faire surgir d'autres détails, pour que la scène s'anime. Prenez conscience de la position que vous occupez, jusqu'à sentir la chaise sur laquelle vous êtes assis.

Retournez maintenant à l'instant où vous avez bu une gorgée de café. Regardez la tasse, notez sa couleur, prenez-la et sentez-la dans votre main. Lorsque vous la portez à la bouche, humez l'agréable arôme qui s'en échappe. Buvez une gorgée de café et appréciez son goût. Après avoir posé la tasse, regardez les autres mets qui sont sur la table, ayez-en une vision claire quant à la couleur et à la forme. Retournez alors à l'instant précis où votre femme vous a dit quelque chose. Essayez d'entendre tous les mots qu'elle a employés. Vous pouvez même entendre sa voix. Tentez surtout de développer l'ouïe, en écoutant bien tout ce qui a pu être dit à ce moment-là.

Tout ce processus tend à traquer la mémoire, dans son essence, pour revivre réellement ce moment. Avec un peu de pratique, vous devez rapidement apprendre à remonter le temps jusqu'à une expérience récente. Vous constaterez que certains détails surgissent, dont vous ne pourriez pas vous souvenir, si vous faisiez appel à votre seule mémoire.

Si vous n'arrivez pas à remonter le temps, demandez à quelqu'un de vous parler tandis que vous êtes en hypnose, en employant les suggestions mentionnées auparavant, et en vous commandant d'agir comme il a été indiqué.

A la séance suivante, vous apprendrez à retourner à quelque expérience d'enfance, que vous avez peut-être complètement oubliée. Chaque enfant a de multiples occasions de se faire mal : il tombe, il se coupe, il se fait une ecchymose. Suggérez-vous donc de retourner à l'âge de quatre, cinq ou six ans, à un moment où vous vous êtes fait mal, mais sans gravité. Quand il se fait mal, l'enfant réagit en pleurant, et quelqu'un vient le consoler — peut-être sa mère. Elle lui dit probablement : « Ne pleure pas, ne pleure pas, ce n'est rien », ou trouve quelque autre consolation du même genre.

Répétez à haute voix ces phrases plusieurs fois, en mettant bien l'expression, comme le fait la mère qui console son petit. Si d'autres mots vous paraissent convenir mieux, utilisez-les. Si c'est le cas, votre subconscient a laissé échapper les mots qui ont été réellement dits en son temps. L'association du son de ces mots avec leur signification aide à régresser dans le temps.

Mentalement, regardez maintenant autour de vous et imprégnez-vous de cette scène. Etes-vous à la maison ou au dehors ? Essayez de le déterminer clairement. Dites-vous que vous vivez l'instant exact qui précède la légère blessure que vous vous êtes faite, et notez ce que vous êtes en train de faire. Vivez alors le moment où vous vous êtes fait mal et ce qui a suivi, en écoutant surtout ce qui a été dit. Probablement sentirez-vous ce qui vous a réellement fait mal, mais pas au même degré.

Lorsque vous aurez réalisé cette expérience, dites-vous que vous allez maintenant retourner au temps présent, pour mettre un terme à cette régression. (Vous deviez naturellement le faire lors de votre premier essai de régression du petit déjeuner.) Mais si vous oubliez ce processus inversé, vous vous réorienteriez vous-même dans le temps passé, à votre réveil. Aucun mal ne résulterait donc de cet oubli. Nombreux sont ceux qui arrivent sans difficulté à régresser dans le temps. Si vous n'arrivez pas à revivre un épisode où vous vous êtes fait un peu mal, peut-être est-ce parce que vous ne voulez pas vous souvenir d'événements déplaisants ?

Vous pourriez, dans ce cas, vous suggérer de retourner à une expérience particulièrement agréable ou intéressante survenue au même âge, et que vous auriez complètement oubliée. Dites-vous : « J'ai maintenant environ cinq ans. Quelque chose de très agréable » est arrivé aujourd'hui. Peut-être est-ce Noël ou ma fête et ai-je reçu » un beau cadeau. Je vais revivre ce moment. » Vous pourrez alors revoir la scène et la revivre. Lorsqu'elle a atteint son plein développement, mettez-y fin par la suggestion de revenir au temps présent.

Si vous n'arrivez pas à réaliser ces régressions, essayez à nouveau lors d'une autre séance. Si vous pouviez arriver à un stade hypnotique plus profond, cela vous aiderait sans doute. Mais n'exagérez pas. Une branche importante de l'autothérapie consiste à régresser dans le passé, jusqu'à des événements qui peuvent encore avoir des conséquences actuelles.

Si vous réalisez la régression comme elle est décrite ici, vous vivez de nouveau cette expérience en tant que *sujet-participant*. Mais il arrive que l'événement à revivre présente une incidence désagréable, et dans ce cas il est plus facile d'y revenir en *observateur*. Lorsque vous constaterez que vous n'arrivez pas à susciter la régression, essayer de suggérer que vous allez voir la scène et son déroulement en tant qu'observateur, et vous vous verrez donc vous-même dans cette scène. Vous pourriez ainsi vaincre cette résistance à remonter jusqu'à un événement déplaisant, puisqu'il est plus aisé d'en être l'observateur que l'acteur.

Un mécanisme verbal d'incitation pour susciter l'auto-hypnose

Si vous possédez un enregistreur, vous pouvez enregistrer vous-même le texte d'incitation à l'hypnose ci-après. Il peut faciliter beaucoup votre apprentissage.

Si vous n'avez qu'un tourne-disques, vous pourrez sans doute faire, sans beaucoup de frais, enregistrer le texte en question dans un magasin spécialisé.

La meilleure méthode consiste à enregistrer d'une voix monotone et lente. La formulation choisie comporte des suggestions qui agissent comme une formule magique pour susciter l'auto-hypnose. Après avoir écouté votre enregistrement, ou à la fin de celui-ci, dès que vous êtes réveillé, vous devriez recommencer l'expérience en vous mettant à nouveau en hypnose, en suivant la formule donnée. Pour écouter votre texte de suggestion, installez-vous dans une position confortable, soit assis, soit couché. Faites reposer vos bras sur les accoudoirs de votre fauteuil ou laissez-les pendre, comme vous préférez.

Fermez les yeux et prenez deux ou trois profondes inspirations.

Voici ce texte :

« Maintenant que vous voilà confortablement installé, vous allez «
» écouter attentivement ma voix et suivre toutes les suggestions qui «
» vous sont faites. Vous allez apprendre comment entrer en hypnose «
» et comment la produire vous-même. Vos yeux sont maintenant «
» fermés. Prenez une profonde inspiration, retenez votre souffle «
» quelques secondes, et expirez. Plus vous vous laisserez aller, et «
» plus profondément vous entrerez en hypnose. Laissez vos muscles «
» se détendre et se relâcher, autant que faire se peut. Commencez «
» par votre jambe droite. Contractez tout d'abord vos muscles, pour «

» que la jambe devienne rigide, puis relaxez-la, depuis le bout des «
» doigts à la hanche. Contractez ensuite les muscles de votre jambe «
» gauche, en relaxant ensuite celle-ci depuis le bout des doigts «
» à la hanche. «
» Mettez au repos les muscles stomacaux et abdominaux, puis les «
» muscles pectoraux et respiratoires. Les muscles dorsaux se relâchent «
» maintenant, puis ceux de vos épaules, les deltoïdes, et ceux de «
» votre nuque. Il existe souvent une certaine tension dans cette «
» région. Relaxez tous ces muscles. Maintenant, c'est au tour de vos «
» bras, des épaules au bout des doigts. Même les muscles de votre «
» visage vont se relâcher. Cette relaxation est si agréable et si «
» confortable ! Laissez-vous aller complètement et prenez plaisir «
» à cette relaxation. Toute tension semble se retirer de vous et vous «
» vous sentez bientôt pénétré d'une impression de libération et d'un «
» sentiment de bien-être. «
» Plus vous vous décontracterez, plus profond vous pénétrerez en «
» hypnose. Vos bras et vos jambes commencent à peser. Ou, au «
» contraire, votre corps vous paraît très léger, comme s'il flottait «
» mollement sur un nuage. «
» Imaginez-vous maintenant que vous êtes en haut d'un escalier «
» roulant, comme il s'en trouve dans les grands magasins. Regardez «
» ces escaliers descendre devant vous et contemplez leurs rampes. «
» Je vais compter à rebours de dix à zéro. Lorsque je commencerai «
» à compter, imaginez que vous montez sur l'escalier roulant, les «
» mains aux rampes, tandis que les escaliers descendent et vous «
» entraînent avec eux. «
» Vous pouvez aussi imaginer de simples escaliers, ou un ascenseur. «
» Si vous avez quelque difficulté à voir mentalement l'escalier «
» mécanique, les escaliers ou l'ascenseur, le comptage seul vous «
» amènera de plus en plus profond (Lentement :) DIX — vous «
» montez sur l'escalier roulant et commencez à descendre, NEUF — «
» HUIT — SEPT — SIX. Vous descendez de plus en plus profond «
» avec chaque chiffre. CINQ - QUATRE — TROIS. Encore plus «
» profond. DEUX — UN — ZÉRO. Vous descendez maintenant «
» à l'étage inférieur et vous allez descendre encore, à chaque «
» nouvelle inspiration. Vous vous sentez si reposé et si plein de «
» bien-être. Laissez-vous encore aller. Prenez conscience de votre «
» respiration. Elle est maintenant probablement plus lente, et vous «

» respirez maintenant davantage avec la partie inférieure de vos «
» poumons, en une respiration diaphragmatique. «
« Dans un instant, vous allez noter que votre main et votre bras «
» perdent peu à peu toute pesanteur et deviennent incroyablement «
» légers. Si vous êtes droitier, ce sera le bras droit, si vous êtes «
» gaucher, le gauche. Le bras devient de plus en plus léger. Il se lève «
» bientôt en un mouvement qui peut commencer par les doigts ou «
» prendre toute la main. Elle s'approche du visage, comme attirée «
» par un aimant, jusqu'à le toucher. Notez l'endroit où s'est fait «
» cet attouchement. Le coude se plie. Il se lève. S'il ne le fait pas de «
» lui-même, aidez-le volontairement pour lui donner l'impulsion «
» initiale. Il continuera de lui-même à monter. Il monte jusqu'à «
» votre visage, toujours plus haut. Plus votre main s'élèvera, plus «
» vous irez profond dans l'hypnose. Plus vous irez profond, et plus «
» votre main s'élèvera. Elle monte, elle monte, flottant de plus en «
» plus haut. Elle monte encore et toujours. Maintenant, si votre «
» main a touché votre visage, laissez-la retomber dans une position «
» confortable. Si elle ne l'a pas encore touché, elle va continuer à «
» monter jusqu'à ce qu'elle l'atteigne. Vous pouvez oublier votre «
» bras pendant que je vous parle et que je vous dis comment entrer «
» en hypnose, si vous en éprouvez le désir. «
» Lorsque vous vous sentirez parfaitement bien, vous fermerez les «
» yeux pour entrer en hypnose. Mais, lors des trois ou quatre «
» premières séances, allumez une bougie et, lorsque vous vous sentez «
» envahi de bien-être, regardez la flamme vacillante pendant deux «
» ou trois minutes. Cela vous aidera. «
» Puis, fermez les yeux. «
» Pensez alors en vous-même la phrase : « Maintenant, j'entre en «
» hypnose », puis répétez l'injonction : « Relaxe-toi », trois fois, «
» très lentement. En le faisant, vous glisserez du monde réel dans «
» l'hypnose. Il n'y a pas besoin d'une formulation à haute voix, il «
» suffit de penser ces mots. Une fois que vous l'avez faite, prenez «
» une nouvelle inspiration profonde pour vous aider à vous relaxer, «
» et continuez cette relaxation comme vous l'avez fait précédem- «
» ment. Ordonnez à vos muscles de se relâcher, comme je l'ai fait. «
» Lorsque, pour finir, vos bras sont relaxés, imaginez l'escalier «
» roulant, l'ascenseur ou les escaliers ordinaires. Vous comptez «
» alors à rebours de dix à zéro. Comptez lentement. »

Dans vos quatre premières séances d'entraînement, répétez trois fois le comptage, comme si vous descendiez à différents niveaux. Avec la pratique, vous n'aurez plus à compter qu'une seule fois. Toutes les fois que vous êtes près du réveil, vous n'avez qu'à penser : « Maintenant, je vais me réveiller ». Puis comptez lentement jusqu'à trois, et vous serez complètement réveillé. Vous vous éveillerez toujours reposé, détendu, dans un état d'intense bien-être. Lorsque vous êtes en hypnose, si quelque chose survient qui devrait vous réveiller, vous y arriverez instantanément et spontanément : c'est le cas pour la sonnerie du téléphone, l'appel des pompiers, etc. Vous vous trouverez immédiatement réveillé, tout à fait vif et alerte. Aucune suggestion ne sera indispensable pour provoquer ce réveil, puisque votre subconscient continue toujours à vous protéger. Maintenant, je vais compter jusqu'à trois, et vous serez complètement réveillé. Mais, si vous le préférez, vous pouvez laisser de côté cette formule pour vous replonger en hypnose. Vous « mémorisez » alors fidèlement cette formule et vous l'employez ensuite comme je vous l'ai indiqué : « Maintenant, tandis que je compte, vous allez vous réveiller — UN — éveillez-vous maintenant — DEUX — vous voilà réveillé — TROIS — maintenant, vous voilà bien réveillé, tout à fait réveillé ».

R É S U M É :

Vous avez trouvé dans ce chapitre une introduction à plusieurs techniques d'auto-hypnose. Dans son essence, chaque hypnose est une variante d'auto-hypnose. L'hypnotiseur ne fait que vous guider, mais c'est vous qui faites le travail en donnant suite à des suggestions et en acceptant les idées qu'il vous suggère.
Vous savez maintenant comment tester vos résultats, après quelques séances d'entraînement. Votre subconscient peut vous indiquer quelle profondeur vous avez atteinte. Vous savez comment remonter dans le temps jusqu'à des événements vécus, qui peuvent encore vous affecter de quelque manière. Quand vous aurez compris ces expériences, vous cesserez d'en être affecté. Vous pourrez non seulement utiliser l'hypnose dans votre programme d'amélioration personnelle, mais aussi dans d'autres domaines.
Dans le chapitre suivant, vous allez apprendre à utiliser la suggestion de manière encore plus efficace.

CHAPITRE 5

Comment la pratique de l'auto-suggestion peut embellir votre vie

La suggestion est une des méthodes les plus probantes pour influencer le subconscient. Comme nous l'avons déjà indiqué, nous sommes tous influençables, à différents degrés, et spécialement lorsque nous sommes en hypnose ou sous le coup d'une violente émotion. Souvent l'on confond la suggestibilité avec la crédulité. Or, si vous n'étiez pas influençable, vous auriez bien du mal à vous perfectionner. C'est donc un gros avantage que d'être influençable.

Il est très important de connaître les lois qui régissent la suggestion ou l'hétérosuggestion (suggestion émanant d'un tiers). L'hétérosuggestion a un effet encore plus grand que l'autosuggestion.

Mais cette dernière technique est tout à fait suffisante, spécialement lorsqu'on en connaît l'application rationnelle.

Même au stade léger de l'hypnose, la suggestibilité augmente. L'autohypnose raccourcit le laps de temps nécessaire à l'auto-thérapie et permet de déterminer les causes que l'on ne peut découvrir autrement.

L'autosuggestion et la recherche médicale

La puissance de suggestion, et le degré de suggestibilité du grand public, sont aisés à déceler lorsque les Laboratoires de recherches médicales cherchent à déterminer l'effet de quelque nouveau remède. Pour cette recherche, il est toujours nécessaire de disposer de ce qu'on nomme « un groupe de sujets-témoins». On partage ce groupe en deux. A l'un, on fait prendre un factice — c'est-à-dire une pilule qui ressemble au véritable médicament, mais qui n'est pas agissante. Généralement on utilise une simple pilule sucrée. A l'autre on fait prendre le médicament que l'on veut tester.

Puis on étudie les deux groupes : A un fort pourcentage, on constatera que le groupe traité au factice présentera la même réaction que le groupe qui a réellement pris le médicament... C'est la suggestion qui provoque ce résultat contraire à toute attente. L'effet suggestif est souvent si grand que l'on donne le factice et le médicament dans l'obscurité, sinon les sujets-témoins pourraient réagir seulement en voyant officier celui qui fait passer les tests.

Les règles à suivre pour susciter la suggestion

Les suggestions peuvent être l'expression d'une permission ou d'un ordre, elles peuvent être indirectes, positives ou négatives. Les auto-suggestions seront plutôt directes qu'indirectes. Une suggestion positive a plus de force qu'une suggestion négative. Pour qu'une suggestion garde sa force positive, évitez d'employer des mots tels que « ne pas », « ne veut pas », « ne peut pas ».

« Je *n'*aurai *pas* mal à la tête aujourd'hui » est une suggestion négative ; pour être positif, il faut dire : « Je serai bien aujourd'hui, ma tête sera lucide ».

Une suggestion qui nous *autorise* à faire quelque chose sera plus aisément réalisable qu'une autre qui émane d'*un ordre formel*. La plupart d'entre nous n'aiment pas se sentir commandés. Le sub-conscient peut réagir en se cabrant devant un ordre et, en règle générale, il se révélera plus coopératif si on lui demande de faire quelque chose que si on le lui ordonne. Il arrive pourtant, parfois, que les ordres donnent de meilleurs résultats. De toute façon, chaque individu réagit différemment. S'il ressent un désir inconscient d'être dominé, les ordres donneront de meilleurs résultats.

Si vous formulez une suggestion en y faisant figurer les termes : « tu peux » ou « vous pouvez», il s'agit d'un ordre.

Pour s'entraîner au travail de la suggestion, la règle principale est la répétition. Les suggestions doivent être répétées trois ou quatre fois, ou même davantage. Toute la publicité est basée sur la suggestion, et les publicitaires connaissent bien l'effet cumulatif des répétitions.

Les émissions commerciales à la TV répètent sans cesse les mêmes slogans, ce qui vous a sans doute lassé. (A ce propos, nous faisons remarquer que les résultats commerciaux de ces émissions seraient bien meilleurs si les agents de publicité connaissaient mieux les principes et les lois de la suggestion et de la psychologie : lorsqu'on ennuie les gens, ils se font ensuite un point d'honneur de ne jamais acheter le produit tant vanté !

On doit laisser du temps au subconscient pour accepter une suggestion et pour y obéir. Il faut donc la situer dans le futur immédiat, plutôt que dans le présent immédiat. Le postulat : « Mon mal de tête a disparu » est contraire à la réalité, car il ne peut pas disparaître spontanément. Il faut suggérer au contraire : « Ma tête va se libérer » ou « Bientôt, la douleur va passer » et « Je me sentirai bien », en laissant le temps au subconscient de traduire ces pensées en actions.

Ces autosuggestions peuvent être formulées à haute voix mais, habituellement, il n'est pas nécessaire de dire les mots intelligiblement. Il suffit de les penser. Essayez cependant quelle méthode vous convient le mieux, car il y a des sujets qui réagissent mieux aux mots qu'ils prononcent à haute voix.

Si vous arrivez à produire une image visuelle qui vient s'ajouter à la suggestion verbale, la force de la suggestion gagnera en puissance. Le subconscient a en effet tendance à réaliser une image visuelle émise de façon prolongée et répétée. Selon le type de suggestion employé, vous verrez si vous pouvez y ajouter une image visuelle ou non.

Voici un exemple d'image visuelle. A la fin de la journée, vous êtes fatigué, et vous désirez dominer cet état par la suggestion. Après avoir suggéré que vous allez vous sentir reposé, évoquez une image de vous-même détendu, plein de vigueur et de vitalité. Par les yeux de l'esprit, voyez-vous jouant au golf ou au tennis, ou faisant tranquillement le tour de votre maison, le col ouvert, respirant à pleins poumons. Vous serez surpris de l'effet de telles suggestions, qui surmontent rapidement toute fatigue. L'image visuelle doit toujours représenter le résultat que l'on désire atteindre.

Voici un autre exemple. Au cours du traitement d'une femme obèse, je lui demandai de m'apporter une photographie du temps où elle était plus mince. Elle n'en avait point. Je lui conseillai alors de découper une image dans un magazine, représentant une jeune fille en costume de bain, et de découper la tête d'une de ses photos et de la coller sur l'image du magazine. Je lui dis de mettre cette photo sur son miroir, pour qu'elle l'aperçoive chaque fois qu'elle se regarde. Elle doit ainsi penser : « Tiens, me voici ». Je lui dis aussi qu'en allant se coucher, elle doit se représenter telle qu'elle désire être, en s'identifiant à l'image placée sur son miroir.

Il est également nécessaire d'établir un motif pour accepter une suggestion. En suscitant une émotion et en lui donnant une relation avec la suggestion, la puissance de celle-ci s'en trouve renforcée. On peut y parvenir par des mots ou par une image visuelle, ou encore par les deux à la fois. L'émotion peut être suscitée par le désir de réussir.

Lorsque vous vous autosuggestionnez, il faut que cette suggestion soit acceptable pour votre subconscient, sinon elle ne se réalisera pas, même si vous en éprouvez le profond désir. Lorsqu'une suggestion-permission a été répétée plusieurs fois sans produire le moindre résultat, il est bon d'essayer alors la suggestion-ordre, en renonçant à se montrer persuasif.

Grâce aux réponses « idéo-motrices », vous pouvez savoir si votre subconscient a accepté une suggestion. Si ce n'est pas le cas, peut-être d'autres questions permettront-elles de déterminer la raison pour laquelle cette suggestion a été rejetée. Si le pendule ou la méthode des doigts fait prévaloir l'acceptation du subconscient, la suggestion aura toutes les chances d'être réalisée.

D'autres règles de la suggestion

Au cours d'une même opération, on ne devrait jamais surcharger le subconscient de suggestions trop nombreuses. Il vaut mieux travailler sur un seul sujet, tout au plus sur deux. Si vous vous êtes encore fixé d'autres buts, portez votre suggestion sur l'un ou l'autre de ces objectifs pendant un moment, puis revenez en arrière et répétez les premières suggestions.

Formulez votre suggestion en pensant seulement à son résultat final. Spécifiez bien le but que vous voulez atteindre. Votre subconscient sait beaucoup mieux que votre conscience comment atteindre ce but. Stimulez-le et faites-le entrer en action, et il trouvera de lui-même les meilleures voies d'accès.

Certains auteurs prêtent beaucoup d'attention à la formulation des suggestions — spécialement pour savoir s'il faut employer le pronom personnel « moi » ou « toi ». Vous pouvez tenter l'expérience empiriquement, et voir ce qui donne les meilleurs résultats pour vous. Pour ma part, je pense que le subconscient comprend ces deux pronoms personnels exactement comme vous les entendez vous-même. A mon avis, les faits le prouvent : des suggestions qui, en cours de thérapie, avaient la puissance d'idées fixes et, de ce fait, se sont réalisées, étaient formulées d'une façon ou de l'autre, ou encore des deux. On parlera dans un chapitre ultérieur de ce genre de suggestion. La suggestibilité peut produire deux résultats diamétralement opposés. Les suggestions négatives, elles aussi, peuvent avoir leur efficacité. A tout instant, les suggestions nous bombardent.

Voici un mauvais tour que peut jouer la suggestibilité : des collègues d'un même bureau décident de faire une farce à l'un des leurs. Lorsqu'il arrive, le matin, il est accueilli par l'exclamation suivante : « Mon Dieu, Jean, tu dois avoir mal dormi, tu as très mauvaise mine aujourd'hui. » L'interpellé s'étonne d'abord, car il se sent parfaitement bien. Quelques minutes plus tard, un autre interlocuteur demande : « Mais n'es-tu pas malade, Jean, tu n'as vraiment pas l'air bien ? ». Puis un troisième larron s'informe encore si Jean n'a pas la fièvre... Peu de temps après, Jean commencera réellement à se sentir mal à l'aise et, si ses collègues continuent le jeu, il finira bientôt par être tout à fait malade et par devoir rentrer se coucher !

Une part importante de l'auto-thérapie consistera à déceler les suggestions négatives et préjudiciables qui peuvent vous affecter.

Ces suggestions font partie de notre vie à tous, mais la plupart du temps à notre insu.

Dans son livre « Autosuggestion » (Huna Research Publications, Vista, Californie), Max Long recommande de respirer profondément tandis que l'on s'autosuggestionne. En même temps, on devrait donner les mêmes pulsations à ses pensées. Il entend par là que l'on devrait se concentrer fortement pendant un moment, puis faire une pause, et se concentrer à nouveau, pendant que l'on inspire et expire profondément. Long ajoute aussi que la foi et la ferme conviction produisent les meilleurs résultats.

Le Dr James Hixon, médecin-dentiste à Hollywood, l'un des instructeurs des Séminaires d'Hypnose, recommande une méthode plus condensée d'autosuggestion. En une ou deux phrases, on doit décrire par écrit le but que l'on poursuit, en négligeant les détails pour s'intéresser seulement au résultat désiré. Dans ces phrases, choisissez un mot-clé ou une brève sentence qui inclue l'ensemble de la suggestion écrite. Il faut répéter plusieurs fois ce mot-clé ou ce postulat, après quoi vous dirigerez vos pensées sur un sujet tout différent.

La méthode d'Emile Coué

Dans les vingt premières années du siècle, l'autosuggestion était très à la mode comme moyen de traitement, aussi bien en Europe qu'aux Etats-Unis. Coué, Baudouin, Pierce et d'autres spécialistes écrivirent différents ouvrages sur ce sujet. Pierce est excellent, mais on peut également recommander Baudouin.

Coué, lui, dirigeait une clinique d'autosuggestion à Nancy et ses succès l'ont fait connaître dans le monde entier. En fait, il avait une préparation de pharmacien, mais il s'était tourné ensuite vers les recherches de la psychologie et de la suggestion.

En Europe, on mit ses principes en pratique, et on les trouva très efficients. Mais lorsque Coué entreprit une tournée de conférences aux Etats-Unis, des journalistes sceptiques le ridiculisèrent et se moquèrent de ses idées, faisant de ce voyage un échec.

Coué ne mérite en rien le ridicule qui s'est attaché à son nom, car ses idées sont excellentes et leur application exacte. L'une des techniques qu'il préconise consistait à répéter constamment, chaque jour, la même suggestion. « Chaque jour, à tous les points de vue, je vais de mieux en mieux ». Dans ses débuts, il formulait ses suggestions très exactement et dans tous leurs détails. Souvent elles étaient couronnées de succès.

Mais, plus tard, il en vint à la conclusion que la suggestion la plus efficace doit être de portée générale, non spécifique à un cas donné, et qu'elle peut délibérément négliger de donner au subconscient une tâche précise. Une suggestion ainsi conçue comprend tous les buts que l'on désire atteindre, et non pas seulement un but donné. Cette formule a une valeur incontestable.

Quoique les méthodes de Coué n'aient pas trouvé de nouveaux développements en Amérique, il a eu quantité de disciples en Europe ; ceux-ci s'appuyèrent sur ses travaux et en bénéficièrent.

Coué fut le premier à étudier la suggestion et son développement dans leur essence fondamentale. Il formula plusieurs idées et lois importantes concernant la suggestion. Il appelle une de celles-ci : *Loi du résultat inversé*. Coué dit : Si quelqu'un pense qu'il aimerait faire quelque chose, mais qu'il ne le peut pas (pensée négative), plus il s'y essaiera activement, moins il y réussira. On peut rapprocher cette loi de l'effet que l'on obtient en utilisant le mot « essai ». En disant : « j'essaierai », on implique un doute — comme si l'on s'attendait à une défaite. L'essai doit donc être abordé de façon positive ; vous allez *faire* quelque chose, mais non pas *essayer* de faire quelque chose !

La situation suivante vous donne un exemple de la Loi du résultat inversé : Si l'on pose sur le sol une planche de 4 mètres de long sur 30 centimètres de large, on s'y promène sans même y jeter un coup d'œil. Si on la met à 80 centimètres au-dessus du sol, entre deux chaises, la difficulté n'est pas beaucoup augmentée. Tout au plus, en s'y promenant, sera-t-on un peu plus circonspect. Mais placez donc la même planche entre deux maisons de dix étages, au-dessus du vide, et essayez d'y marcher ! ! ! Vous éprouverez craintes et doutes, et la Loi du résultat inversé y trouvera sa preuve. Ou bien l'on ne s'engagera pas sur la planche, ou bien l'on en tombera.

Un autre exemple communément proposé en vérification de cette loi, c'est celui de l'insomnie. Quelqu'un qui souffre d'insomnie va au lit en pensant (suggestion négative) : « Aujourd'hui, de nouveau, je n'arriverai pas à m'endormir ». Il essaie de s'assoupir et, plus il s'y efforce, plus il se sent éveillé. Lorsque, plus tard, il y renonce, complètement épuisé, et pense à autre chose, il tombe endormi au bout de quelques minutes.

Baudouin confirme encore la validité de cette loi dans un autre cas. Une personne qui vient d'apprendre à circuler à bicyclette et qui n'est pas encore très sûre de son équilibre voit devant elle un arbre. Elle se sent aussitôt troublée, essayant désespérément d'éviter l'arbre contre lequel elle butera infailliblement.

Coué fit un jour cette sage remarque : « Lorsque l'imagination et la volonté entrent en conflit, c'est toujours l'imagination qui gagne. »

Ceci revient à dire que le subconscient sera toujours vainqueur du conscient, lorsqu'ils sont en conflit. Et c'est certainement exact.

La *Loi de l'effort dominant*, autre postulat de Coué, veut qu'une idée tende toujours vers sa réalisation et qu'une émotion plus forte agisse toujours contre une émotion plus faible.

RÉSUMÉ :

Dans ce chapitre, vous avez appris à connaître la puissance de la suggestion, qui prendra toute son importance dans l'accomplissement de votre programme d'amélioration personnelle. Dans la règle, formulez vos suggestions de façon positive, mais comme une « permission » — même si, parfois, votre subconscient a besoin de recevoir des ordres.

Pensez à l'utilité de la répétition, à l'importance d'une bonne formation de vos pensées, n'émettez pas trop de suggestions à la fois, utilisez l'imagination visuelle lorsque vous y parvenez, et faites connaître à votre subconscient le résultat que vous désirez atteindre, sans faire mention des moyens pour y parvenir.

Si, lorsque vous allez au lit, et lorsque vous vous réveillez, vous vous répétez la formule de Coué : « Je vais chaque jour, à tous les points de vue, de mieux en mieux », vous vous en trouverez fort bien. Un moment très bref y suffira.

CHAPITRE 6

Une vie sans troubles émotionnels

Pour venir à bout des problèmes émotionnels qui se posent à vous et des maladies qui en découlent, vous devez tout d'abord connaître leur causalité.

Quelques idées de Freud

A côté des facteurs héréditaires, nous sommes aussi le produit de notre milieu et des expériences que nous avons vécues.

Sans aucun doute, les premières années de l'enfance sont d'une importance primordiale dans ce processus de conditionnement et de maturation. Freud veut voir dans ces expériences d'enfance et leurs répercussions ce qui motive la plupart des conflits émotionnels. La psychanalyse de Freud tend notamment à rappeler à la conscience le déroulement de ces expériences passées.

D'autres psychothérapeutes accordent moins d'importance à l'enfance. Pour eux, les problèmes importants sont en relation avec le présent plutôt qu'avec le passé.

Le traitement psychiatrique habituel des problèmes et conditions mentales applique surtout les méthodes freudiennes, même si on doit les modifier légèrement en fonction du problème particulier posé par le patient. Le traitement conventionnel est en effet très long et, partant, très onéreux. La plupart des psychanalistes appliquent avec beaucoup de rigueur les méthodes de Freud. La psychanalyse est devenue l'équivalent d'un culte, avec tout son rituel.

Par exemple, Freud, dans sa jeunesse, était d'une grande timidité et se sentait mal à l'aise lorsqu'un de ses patients, assis devant lui, le regardait en plein visage. C'est pourquoi, pour échapper aux regards, il installait ses patients sur un lit de repos à la tête duquel il s'asseyait. Or cette façon de procéder est devenue rituelle : puisque Freud a procédé ainsi, c'est donc la meilleure méthode à appliquer !

En règle générale, une psychanalyse nécessite de 300 à 600 heures de traitement. Le médecin voit son patient une heure tous les jours, pendant cinq jours. Cette méthode est essentiellement passive : c'est le médecin qui interprète et commente ; parfois, il donne une brève impulsion au processus mais, habituellement, il laisse le patient parler de ce qui lui vient à l'esprit, par libre association d'idées.

Dans certaines névroses profondément installées et d'autres états maladifs, un long traitement se révèle nécessaire. Sinon, il est difficile d'en venir à bout, et l'auto-thérapie ne serait qu'un adjuvant de faible portée. Il va de soi qu'un tel traitement est très coûteux, car « le temps, c'est de l'argent » !

Sous cette forme, la psychanalyse reste donc réservée aux milieux riches, puisqu'elle se traduit par des milliers de francs d'honoraires. Mais la plupart des déviations émotionnelles — la folie mise à part — peuvent être traitées plus rapidement par d'autres méthodes, souvent avec des résultats plus probants.

Ivan Pavlov et les « réflexes conditionnés »

Les théories de Pavlov s'appuient sur l'idée des réflexes conditionnés. Dans les premières années du siècle, le physiologue russe Ivan Pavlov réalisa ses fameuses expériences sur les chiens, montrant comment s'obtient le conditionnement des réflexes. Chaque fois que les chiens avaient faim, on les nourrissait en faisant sonner, au même moment, une clochette. Lorsque cette expérience fut répétée un nombre suffisant de fois, les chiens se mettaient à saliver dès que la clochette sonnait. Les chiens avaient donc établi un rapport de causalité étroit entre le son de la cloche et la nourriture. La salivation était devenue un réflexe conditionné.

Ce réflexe conditionné peut trouver son développement aussi bien chez les hommes que chez les chiens. Nous réagissons à certaines stimulations, que ce soit un mot ou une situation, qui ne semblent pourtant pas avoir de rapport avec le stimulus. Et pourtant il se produit ici la même relation qu'entre la nourriture et la salivation, dans l'exemple des chiens de Pavlov.

Nous pouvons ignorer ce conditionnement, qui libère souvent des pensées ou un comportement qui nous semble sans signification. C'est probablement parce que nous cherchons une explication raisonnable à ce comportement bizarre.

Ces réflexes conditionnés ont pour nous une grande portée. Ils sont devenus totalement automatiques, et nous n'avons plus à penser comment ils se produisent. Nos habitudes et notre dextérité sont souvent le produit de ces réflexes.

Ce conditionnement peut aussi agir en sens inverse et devenir néfaste. C'est ainsi que vous pouvez éprouver des sentiments de culpabilité, d'hostilité, d'angoisse, ou d'autres sentiments émotionnels susceptibles de vous faire du mal, à cause de la réaction qu'ils suscitent en vous. C'est de cette manière que se développent la plupart des complexes névropathiques.

Les psychiatres — en dehors des pays anglo-saxons — travaillent spécialement à supprimer ces réflexes, dont procèdent les déviations émotionnelles. Dans bien des cas, cette réaction peut être annulée par un mot donné, et la philologie peut jouer ici un rôle important. Le psychiatre russe Platinov, dans un livre qu'il intitule « Le Mot » (publié en Russie, et paru dans une traduction anglaise) explique que beaucoup de psychiatres russes utilisent l'hypnose pour découvrir les réflexes conditionnés et leurs stimuli. La mémoire du patient est engagée à retourner au moment ou à l'événement qui a provoqué le réflexe. Quand la relation de causalité est établie, la réaction disparaît d'elle-même. En réalité, il s'agit ici d'une deshypnotisation du patient, car les réflexes conditionnés présentent une certaine analogie avec les suggestions posthypnotiques.

Platinov prétend que ses méthodes ont abouti chez 78 % des malades qu'il a traités. Si le fait est exact, cette technique surclasse évidemment de loin les méthodes de Freud.

Le Dr Joseph Wolpe, psychiatre sud-africain, actuellement aux Etats-Unis, décrit aussi une méthode de psychothérapie qu'il a utilisée (Psychotherapy through Reciprocal Inhibition, Stanford University Press, Stanford, Californie) et qui présente des similitudes avec la méthode russe. Il fait également usage de l'hypnose pour retrouver le conditionnement des réflexes. Sa technique peut servir à l'auto-thérapie ; elle est décrite plus loin.

L'utilisation thérapeutique de la suggestion

Un autre type de psychothérapie prévoit l'utilisation de la suggestion. Ces suggestions peuvent être présentées au subconscient par le patient lui-même (autosuggestion), ou par un tiers (hétérosuggestion). Ce dernier type de suggestion est probablement plus efficace, mais l'auto-suggestion est également précieuse. Ses résultats sont meilleurs lorsqu'elle est couplée à l'hypnose.

Il y a un demi-siècle, avant la formulation des idées de Freud, la suggestion était.l'unique méthode curative connue. Dans les années 1880 à 1890, et même encore plus tard, ce type de traitement hypno-tique par la suggestion était employé sur une grande échelle et avec de bons résultats.

Hyppolite Bernheim, qui était un des médecins français les plus connus de son temps, apprit à connaître l'hypnose et la suggestion par un modeste médecin de campagne, nommé Lieubeault, qui exerçait à Nancy. Bernheim s'adjoignit Lieubeault et, ensemble, ils dirigèrent une clinique. En vingt ans d'activité, ils traitèrent environ 30.000 malades par la suggestion hypnotique. Ils eurent un tel succès que de nombreux médecins vinrent de toute l'Europe à Nancy pour étudier ces phénomènes sous leur égide. Freud fut l'un d'eux.

Lors de ses premières expériences, Freud tenta d'utiliser l'hypnose. Il travaillait à cette époque avec un psychiatre du nom de Breuer. Or Breuer était fort connu de son temps comme hypnotiseur médical, tandis que Freud n'était alors qu'un modeste débutant. Freud pensait qu'il fallait susciter un stade profond d'hypnose pour permettre le traitement, ce qui est faux. Il constata qu'un très faible pourcentage de patient pouvait être hypnotisé aussi profondément. Il n'avait qu'une connaissance très approximative de l'hypnose et il était lui-même un très mauvais hypnotiseur. A ce moment-là, il manquait encore de confiance en soi : or, pour provoquer l'hypnose et obtenir de bons résultats, il faut avoir une entière confiance en son pouvoir personnel.

Freud ne put admettre ses propres défaites, en regard des succès que remportait Breuer. Il chercha donc une autre technique et d'autres méthodes d'investigation. C'est ainsi qu'il motiva le concept de la libre association des idées et celui de l'interprétation des rêves. Dès lors, il ne fit plus usage de l'hypnose. C'est ce qui fait que ses disciples — au nombre desquels on compte la plupart des psychiatres — pensent aujourd'hui encore que l'hypnose est d'une valeur négligeable en psychothérapie. Mais les psychiatres sont généralement très mal informés de l'hypnose et ne connaissent guère ses applications modernes. Beaucoup pensent encore que l'hypnose est uniquement employée comme moyen de suggestion, ainsi que Bernheim l'utilisait. Une idée freudienne — que la plupart des psychiatres ont reprise à leur actif — veut que l'utilisation de la suggestion présente des dangers car, si un symptôme est supprimé par la suggestion, un autre symptôme plus grave pourrait prendre sa place. C'est sur cette base que l'usage de l'hypnose a été attaqué par certains psychiatres dont les travaux ont paru dans des magazines populaires, voire même dans des journaux médicaux. Beaucoup de lecteurs qui ont eu ces articles sous les yeux craignent depuis lors tout ce qui touche à l'hypnose.

L'idée ainsi impliquée, c'est que derrière chaque symptôme se cache une énergie qui cherche une soupape de sûreté. C'est le symptôme qui représente cette soupape. Si, par la suggestion, on l'écarte, l'énergie qui s'y rapporte se trouve bloquée et cherche un nouvel exutoire. Par exemple, si l'on enlève à l'alcoolique le désir de boire, par la suggestion, il pourrait remplacer cette passion par celle des stupéfiants.

Cette idée d'une certaine énergie semble venir de loin. Mais aucune énergie de ce genre ne peut être mesurée ou démontrée. Sans doute pourrait-il y avoir un besoin inconscient d'un symptôme, qui pourrait remplir un but pratique.

Les critiques de l'hypnose perdent complètement de vue le fait que même un flot massif de suggestions ne pourrait pas éliminer un symptôme dont le besoin se fait très fortement sentir. Les suggestions hypnotiques ne deviennent effectives que lorsque le patient les accepte, consciemment ou inconsciemment. N'importe quel hypno-thérapeute débutant sait cela...

Un symptôme peut être écarté par suggestion hypnotique, mais il arrive que l'on n'obtienne pas ce résultat et que le symptôme subsiste. De plus, les hypnothérapeutes familiers de cette technique savent bien que les suggestions qui doivent écarter un symptôme devront être formulées comme une autorisation — en aucun cas comme un ordre donné sous hypnose. C'est là une sauvegarde qui obvie complètement au danger possible de supprimer le symptôme, et ceci même dans le cas où le concept freudien de quelque mystérieuse énergie serait exact. Le Dr Roy Dorcus, psychologue bien connu, donna récemment une conférence au Congrès de l'Hypnose, à l'Université de Kansas. Il releva que la plupart des traitements médicaux — à part ceux qui utilisent les antibiotiques et les sulfamidés en cas d'infection — ne tendent à rien d'autre qu'à la suppression du symptôme. Le traitement médicamenteux porte d'ailleurs davantage sur le symptôme que sur la cause. Lorsqu'on prend de l'aspirine contre le mal de tête, on supprime simplement le symptôme. Ceux qui critiquent la suppression du symptôme par la suggestion traitent pourtant leurs propres malades de façon routinière en prescrivant des tranquillisants dans les états dépressifs. Ce n'est donc aussi que la suppression d'un symptôme ! A leurs yeux, la suppression d'un symptôme par un traitement médicamenteux serait un moyen sûr et adéquat ; mais, par la suggestion, ce serait naturellement dangereux... Cette vue de l'esprit est vraiment risible ! Si cette énergie latente dont on fait tant état existait réellement, la suppression d'un symptôme par des médicaments devrait également provoquer le besoin d'une autre soupape de sécurité.

Si d'autres symptômes se sont produits ou si vraiment l'hypnose s'est révélée pernicieuse, dans les cas cités par les psychiatres, on ne peut en rejeter la responsabilité sur la seule suppression du symptôme; la raison doit en être recherchée bien ailleurs. Un autre besoin latent devait exister, mais celui-ci n'avait sans doute aucune relation avec le symptôme traité.

Les sept facteurs les plus courants qui provoquent des déviations et des maladies émotionnelles

Les causes d'un comportement inadéquat des troubles de l'affectivité, d'une façon de penser erronée et des traits caractériels défavorables peuvent énormément différer. C'est pourquoi les méthodes d'auto-thérapie doivent se révéler très souples, en variant considérablement, suivant chaque cas. Cependant, les méthodes préconisées ici sont universellement applicables.

Conflits intérieurs

C'est l'une des causes les plus connues des difficultés émotionnelles. Freud fait des conflits intérieurs le dénominateur commun de la plupart de nos difficultés émotionnelles. Ces conflits se produisent dès que nous sentons le besoin ou le désir d'agir selon des normes que les tabous de la société ou de la conscience interdisent. C'est évidemment le sexe qui est le plus généralement en cause, et qui est la source de la plupart de ces conflits.

Nous réprimons fréquemment ces sentiments conflictuels et nous les chassons de notre conscience, soit parce que la pensée nous en est désagréable, soit parce qu'ils provoquent des sentiments de péché. L'agressivité et l'hostilité se rattachent aussi au type de sentiments que l'on a l'habitude de refouler. On traite de même le souvenir des événements désagréables ou effrayants. Mais ils subsistent dans le subconscient, où ils peuvent continuer à nuire. Dans ce cas nous n'avons pas une connaissance consciente des raisons de nos difficultés.

Dans l'auto-thérapie, il est possible de supprimer la portée de ces refoulements et de remettre ces souvenirs dans le circuit de la conscience. Dans certains cas, ces refoulements sont si profonds qu'il faut avoir recours à la psychothérapie pour les faire affleurer.

Certains conflits, pourtant, ne sont pas refoulés dans notre subconscient et nous sont bien connus. Ceux-ci sont donc faciles à guérir par l'auto-thérapie.

Dans les cas de maladies évoqués ci-après, vous constaterez les résultats du conflit et les différents facteurs causatifs qui forment les données du problème.

A côté des conflits intérieurs, il peut exister d'autres causes :

1. la motivation
2. l'effet de la suggestion
3. l'effet du langage sur la vie organique
4. l'identification
5. le masochisme et l'auto-punition
6. les expériences passées, spécialement les événements générateurs de traumatisme.

Dans certains cas, seul un de ces sept facteurs joue un rôle, mais, généralement, il y en a plusieurs. Il est très rare de les trouver tous réunis.

Motivation

En cherchant à localiser les raisons d'un symptôme, d'un état maladif ou d'un complexe du comportement, il faut définir exactement les buts poursuivis.

Une maladie peut être le moyen de susciter la pitié ou l'attention, pour celui qui éprouve un besoin névrosique violent. Un enfant que ses parents négligent découvre que la maladie attire sur lui l'attention de ceux-ci et que, de plus, elle lui évite l'école, qu'il déteste.

Barbara F., 21 ans, était mariée depuis un an à un brillant et charmant jeune homme. Il avait des titres universitaires, tandis qu'elle-même n'était qu'au milieu de ses études. Timide, éprouvant un fort sentiment d'infériorité et d'insécurité, elle souffrait d'un mal de tête chronique, depuis plus de quatre mois. Elle n'était pas alitée, mais ce mal de tête la torturait tout au long du jour. Parfois certains médicaments la soulageaient, mais sans jamais faire disparaître tout à fait ses maux. Le médecin de famille essaya différents tests, dont un test neurologique, et il ne put découvrir aucune raison organique à cette douleur. Il pensa donc qu'il devait se trouver en présence d'un refoulement émotionnel. Je constatai sans peine que Barbara se servait de son mal de tête pour provoquer la pitié et l'attention de ses parents et de son mari, à qui elle se sentait inférieure. On lui suggéra qu'il vaudrait mieux qu'elle s'intéressât davantage aux activités de son mari et qu'elle continuât ses études pour atteindre son niveau. Son mari l'aimait visiblement. Aussi lorsqu'elle eut compris le côté primitif et l'immaturité de son comportement, son mal de tête ne tarda pas à disparaître.

Il arrive souvent qu'un symptôme ait pour but de nous protéger. En réalité, Barbara se défendait grâce à son mal de tête. Si le cas se produit, on doit bien mettre en lumière le fait contre lequel le symptôme joue le rôle de protecteur. Il peut y avoir aussi un essai d'esquiver ses problèmes ou leur confrontation avec la réalité. Les cas de migraines relèvent généralement de violents sentiments d'hostilité, d'agressivité ou de frustration, que l'on juge inacceptables et que l'on refoule.

Les maux de tête semblent donc résulter de ce refoulement de sentiments, et en même temps ils servent d'auto-punition, puisqu'on se sent coupable de les avoir éprouvés.

Les mêmes facteurs se retrouvent souvent dans la bursite (infection des glandes salivaires) et dans l'arthrite. Ces symptômes ont un but de protection vis-à-vis des actions agressives que nous pourrions commettre à partir de nos sentiments d'hostilité et de colère.

Voici un autre cas où la motivation eut des bases bien différentes. M. G. avait complètement perdu la voix et se trouvait aphone. Il n'émettait plus qu'un murmure faible et rauque. Ses cordes vocales étaient normales, et son médecin n'y comprenait rien. Dès que M. G. fut en hypnose, il se mit à parler sans aucune difficulté : d'où l'on conclut que son état avait une origine émotionnelle. Bientôt il arriva lui-même à découvrir les raisons de son état. Il faisait d'excellentes affaires. Elles s'étaient tellement développées que son chiffre d'affaires avait doublé par rapport à l'année précédente. Mais sa trésorerie était très serrée, et il avait demandé de gros crédits. Il devait acheter de la marchandise pour faire face aux commandes qu'on lui passait, si bien qu'il n'arrivait plus à payer ses factures. L'argent allait rentrer, il ne s'agissait que d'une affaire de quelques mois, et il pourrait alors faire face à ses engagements. Mais en attendant, ses créanciers le harcelaient et l'accablaient de commandements de payer. La plupart habitaient la même ville. Toute la journée, il devait faire face à des exigences aussi pressantes que désagréables. En perdant la voix, il pouvait continuer à donner les ordres nécessaires dans sa fabrique, mais il était incapable de répondre au téléphone. Son état était donc le reflet de son essai de surseoir à de pénibles explications.

Je conseillai à M. G. d'écrire une lettre à ses créanciers, avec un exposé de l'état de sa trésorerie et la mention du succès extraordinaire qu'il rencontrait dans ses ventes. S'il accompagnait le tout de la promesse de régler ses factures dans les trois à quatre mois, il tranquilliserait certainement ses créanciers. Dès qu'il l'eut fait, il recouvra la voix.

Dans le langage technique, un certain type de névrose porte le nom d'hystérie. Il s'agit d'une maladie émotionnelle qui n'a rien de commun avec ce que le grand public nomme « l'hystérie », et qui serait plutôt une réaction émotionnelle. L'hystérie, dans son sens médical, peut provoquer la paralysie d'un membre ou une cécité fonctionnelle. Ces symptômes ne sont évidemment pas organiques. La motivation de la paralysie pourrait être le désir d'échapper à quelque chose, ou d'éviter d'attaquer quelqu'un.

La cécité organique pourrait provenir de ce que le patient se sent coupable d'avoir vu quelque chose, à moins qu'il ne cherche à éviter une vision qui lui est désagréable. A côté de cela, quantité d'autres motifs pourraient aussi être en cause. On nomme ce genre d'état maladif : symptôme de conversion. On rencontre communément certains de ces états maladifs, mais dans une forme beaucoup moins grave.

Effets de la suggestion

Jusqu'à un certain point, chacun est influençable, sinon nous serions incapables d'apprendre. Il ne faut donc pas confondre cette suggestibilité avec de la crédulité.

L'une des méthodes les plus efficaces de rendre la suggestion agissante, c'est de la répéter longtemps, pour qu'elle imprègne finalement le subconscient.

Ce qu'on nous a répété sans cesse durant notre enfance a fini par influencer notre subconscient, jusqu'à ce que nous en fassions une réalité. Si un enfant n'est pas bon élève et que ses parents le lui reprochent constamment en lui disant : « Tu es vraiment bête, tu n'apprendras jamais rien », ces remarques finissent par avoir un effet persuasif. Même s'il est intelligent, on peut lui rendre ainsi l'étude beaucoup plus difficile.

Parmi les psychothérapeutes, ceux qui connaissent mal l'hypnose ne se rendent pas compte de la force puissante qu'elle permet d'exercer à travers la forme de suggestion que nous venons d'indiquer. Elle est une des causes les plus fréquentes des difficultés émotionnelles. Si l'on n'arrive pas à localiser et à supprimer celles-ci, le succès du traitement sera compromis, traitement qui, en grande partie, consiste à « déshypnotiser » les patients pour supprimer l'effet des suggestions antérieures et fâcheuses.

Un symptôme peut provenir (en tout ou en partie) d'une remarque qui, passant dans le subconscient, est devenue une idée fixe. C'est là un réflexe conditionné qui a la même force active qu'une suggestion posthypnotique. Lorsque nous sommes sous l'empire d'une émotion, il semble que nous devenions plus perméables, comme sous hypnose, et c'est souvent à ce moment-là que naît l'idée fixe. Elle peut aussi résulter d'une constante répétition. Par « suggestion posthypnotique » on veut dire : suggestion faite à un sujet en hypnose, mais dont la réalisation se produit après le réveil.

Le Dr George Estabrooks, de la Colgate University, écrit (Hypnose, Dutton, New-York) que, sous l'influence d'une émotion, le subconscient se met à enregistrer — comme si un disque était gravé à ce moment-là. Lorsqu'une association d'idées libère le réflexe correspondant, l'idée se matérialise, tout comme s'il s'agissait d'une suggestion posthypnotique.

Voici un exemple. Je faisais un cours à un groupe de médecins, à Mexico, sur les effets de l'hypnose, et je leur apprenais comment procéder. On fit une démonstration de cette méthode sur un patient. Une de mes auditrices, le Dr R., qui avait environ 40 ans, avoua qu'elle avait souffert toute sa vie d'une diarrhée chronique. Les traitements médicaux avaient été inopérants. Sous hypnose, on put déterminer la cause de cette maladie, qui remontait à une expérience datant de sa toute première enfance : elle avait 18 mois. Elle souffrait si gravement des voies digestives que ses parents pensaient qu'elle n'y survivrait pas : ils avaient même fait déjà l'acquisition d'une concession au cimetière...

On pria le Dr R. de revivre cette expérience. Elle raconta qu'elle gisait dans les bras de sa mère et qu'elle se sentait très mal. Les parents pleuraient, et le médecin disait « Hé non, elle n'y résistera pas ». Cette affirmation était faite en espagnol. Par la méthode des réponses « idéo-motrices » on lui demanda si cette remarque du médecin avait motivé le symptôme de la diarrhée. Pour l'enfant, c'était ce symptôme qui avait été le plus important dans sa maladie. La patiente fit signe que oui. A la question suivante : « Et maintenant que vous avez revu cette scène et que vous savez que vous n'êtes pas morte, mais que vous avez guéri de cette maladie — à l'exception de ce seul symptôme —, serez-vous désormais libérée aussi de ce symptôme ? », la réponse, par les questions « idéo-motrices » fut également « oui ». Lorsque je revis le Dr R., six mois plus tard, elle me dit que ce seul traitement avait suffi pour la guérir définitivement de cette diarrhée.

Il est intéressant de se demander, à ce propos, comment un enfant de 18 mois a pu comprendre la remarque du médecin. Il faudrait probablement chercher l'explication dans le fait que le subconscient doit enregistrer les mots, même à un âge très tendre, comme une série de sons qui se suivent. Une fois que l'enfant sait parler, son subconscient comprend la signification de ce qui a été dit, et en tire une conclusion, ou suggestion. Quelqu'un qui, sous hypnose, retourne à un tout premier moment de la vie, et qui « vit à nouveau » une expérience du premier âge, explique qu'il entend ce qui se dit autour de lui. Il peut bien sûr s'agir d'imagination ou de fantaisie, car il est difficile de prouver que ces mots ont réellement été prononcés.

Dans le cas de cette femme médecin, et dans d'autres que j'ai eus à traiter, le souvenir acoustique net est tout à fait plausible puisque la suppression de la suggestion a suffi à détruire le symptôme. Cette affirmation : « elle n'y survivra pas » a également joué son rôle dans le cas d'une dame entre deux âges, qui souffrait d'une toux chronique. Elle me dit qu'elle souffrait de cette toux depuis toujours, en tout cas aussi loin que ses souvenirs, et qu'elle avait complètement renoncé à se soigner. Mais elle s'était dit que cette toux pourrait peut-être être traitée par l'hypnose. En répondant aux questions posées, elle apprit que ce symptôme était apparu lorsqu'elle avait 4 ans : elle avait été atteinte de la coqueluche et souffrait de ses complications. Dans ce cas également, le médecin avait dit aux parents qu'elle ne surmonterait pas son mal, et qu'elle en mourrait. Elle s'était guérie, mais avait conservé le symptôme de la toux, dû à ce que son médecin avait affirmé.

Une très jolie femme mit en lumière un aspect vraiment comique de la suggestion. Tandis que je la traitais, elle régressa dans le temps jusqu'à l'âge de 10 ans, à un moment où sa mère la punissait. Sa mère était très en colère, elle la battait de verges et criait en même temps : « Que je ne t'entende plus jamais dire « non » ! Que ce « non » ne sorte plus jamais de ta bouche ! » Et tandis qu'elle me racontait cela, la jeune femme s'assit et me dit, très étonnée : « Voyez-vous, j'en ai souvent honte, mais je n'ai jamais pu dire non ! ».

Les chirurgiens et les médecins pratiquant la narcose ignorent pour la plupart que le subconscient continue à enregistrer, que l'on dorme, que l'on ait perdu connaissance ou que l'on se trouve sous l'effet d'un narcotique. Le Dr David Cheek et le Dr L. S. Wolfe, médecins-anesthésistes, ont écrit différents articles sur ce sujet, dans des revues médicales. On peut facilement vérifier ces faits par l'hypnose. Si l'on prie le patient de revivre ce qui s'est passé lors d'une opération, il retrouve tout ce qui a été dit ou fait pendant celle-ci, au grand étonnement des médecins.

Des suggestions néfastes peuvent ainsi pénétrer jusqu'au subconscient. Wolfe est persuadé que bien des cas de décès sur la table d'opération n'ont pas d'autre cause et font suite à une observation du chirurgien qui aurait dit, par exemple : « Il s'agit d'une tumeur maligne, le patient n'a aucune chance de s'en tirer !

Les médecins et les anesthésistes qui croient à ces possibilités les emploient pour calmer le patient pendant l'opération ; ils lui font capter des suggestions qui doivent hâter sa guérison et lui évitent nausées et choc opératoire.

Richard S., âgé de 30 ans, était en traitement depuis plus d'une année chez un psychanalyste, sans le moindre résultat. Il vint me voir, espérant que je pourrais l'aider à résoudre ses problèmes. Au cours d'une séance, il me raconta qu'il détestait profondément son père.

« Je ne puis pas comprendre pourquoi je le déteste, dit Richard, il est médecin, et il a toujours été très bon avec moi. Il n'était pas très sévère et ne me punissait que lorsque je le méritais. Je l'admire beaucoup, mais en même temps je le hais. Ce sont de graves conflits pour moi. »

En le questionnant, nous sommes arrivés à localiser un événement qui fut à la base de cette haine. J'hypnotisai Richard et le priai de revivre cet événement.

Il avait 18 ans, et on était en train de l'opérer des amygdales. Il avait été anesthésié à l'éther et reposait, inconscient, sur la table d'opération. Il raconta que son père entrait alors dans la salle d'opération.

« C'est curieux, je ne savais pas du tout que mon père avait assisté à cette opération, mais je l'entends. Il m'appelle « petit bâtard ». C'est pour cela que je le hais. Je me suis souvent demandé s'il était vraiment mon père et si je ne suis pas plutôt un enfant naturel. »

Je le priai de répéter les mots prononcés par son père :

« Il dit : « Petit bâtard, tu n'es rien d'autre qu'un petit bâtard », il ne me le dit pas à moi, mais au chirurgien, le Dr Jamison.

Celui-ci venait de préciser qu'il n'avait pas le droit d'assister à l'opération et qu'il devait quitter la salle. Fâché, mon père lui asséna ces mots. Et pourtant, ils sont amis. »

— Maintenant que vous savez que ce n'est pas vous que votre père appelait bâtard, vous comprenez aussi que vous n'avez plus à le détester, et que vous pouvez le considérer comme votre ami, n'est-ce pas ?

« Mais certainement. Voilà qui explique tout. Ce n'était pas de moi qu'il parlait. Quel soulagement de connaître la cause de ce sentiment ! »

Précisément à cette époque, le père de Richard vint me voir et je lui demandai s'il pouvait se souvenir de sa présence dans la salle d'opération, au moment où son fils était opéré des amygdales. Il confirma tout ce que Richard avait dit, et expliqua qu'il s'était fâché contre son confrère qui voulait lui faire quitter la salle. Il s'était très bien rendu compte de l'attitude de son fils envers lui et il en avait été peiné et blessé. Dès lors, l'entente entre le père et le fils fut très étroite et ils devinrent d'excellents amis.

Effet du langage sur la vie organique

C'est une manifestation psychologique fort intéressante. Nous faisons usage de quantité d'expressions imagées pour désigner quelque chose qui nous déplaît. Mais, partant de cette formulation, le subconscient peut traduire littéralement l'idée exprimée dans cette expression et la transformer en une condition physique réelle.

En voici différents exemples : « Cette idée me rend malade », « Je n'arriverai jamais à avaler ça », « Ça me donne des crampes d'estomac », « Cela me fatigue », « Cela casse la tête de quelqu'un », etc., etc. Lorsque nous faisons ce parallèle, les maux évoqués peuvent fort bien devenir réels.

M. H., commerçant de son état, me fut envoyé car son médecin ne trouvait pas la raison pour laquelle il avait un si mauvais goût dans la bouche. Il trouvait que tout avait un goût détestable, il s'était donc mis à manger très peu et avait beaucoup maigri. Lors d'une de ses visites, il en vint à me raconter qu'il avait dû témoigner dans un procès. Le prévenu était directeur d'une grande entreprise avec qui M. H. était en relations d'affaires : c'était, en fait, son plus gros acheteur. M. H. redoutait qu'on lui posât une certaine question. S'il y répondait selon la vérité, elle entraînerait la condamnation de son client. Et du même coup, M. H. perdrait son principal acheteur, ce qui serait une catastrophe pour lui... Par bonheur, cette question ne fut pas posée au procès.

Lorsqu'il me raconta tout cela, M. H. me dit : « Ce procès m'a vraiment laissé un mauvais goût dans la bouche ! » Il comprit aussitôt ce qu'il venait de dire et me demanda : « Croyez-vous vraiment que ce mauvais goût puisse provenir de là ? Je l'ai éprouvé dès après le procès... »

Cette interprétation était bien la bonne. Il éprouvait, en plus, des sentiments de culpabilité, car il savait que son client, par son comportement punissable, avait coûté plus de 100.000 dollars à sa société. M. H. savait bien qu'il eût été de son devoir civique d'en informer le procureur général. Pour des raisons purement égoïstes, il avait couvert un coupable.

Je lui fis comprendre qu'il mettait sa santé en péril et que son sentiment d'auto-punition entraînait toute sa famille à sa suite, alors qu'elle était innocente dans cette affaire. Je lui demandai encore si ses devoirs envers sa famille n'étaient pas plus grands que ses devoirs civiques. Ces arguments, et la découverte des raisons profondes qui avaient provoqué ce symptôme, le firent disparaître rapidement.

Identification

Les parents savent que leurs enfants imitent tout.

Les enfants cherchent fréquemment à ressembler en tout à leurs parents, et il arrive aussi qu'ils imitent le comportement de leurs familiers. Ce comportement est normal et il se fonde sur l'amour que l'enfant porte à ses parents. Mais cette identification peut même se produire avec un parent détesté, et qui semble tout-puissant. Il apprend à l'enfant ce qu'il doit, ou ne doit pas faire, et il le punit en conséquence. Dans ce cas, l'enfant voudrait être aussi grand, fort et puissant que son père (ou sa mère), même s'il le déteste. D'autres fois, l'imitation surgit parce qu'on s'est constamment entendu dire : « Tu es le portrait de ton père. »

Ce processus du comportement s'appelle l'identification. Mais cette identification appelle aussi à « dramatiser » (exagérer l'importance d'un événement). La tentative de ressembler à son père ou à sa mère provoquera une modification du caractère, en suscitant parfois des maladies dont souffre déjà le parent auquel on s'identifie.. Si une mère est beaucoup trop forte, l'enfant qui s'identifie à elle souffrira sans doute d'un excédent de poids. C'est un facteur que l'on rencontre fréquemment dans l'obésité, et il est souvent bien difficile de déterminer s'il s'agit d'une tendance héréditaire ou d'une identification.

Il est certain que chaque être humain s'identifie, à certains moments, à un autre être ; quand l'enfant devient adulte, ces identifications de l'enfance évoluent en habitudes.

J'eus un jour la visite d'un dentiste qui venait me consulter au sujet d'une oreille qui le démangeait. Les dermatologues et les spécialistes des maladies d'oreilles n'avaient pu détecter aucun facteur physique provoquant cet état. Il s'était donc demandé s'il pouvait s'agit d'un symptôme psychologique. Au cours du traitement, je lui demandai si l'un de ses proches avait souffert d'une maladie identique.

« Oh oui », répondit-il, « ma mère avait également une oreille qui la démangeait et elle la grattait toujours avec son petit doigt comme je le fais aussi. Avec l'âge, elle était devenue un peu dure d'oreille, de ce côté-là. Je crois que, chez moi, l'ouïe a déjà un peu baissé. »

Il me raconta qu'il avait énormément aimé sa mère et qu'il en avait été très proche. Je lui expliquai alors le processus de l'identification et la façon dont elle apparaît. En posant des questions selon la méthode « idéo-motrice », nous pûmes déterminer que c'était bien ce facteur qui provoquait sa démangeaison d'oreille.

Masochisme

Personne n'est un ange : il est naturel que nous regrettions certains de nos actes et que certaines de nos pensées nous mettent mal à l'aise. Dans ce cas, le subconscient peut inférer que ces actes ou ces pensées méritent punition. On remarque à ce propos que plus les gens ont de valeur morale et plus ils éprouvent fortement le sentiment du péché, qui leur fait adopter l'auto-punition. Ils ont une conscience très exigeante, qui estime que même des fautes vénielles méritent punition.

Au contraire, les criminels les plus endurcis sont souvent des psychopathes qui semblent n'avoir aucune conscience ; pourtant, beaucoup d'entre eux peuvent éprouver des sentiments de culpabilité très profonds.

Il n'y a aucun doute à ce sujet, beaucoup de criminels sont pris simplement parce qu'ils ressentent un besoin inavoué d'être arrêtés et punis. Ils commettent alors un acte contraire à toute prudence et qui entraîne leur capture.

La plupart d'entre nous cède de temps à autre à des sollicitations masochistes. Le névrosé est amené à exagérer cette tendance, parfois même jusqu'à l'auto-destruction. Le Dr Karl Menninger, psychiatre bien connu, traite de ce sujet dans son livre « Man Against Himself » (L'Homme contre lui-même), paru chez Harcourt Brace, New-York. Les formes extrêmes de cette auto-punition poussent parfois au suicide, ou à des maladies psychosomatiques mortelles.

Le masochisme joue fréquemment un rôle dans les maladies d'origine émotionnelle, et la guérison n'est possible que lorsqu'on arrive à découvrir l'origine de ce sentiment de culpabilité. Le traitement consiste à persuader le subconscient qu'une punition n'est plus nécessaire. Ainsi, un facteur commun à bien des cas d'alcoolisme est un désir inconscient d'auto-destruction.

Ce besoin maladif d'éprouver de la douleur peut être pour le patient la source d'accidents ou d'opérations. Un praticien a souvent l'attention éveillée et pense au masochisme lorsqu'il apprend que son malade a subi déjà beaucoup d'opérations différentes. Ce même besoin de souffrances morales se retrouve souvent dans des maladies psychosomatiques douloureuses.

Souvent les dentistes reçoivent un client qui demande une extraction, alors qu'il vient déjà de perdre plusieurs dents. Même s'il lui reste beaucoup de dents saines, il arrive qu'il demande qu'on les lui arrache toutes, prétextant qu'il aimerait enfin avoir la paix. Ce n'est qu'une tentative d'expliquer son désir de façon rationnelle. Car ce qu'il désire, en réalité, c'est qu'on lui fasse mal. L'historique de ses maladies fera sans doute état de plusieurs opérations.

J'avais comme cliente une charmante dame d'environ 50 ans, que nous nommerons Hélène. Je n'emploie évidemment jamais les noms véritables de mes malades, pour éviter que leur identité soit reconnue. Hélène était la pire des masochistes qu'il m'ait été donné de rencontrer. Elle était très belle, et elle avait épousé un individu tout à fait nul. Elle était inconsciemment persuadée qu'elle ne méritait pas de meilleur mari. Elle portait toujours des coupures et des hématomes sur le corps ; elle était fréquemment malade, pour une raison ou pour une autre. Elle avait tendance à tomber, à se blesser, à se prendre dans les portes, bref, à se faire mal.

Hélène me raconta que, pendant son enfance, et aussi loin que remontent ses souvenirs, sa mère l'avait chaque jour battue. La mère était manifestement une sadique, car sa fille en avait une telle peur qu'elle lui obéissait toujours et se montrait très sage. Lorsque Hélène eut 16 ans et fut devenue trop grande et trop forte pour être battue, sa mère découvrit d'autres méthodes et d'autres moyens de la faire souffrir.

Inconsciemment la jeune fille, basant ses convictions sur ses expériences, pensa qu'elle devait être une horrible créature tarée pour mériter pareil traitement de sa propre mère.

Quand elle eut admis cette image d'elle-même, elle commença à se punir ; elle continua, même après avoir quitté la maison. C'était le subconscient de la jeune fille qui avait repris à son compte l'application de la punition.

Expériences passées

Bien des situations citées ici trouvent leur origine dans des expériences passées. Les événements déjà vécus, quel que soit leur genre, jouent un rôle dans les maladies psychosomatiques et autres déviations émotionnelles.

Les sentiments de culpabilité et les suggestions trouvent aussi leur source dans les expériences passées.

C'est également le cas pour les idées et pensées jugées inacceptables. La redécouverte de ces épisodes est donc une partie importante de toute psychothérapie.

Un type important d'expériences passées est constitué par *les événements traumatisants,* c'est-à-dire ceux qui ont produit sur le sujet une peur intense ou un choc. La mort de quelqu'un que l'on aime provoque, par exemple, un violent traumatisme.

Mais bien souvent le souvenir de ces événements éminemment déplaisants est refoulé. Il faut le rappeler à la conscience avec le souvenir de son origine, pour se libérer de ses effets.

Le bégaiement peut être le résultat d'un traumatisme, même si on lui trouve d'autres raisons plausibles.

John B. avait 20 ans et bégayait très fort depuis l'âge de 3 ans. Sous hypnose, par la méthode d'interrogation « idéo-motrice », on établit qu'il avait éprouvé à cet âge une peur violente. Auparavant il parlait normalement, pour son âge.

John aimait beaucoup le petit chien de son voisin et jouait souvent avec cet animal. Un jour, un incendie éclata dans la maison de ce voisin. Les pompiers arrivèrent, toutes sirènes hurlantes, d'autres voisins sortirent sur le pas de leur porte, attirés par le bruit ; bref, il y eut beaucoup d'agitation dans la rue. La mère de John le prit dans ses bras pour lui montrer cet incendie. Tandis qu'ils regardaient tous deux, le petit chien sauta sur l'appui d'une fenêtre, où ils pouvaient le voir. Un rideau de flammes l'atteignit et son poil flamba : sous leurs yeux brûlait un petit cadavre encore vivant... John hurla de terreur et tomba en convulsions. A ce moment, il commença à bégayer. Quand on eut détecté les émotions qui avaient provoqué ce traumatisme, John D. fit rapidement les progrès que l'on n'attendait plus. Bientôt, il parla de façon tout à fait normale.

Il est bizarre de constater que la plupart des bègues sont d'excellents sujets hypnotiques et, sous hypnose, ils découvrent qu'ils parlent parfaitement bien. Une fois réveillés, ils bégayent à nouveau. Dans l'auto-thérapie, les sept facteurs mentionnés dans ce chapitre doivent toujours être appliqués. Grâce aux réponses « idéo-motrices », on peut déterminer ceux qui jouent un rôle et ceux qui y sont étrangers. Ce sont là les sept clés qui vous ouvriront les portes de la santé et du bonheur.

R É S U M É :

Dans ce chapitre, vous apprendrez à connaître les idées de Freud et de Pavlov sur l'origine des maladies émotionnelles et autres difficultés psychologiques. Leurs théories, à l'un et à l'autre, sont partiellement exactes et il faut les combiner pour effectuer le traitement.

Vous avez appris à utiliser la suggestion en thérapeutique, et vous savez qu'il n'est nullement dangereux de supprimer un symptôme par la suggestion. Repensez encore une fois aux 7 clés qui doivent vous libérer de vos souffrances : il faut localiser les causes sous-jacentes par les réponses « idéo-motrices », et les ramener à la lumière. Une fois les causes détectées, elles sont bien près de disparaître.

Un seul facteur, plusieurs d'entre eux ou même tous peuvent être en cause. Voici ces facteurs : conflits intérieurs - motivation - puissance de la suggestion - effet du langage sur la vie organique - identification - auto-punition et détection des expériences passées.

Dans votre auto-thérapie, vous déterminerez bien de quels facteurs il s'agit.

CHAPITRE 7

Uu esprit malade dans un corps malade

Les troubles émotionnels peuvent prendre de nombreuses formes. Il n'est pas toujours facile de déterminer pourquoi ils adoptent une forme plutôt qu'une autre. La plupart d'entre nous — voire nous tous — manifestent des tendances caractérielles et des habitudes de pensées qui, souvent, se révèlent tout à fait funestes. Personne n'aime penser qu'il est névrosé mais nous présentons pourtant tous quelques symptômes de névrose. C'est le fait de l'humaine nature. Il est quasiment impossible de rencontrer des êtres si équilibrés qu'ils ignorent les troubles psychologiques et ne soient jamais en butte à la moindre maladie psychosomatique. Même un rhume peut avoir des causes émotionnelles. Bien des maux dont nous souffrons nous sont infligés par notre subconscient : il suffit d'une simple parole pour l'influencer.

Les maladies mentales les plus graves sont les psychoses. Mais les névroses peuvent aussi se présenter sous une forme aiguë, en rendant le malade inapte à toute vie normale. Dans ce livre, nous ne nous occuperons pas de ces cas extrêmes, qui relèvent du psychothérapeute, et non de l'auto-thérapie.

Les cas de contre-indication à l'auto-thérapie

L'auto-thérapie ne présente aucun danger et permet d'obtenir d'excellents résultats, mais il y a pourtant certains cas où elle est contre-indiquée. Un malade mental doit toujours être entre les mains d'un psychiatre, sans aucune exception. Cette nécessité est évidente, et elle est dictée par la nature et la gravité de la maladie. Le malade lui-même peut ignorer son état : il n'aura donc pas le désir de se soigner.

A ce propos, bien des gens pensent parfois être « au bord de la folie », parce qu'ils sont en état d'intense excitation émotionnelle, mais en réalité ils en sont loin. Pourtant, si quelqu'un se sent très irritable, il ne devrait pas entreprendre son auto-thérapie.

Prenons l'exemple d'une névrose dont l'intensité empêche le patient de mener une vie normale : une auto-thérapie n'améliorerait sans doute guère les choses. Le degré d'intensité de la maladie est seul déterminant. Une dépression nerveuse — qui est une forme de névrose — devrait toujours être traitée par un médecin. Si vous souffrez d'une profonde angoisse ou si vous vous sentez extrêmement déprimé, avec des idées de suicide, vous devriez vous faire examiner immédiatement par un spécialiste. Les formes extrêmes d'aberration sexuelle, par exemple l'homosexualité, doivent être traitées par un psychothérapeute.

Vous reconnaîtrez une névrose sérieuse à la série de symptômes qu'elle présente : état anxieux (c'est la forme la plus répandue), phobie, idée fixe, sentiment de contrainte, comportement sous contrainte, hystérie, et les formes extrêmes des troubles caractériels. Il est souvent difficile de trancher nettement entre une névrose développée et une tendance névrosique. Des phobies de peu de portée apparaissent souvent comme des « symptômes de conversion » et appartiennent de ce fait au schéma hystérique. C'est leur gravité qui permet de parler — ou non — de névrose. On fait souvent figurer dans les névroses l'alcoolisme, la passion de la drogue et certains troubles sexuels.

L'auto-thérapie est des plus facile et efficace lorsqu'il s'agit de modifier nos attitudes mentales, nos traits caractériels et nos habitudes de mal penser, quand elles provoquent des maladies émotionnelles ; leur correction peut soulager beaucoup le patient, voire le guérir. Comme nous l'avons déjà dit, les dangers que pourrait présenter l'auto-thérapie sont absolument négligeables, à la condition, bien entendu, de ne pas employer cette méthode dans les cas extrêmes mentionnés ici. Il existe d'ailleurs des techniques de protection, que nous décrirons plus loin.

L'anxiété et la fatigue

Dans toute forme de troubles émotionnels on retrouve certaines émotions, sentiments ou manières de penser, qui leur sont communes.

C'est ainsi que l'on détecte, d'une façon quasi générale, un sentiment d'anxiété plus ou moins fort. On peut définir cette angoisse comme une appréhension ou une crainte sans fondement. Un autre symptôme, tout aussi général, est la fatigue. La plupart de ceux qui se plaignent de troubles émotionnels se sentent très fatigués et manquent d'énergie. Même si le sommeil est bon, le patient s'éveille fatigué.

Il faut distinguer entre deux genres de fatigues :

a) la fatigue physique, qui fait normalement suite à l'exercice physique ;

b) la fatigue émotionnelle ou mentale.

On n'a pas encore déterminé exactement les causes de la fatigue mentale, mais on pense généralement qu'il faut les chercher dans une trop grande activité mentale et dans l'inaptitude à résoudre ses propres problèmes.

Négativisme

Une attitude mentale négative semble aller de pair avec les troubles émotionnels et névrosiques. Dans tous les domaines, au lieu d'affirmer: « Je peux », on dit : « Je ne peux pas », ce qui signifie plutôt « je ne veux pas ». Il y a là le reflet d'un sentiment de désespérance et d'abandon. En s'attendant au pire, le pire se produira inévitablement, par suggestion négative. Le subconscient, qui subit cette suggestion, ne peut qu'engendrer un comportement nuisible au patient.

Sentiments d'infériorité

Les sentiments d'infériorité et d'insécurité sont également très fréquents. Qui n'en souffre pas ?
L'on voit des individus arrogants, téméraires, contents d'eux-mêmes, qui masquent en fait par ce comportement les sentiments d'infériorité qu'ils éprouvent. On peut les comparer au spadassin qui cherche la bagarre pour dissimuler sa couardise.
Beaucoup d'hommes très riches souffrent également de violents sentiments d'infériorité, et ils passent leur vie à faire de l'argent.

Dès qu'ils possèdent un million de dollars et se trouvent donc en pleine sécurité matérielle, ils se sentent contraints d'accumuler un nouveau million... C'est ainsi que les quelques milliardaires qui existent souffrent tous d'un très fort sentiment d'insécurité qui les incite à continuer à entasser de nouvelles richesses !

De nombreuses personnes ressentant des troubles émotionnels se concentrent difficilement : qu'elles lisent ou qu'elles étudient, leurs pensées sautent d'un sujet à l'autre, sans arriver à se concentrer. L'étude devient de ce fait difficile et minime la capacité de travail. L'inaptitude ou le manque de goût à assumer des responsabilités constitue un autre symptôme très commun de ce sentiment d'insécurité. On craint que la décision prise ne soit pas la bonne : l'on hésite donc et renonce finalement à prendre des décisions. A ce même type de symptômes se rattache la crainte de prendre des engagements. Si l'on n'entreprend rien, l'on ne risque pas l'insuccès. L'on oublie du même coup que si l'on n'entreprend rien, on n'obtiendra en tout cas aucun succès ! Le mot « essayer » porte déjà en lui les prémisses de l'insuccès. Lorsque vous dites : « Je vais essayer », vous annoncez un échec probable.

Immaturité

C'est encore une manifestation commune et la cause de bien des comportements névrosiques et de mauvaises habitudes de penser. L'homme « peu mûr » n'a pas encore atteint son plein épanouissement. Il n'affronte pas la réalité et ne trouve pas de solution à ses problèmes, comme le fait un adulte. A ce propos, personne n'est totalement exempt de petites immaturités. C'est de nouveau là question de degré, qui détermine s'il s'agit d'un cas normal ou anormal.

Quelqu'un qui souffre de désordres émotionnels ou de fréquentes maladies psychomatiques deviendra sans doute — au cours du temps — très égocentrique. Il se soucie beaucoup de sa santé, devient maniaque et s'occupe exclusivement de lui-même.

Dans une certaine mesure, il est tout à fait naturel à chaque homme de se croire très important, mais, dans le cas d'une maladie émotionnelle ou psychosomatique, le patient n'est réellement plus qu'un « MOI, JE », écrit en lettres majuscules. Cela ne signifie pas qu'il soit devenu égoïste. Au contraire, s'il lui arrive de penser à quelqu'un d'autre, il peut se montrer très généreux. Par habitude, il est cependant trop occupé de lui-même et concentre toutes ses pensées sur lui-même.

A la fin du chapitre 9, vous trouverez un « Bilan » qui permet de passer les traits du caractère à l'actif et au passif. Une des besognes les plus importantes de votre auto-thérapie consistera précisément à faire passer le passif à l'actif. Lorsque vous comparez le passif et l'actif, et que vous constatez que vos bonnes impulsions dépassent les mauvaises, vous en retirerez une vue plus encourageante de vous-mêmes et vous y puiserez l'aide nécessaire à surmonter vos complexes d'infériorité.

Maladies psychosomatiques

Dans ces maladies, la valeur de l'auto-thérapie dépend beaucoup du degré de la maladie et de la personnalité du patient. Certains médicaments peuvent être des adjuvants utiles et, en règle générale, un traitement médical complémentaire est indiqué même si, parallèlement, vous vous traitez vous-même.

Si vous êtes en traitement chez un psychologue ou un psychiatre, un traitement personnel est à déconseiller, à moins que votre médecin traitant ne soit d'un avis contraire.

Qu'entend-on, exactement, par maladie psychosomatique ? Le Dr A. J. Winter, dans son livre « The Origin of Illness and Anxiety » (L'origine de la maladie et de l'angoisse) — Julian Press, New-York — en donne une très bonne définition, que voici :

Nous appelons maladie psychosomatique celle qui présente les caractères suivants :

1. Il s'agit d'un *trouble fonctionnel*, et non pas organique, même si par la suite une modification organique survient.
2. La maladie est provoquée par un stimulus inadéquat.
3. La réaction n'a aucune relation avec le stimulus.
4. Elle trouve sa source dans des événements passés et le plus souvent douloureux.
5. Le désordre est basé sur une forte association d'idées — un certain stimulus provoquera presque toujours une réaction identique.

6. La conscience de la présence corporelle dans le temps semble
   faire défaut. Les réactions du patient semblent faire fi de la
   situation actuelle au profit d'expériences passées et mal estimées.

Ce genre de maladie relève de situations ou de formulations soulevant
un problème, et non pas d'infections ou de blessures.
La plupart d'entre nous savent qu'une maladie peut avoir un
fondement psychologique, mais nous pensons que cela n'arrive qu'aux
autres... Lorsque le médecin nous trouve une maladie psychosomatique, nous nous élevons contre cette assertion et n'acceptons pas
cette idée — en tout cas jusqu'à ce qu'un autre médecin nous confirme
ce diagnostic. Malheureusement certains praticiens non spécialisés
en psychosomatique (connaissance corps - âme - rapports entre eu)
ne sont pas en mesure de lutter contre ce genre de maladies ; ils
renverront le patient en lui disant : « Mais vous ne faites que vous
imaginer tout cela. » Ce sont bien vos émotions qui provoquent
votre maladie qui n'est pas, pour cela, imaginaire. On souffre tout
autant d'une douleur psychique que d'une douleur organique.
Souvent des patients qui éprouvent ces maux me disent, lorsqu'on
me les adresse : « Je ne sais pas pourquoi le Dr Smith m'a envoyé
chez vous. Vous êtes psychologue et mon mal de tête (ou mon asthme,
ou autre chose) est un trouble physique. » J'explique alors comment
nos sentiment et notre subconscient peuvent nous affecter. Par la
même occasion, je trouve utile d'exposer la méthode du pendule et
je pose la question suivante : « Vos maux de tête ont-ils quelque cause
émotionnelle ou psychologique ? » Si le diagnostic du médecin traitant
— selon lequel il s'agit d'une souffrance psychosomatique — est bien
exact, le pendule répond invariablement « oui », ce qui emporte
l'adhésion du patient. Ce n'est pas moi qui le lui ai dit, mais lui qui
me l'a affirmé. Son subconscient l'a confirmé.
Dès l'instant où il a accepté cette thèse, il fait son premier pas vers
la guérison.
Puisque le lecteur peut ne pas connaître les maladies que les médecins
nomment, dans leur ensemble, psychosomatiques, nous dresserons
ici une liste des maladies les plus communes. Il faudrait tout un livre
de médecine pour les énumérer toutes. Dans certains cas, tels l'allergie
et l'arthrite, nos connaissances sont si fragmentaires que nous
n'arrivons pas à en donner une image claire et précise. Il est possible

que ces maladies aient une cause organique mais, habituellement elles proviennent plutôt de motifs psychologiques.

Les maladies suivantes entrent dans la catégorie des maladies psychosomatiques :

Système respiratoire :

Allergies, sinusites, rhume des foins, refroidissements, bronchites, asthme, emphysème, tuberculose pulmonaire.

Dermatologie :

Eczéma, urticaire et autres maladies de la peau, souvent dénommées allergies.

Système digestif :

Obésité, constipation, côlite, diarrhée, ulcère d'estomac, manque d'appétit dans certaines maladies, hémorroïdes, maladie de la vésicule biliaire.

Système vasculaire :

Haute pression, maladies de l'artère coronaire, tachycardie, maladie de Reynaud, maladie de Bürger.

Voies urinaires :

Enurésie, fréquence nerveuse, incontinence, rétention post-opératoire et autres.

Système nerveux et endocrinien :

Tic douloureux, névralgie trigeminale, migraines, renvois, besoin de drogue, alcoolisme, quelques formes de l'épilepsie, vraisemblablement aussi la maladie de Parkinson, scléroses multiples, myasthénie, diabète, goître, hypoglycémie.

Organes sexuels :

chez l'homme : impuissance, éjection séminale prématurée, stérilité.
chez la femme : bien des formes de douleurs menstruelles, spécialement les crampes, stérilité, fausses-couches répétées, frigidité, éventuellement aussi les pertes blanches, vaginite, dysménorrhée.

Des états de tension nerveuse et de « survoltage » peuvent facilement diminuer la résistance du corps, ce qui nous rend réceptifs aux infections : dans ce sens, on pourrait affirmer que toutes les maladies ont une cause émotionnelle.

RÉSUMÉ :

Nous ne nous occupons pas ici des maladies émotionnelles les plus graves et les plus sérieuses : les névroses et la folie. Dans ces cas, un auto-traitement ne serait que peu efficace et le malade doit absolument être confié à un psychiatre ou à un psychologue.

Un point mérite particulièrement l'attention : une personne qui éprouve un violent état d'excitabilité émotionnelle se rend parfaitement compte de subir une contrainte psychologique. Elle en vient à se demander si elle est folle. Cette crainte, à son tour, accentue les désordres émotionnels et augmente son état d'excitabilité. Il est vraisemblable que cette crainte n'est pas fondée — pourtant il arrive que certains malades mentaux soient conscients de leur état. Quelqu'un qui se trouve profondément affecté par cette crainte devrait sans retard se faire examiner par un psychiatre.

L'anxiété, la fatigue, le négativisme, les sentiments d'infériorité, les soucis, l'inaptitude à prendre des décisions, l'immaturité et l'égocentrisme sont les manifestations les plus courantes accompagnant les désordres émotionnels. Il s'agit ici de symptômes névrosiques, mais non de névroses développées. Ils peuvent accompagner une névrose réelle.

Il existe naturellement encore d'autres manifestations névrosiques : il en sera parlé dans un autre paragraphe. Nous avons traité ici des maladies psychosomatiques ordinaires. Il est bon de les connaître, si un jour vous détectiez en vous l'une de ces manifestations. Elles peuvent nécessiter un traitement médical, mais un traitement psychologique est certainement tout aussi nécessaire.

CHAPITRE 8

La valeur de la pensée positive et de la saine relaxation

Rares sont les gens dont l'optique et le comportement n'appellent pas de correction. Certains d'entre vous gagneraient sans doute à se remodeler : vos habitudes actuelles sont le résultat de certaines émotions, de réflexes conditionnés et d'éducation reçue dans l'enfance. Certaines matières traitées dans ce chapitre ne vous concernent en rien, mais d'autres ont de grandes chances de s'appliquer à vous également. Une modification de votre optique est tout à fait possible, si vous utilisez les méthodes exposées ici. Votre propre épanouissement vous rendra certainement plus heureux et vous assurera davantage de succès.

Pensez-vous négativement ?

En général, une personne bien équilibrée possède une optique positive. Elle se fait une idée concordante de sa personnalité. Elle sait qu'il lui manque certaines capacités, mais dirige ses efforts vers des buts que ses talents lui permettent d'atteindre. Si certaines aptitudes lui font défaut, elle ne s'en émeut pas outre mesure. Optimiste, elle se fixe des buts et croit à son efficience. En fait, elle a raison. En pensant de façon positive, son subconscient la fait agir et se comporter de manière à bien réussir ce qu'elle entreprend. Elle jouit d'une bonne santé ; elle sera généralement heureuse et aimera la vie. Si les choses n'évoluent pas comme elle le voudrait, elle ne s'en tracassera pas trop vivement. Elle présente donc peu de symptômes de névrose.

La pensée négative engendre l'effet exactement contraire. Elle conduit à l'insatisfaction, à l'angoisse, aux soucis, aux sentiments de frustration et d'hostilité. Ces émotions sont le fait de conflits intérieurs : qui pense négativement est tout désigné pour souffrir de maladies émotionnelles.

Le négatif n'aime pas regarder la vérité en face. Il craint de s'assigner des buts qu'il n'atteindra pas. C'est d'ailleurs pour cette raison qu'il ne rencontre que de rares succès. Son complexe d'infériorité l'enchaîne, comme s'il avait aux pieds des fers qui l'entravent. Son subconscient influence probablement son comportement de manière à faire échouer ses entreprises.

Quantité de livres ont pour sujet la valeur de la pensée positive. Tous poursuivent le même but, même si les méthodes en sont différentes. Aux gens très croyants, on peut recommander le « Power of Positive Thinking » (puissance de la pensée positive) de Peal (Prentice Hall Inc., Englewood Cliffs, New Jersey). Ici, le but doit être atteint par la prière et par une foi inaltérable en Dieu. D'autres livres mettent également l'accent sur les mêmes certitudes.

Une méthode métaphysique qui, dans les grandes lignes, se rapproche des philosophies orientales, est préconisée par U. S. Andersen (« The Secret of Secrets », Nelson, New-York). Les méthodes qu'il y développe peuvent être d'une grande efficacité.

Un exposé sensé et circonstancié est proposé par feu Claude Bristol dans son ouvrage « The Magic of Believing » (La magie de la pensée) (Prentice Hall Inc., Englewood Cliffs, New Jersey). Bristol indique comment influencer le subconscient pour qu'il nous fasse agir conformément à nos buts. Ses méthodes sont très pratiques et mènent à la réussite, comme celles d'autres auteurs cités ici.

Comme il existe des livres entièrement consacrés à la pensée positive et aux méthodes d'étude de celle-ci, nous allons traiter brièvement ce sujet. Chacun trouvera grand profit à la lecture d'un ouvrage spécialisé sur la pensée positive et à l'application des méthodes qui lui sont recommandées.

Une foi inaltérable est le secret de la pensée positive.

Il est difficile, mais non impossible, de perdre l'habitude de penser négativement. Nul ne peut toujours et à tout instant penser de façon positive, mais on peut s'en créer l'habitude. Il ne s'agit nullement d'une pratique magique qui fait s'envoler aussitôt tous les problèmes ! En plus d'une volonté bien arrêtée, d'une patience à toute épreuve, il faut encore beaucoup d'exercice pour se familiariser avec ses règles. Du temps peut passer avant que l'on obtienne des résultats, mais le découragement ne ferait que ralentir ce processus.

Les habitudes de pensée positive sont une aide efficace lorsqu'on veut corriger certains défauts du caractère, certaines attitudes mentales, arriver au succès et au bonheur et soulager ses propres souffrances. En ce qui concerne la maladie, tous les médecins accordent à l'attitude mentale du patient une importance vitale. Un malade pessimiste, qui ne croit pas à l'amélioration de son état ou n'a pas la volonté de survivre peut fort bien mourir. Par contre un malade très atteint, mais qui possède une forte volonté de vivre et qui croit à sa guérison, recouvrera vraisemblablement la santé.

Comment notre peur nous affecte

Le pessimisme est un réflexe conditionné. Nos émotions basées sur la peur constituent la suite d'un conditionnement passé, où la pensée négative joue un grand rôle, en provoquant peurs et états d'angoisses. Les émotions qui s'y rattachent sont : la peur, l'anxiété, la frustration, l'hostilité et le sentiment du péché, le tout accompagné de tension nerveuse.

La peur elle-même est consciemment reconnue. Nous savons que nous avons peur d'un fait ou d'une situation donnée, et peut-être en connaissons-nous aussi la cause. Mais on peut ne pas connaître consciemment les causes d'une phobie (peur maladive). La peur de la mort est une crainte communément éprouvée par tous les humains. Même des personnes très pieuses et qui croient à la vie éternelle éprouvent souvent beaucoup de crainte devant la mort. Cela provient peut-être de ce que certaines religions enseignent la damnation et l'existence du feu éternel pensant, par la crainte, amener les fidèles au bien.

La crainte de la mort peut provenir aussi d'un conditionnement sous-jacent qui nous rappelle la mort de quelqu'un que nous avons beaucoup aimé, ou une mort douloureuse. Dans bien des cas, il ne s'agit pas de la peur de la mort en soi, mais de la peur du cortège de souffrances dont elle peut être accompagnée.

La peur de la maladie est également le fait d'un conditionnement — comme toutes les peurs, d'ailleurs. En grandissant, la plupart d'entre nous contractent des maladies d'enfant, ou tout au moins en voient les effets sur d'autres. Personne n'aime à être malade, consciemment du moins. Notre peur de la maladie peut se rapporter à nous, ou à ceux que nous aimons.

On peut mesurer l'emprise de cette peur au nombre de pilules et de médicaments consommés, qui se traduisent par des millions chaque année.

Une autre peur très répandue et bien naturelle, c'est la peur de manquer d'argent. Il n'est pas si facile de gagner sa vie, et il est particulièrement difficile de s'assurer une sécurité financière réelle. Sa perte entraîne la peur ou un état d'angoisse continuelle.

L'insécurité n'est d'ailleurs pas seulement le fait d'un manque d'argent : elle peut provenir aussi de nos relations avec autrui : par exemple, la peur de n'être pas aimé ou d'être rejeté. Un de nos besoins inconscients le plus fort est d'être aimé. Si, en grandissant, nous sommes souvent rejetés, ce besoin s'accentue et se transforme en symptôme névrosique. Un pessimiste s'attendra dès l'abord a être rejeté. Cette peur d'être rejeté peut devenir si forte que le patient devient incapable d'aimer ou de croire à l'amour, puisqu'il est certain qu'en fin de compte il sera écarté.

L'angoisse est une incarnation de la peur. Il s'agit ici d'un sentiment souvent infondé qui fait soupçonner l'imminence d'un événement désagréable. L'homme angoissé n'est généralement pas capable d'analyser les raisons de son anxiété. Les craintes qui se cachent derrière ce sentiment sont inconscientes : on ne les détecte donc pas. L'anxiété est un sentiment affreusement désagréable. Une des formes les plus poussées de cette névrose est qualifiée d'« état anxieux», et l'anxiété y atteint de telles proportions qu'elle devient panique. Lorsque l'angoisse n'a aucune cause décelable, on parle d'« un état d'angoisse latent ». Il est basé sur la crainte d'un événement imminent, nécessairement déplaisant ou horrible, telle une épée de Damoclès suspendue sur la tête du patient, et prête à le foudroyer. Chaque circonstance néfaste, chaque insuccès viendra renforcer cette peur latente et persuader d'ennuis supplémentaires inéluctables. Cette attente du désastre est un réflexe conditionné.

Les gens bien équilibrés ne connaissent pas ces craintes et ne prennent pas très à cœur leurs insuccès. Ils haussent les épaules et continuent leur route, même si les événements ne leur ont guère été favorables. Dans ce genre d'anxiété, le patient est incapable d'agir pour se libérer de ses angoisses. Il est persuadé qu'il n'y peut rien, ce qui le conduit à un sentiment de désespérance. L'impuissance où il est de rien entreprendre renforce encore ses craintes. Sa tension nerveuse devient chronique. Pour que ses craintes s'évanouissent, il lui faudrait fuir son destin. Mais aussi longtemps qu'il n'y parvient pas, son état d'anxiété subsiste.

Hostilité et colère

La colère et l'hostilité sont deux sentiments de même ordre. Ils sont tout à fait normaux, s'ils ne dépassent pas certaines bornes et ne subsistent pas trop longtemps. Vous ne seriez pas homme, si vous ne vous fâchiez pas de temps à autre et si vous n'éprouviez aucun sentiment d'hostilité vis-à-vis d'autrui, contre le destin, ou même contre vous-même. Mais vous devez naturellement pouvoir contrôler ces émotions. Lorsque vous êtes en colère, vous ne pouvez simplement commencer à vous battre, ce qui risquerait fort de vous amener bien des ennuis, surtout si votre adversaire est plus fort que vous !
Bien des gens considèrent ces sentiments comme « mauvais » et lorsqu'ils les éprouvent, ils se sentent très coupables ; ce sentiment de culpabilité peut appeler un besoin inconscient d'auto-punition. Ils étouffent donc ces manifestations émotionnelles dès leur apparition ou ils les refoulent, parce qu'ils les considèrent comme nuisibles. Une autre raison de ce refoulement peut être la crainte des conséquences de leurs actes, lorsqu'ils sont en colère et perdent le contrôle d'eux-mêmes.
Cette immixtion de sentiments de culpabilité et de refoulement peut produire de désagréables résultats, comme par exemple des migraines, ou d'autres symptômes douloureux.
Mais si l'on envisage que la colère et l'hostilité sont des réactions émotionnelles normales à certains stimuli, il ne devient plus nécessaire de les refouler. Ce n'est pas en les mettant en bouteilles que l'on va calmer ces émotions... Elles se sont produites, et leur soulèvement subsiste et affecte maintenant également le subconscient. Le meilleur traitement, c'est de leur trouver un exutoire acceptable.
Il arrive malheureusement souvent qu'un sentiment d'hostilité bien défini contre quelqu'un, à son origine, se trouve « projeté » contre d'autres personnes de l'entourage, qui y sont totalement étrangères.

Le sentiment d'hostilité se transforme alors en irritabilité, et ce sont le mari, la femme ou les enfants qui en font les frais.

La colère surmontée, on peut souvent discuter de son origine. Il n'est pas nécessaire de se quereller, de jurer, de parler avec sarcasme ou hostilité. Il suffit de s'entretenir tranquillement de la situation ou de la personne qui suscite l'hostilité, et cette manifestation émotionnelle s'en trouvera neutralisée.

Une autre méthode pour vaincre ces sentiments consiste à se livrer à des exercices corporels. Quelle n'est pas la satisfaction d'un joueur de golf en réussissant un bon « drive », de toute sa force ? Et celle du joueur de tennis lorsqu'il renvoie la balle d'un revers fougueux ?

Dans bien des sports, le joueur se débarrasse de ses sentiments latents d'hostilité sans même s'en apercevoir. Ensuite, il s'en trouve beaucoup mieux. N'importe quelle activité physique, que ce soit : couper du bois, faire des travaux de jardinage ou de la gymnastique, convient pour réagir contre des sentiments d'hostilité latents ou momentanés. Un footballeur se libère de ses sentiments d'hostilité latents en réclamant « la peau de l'arbitre », ou en insultant un autre joueur !

Une loi psychologique veut qu'une émotion plus forte prime toujours une émotion plus faible. Une forte colère peut refouler la crainte, et un furieux peut attaquer celui dont il a peur. Si la crainte était plus grande que la colère, elle prévaudrait, et le sujet reculerait au lieu d'attaquer. Il n'est guère facile de découvrir un sentiment qui puisse surclasser la colère.

Si un mari se sent en colère contre sa femme, il lui faut se contrôler, la prendre dans ses bras en riant, et l'embrasser. Sa colère disparaît bientôt. Elle est refoulée par le sentiment de l'amour et du désir. Si la femme est également en colère, elle se calmera, à condition bien sûr qu'elle ne soit pas trop furieuse !

Voici encore une autre technique qui rend service dans plusieurs cas, notamment lors d'excitation colérique. On commence par se contenir. Quand on sent la colère ou l'énervement monter, on doit se mettre à penser : « Mais non ! Qu'y a-t-il ? Ce n'est rien du tout ! » Avec un peu d'exercice et en acceptant l'idée qui se dégage de ces phrases, ces émotions disparaîtront sans avoir causé de mal. Lorsque vous êtes blessé dans vos sentiments, lorsque vous vous sentez frustré ou lorsque vous perdez le contrôle de vous-même, répétez ces phrases ; elles vous aideront à retrouver l'équilibre. Les émotions qui vous agitent disparaissent alors comme l'eau sur les plumes d'un canard, sans laisser de trace ni vous enlever votre sang-froid.

Cette méthode peut vous être fort utile lorsque vous vous énervez. Naturellement, dans ce domaine non plus, il ne faut rien exagérer, sinon votre impassibilité deviendrait rapidement de l'indifférence.

Frustration

La vie est faite de frustrations. Enfant déjà, nous subissons ces frustrations, sous forme de défenses que nos parents nous imposent : « Non, tu ne dois pas faire cela » ; ce sont des recommandations que nous entendons constamment dans notre enfance, avec d'autres « tabous » et limitations. Le « Je veux » reçoit pour réponse le « Tu ne dois pas » de la vie en société. Les défenses des parents et de la société sont nécessaires, mais elles constituent des frustrations, qui sont souvent la cause d'un conflit intérieur.

Plus tard, dans la vie, beaucoup de nos besoins et de nos désirs ne sont pas comblés, et ce résultat constitue une nouvelle frustration. C'est un déroulement émotionnel tout à fait normal et qui ne devient dangereux que lorsqu'il est chronique. La phrase : « Eh bien, et quand cela serait ? » est bien propre à réagir contre le sentiment de frustration et nous aide à supporter les événements qui provoquent ces frustrations. Les hommes qui se fixent des buts dans la vie et qui sont habitués à les atteindre sont moins frustrés, en cas d'insuccès. Mais des insuccès répétés peuvent provoquer une frustration chronique et ses séquelles.

Lorsque nos besoins les plus importants dans la vie sont comblés de façon satisfaisante, il nous semblera plus facile de surmonter nos sentiments de frustration. Nous éprouvons le besoin d'aimer et d'être aimés, dans un cercle de famille harmonieux. Nous avons besoin de nous estimer à notre juste valeur et de nous voir tels que nous aimerions être. Pour obtenir certains succès, même partiels, nous devons posséder un certain degré de confiance en nous et en nos qualités personnelles. Nous devons nous fixer des buts pour lesquels nous luttons, que ce soit dans la vie privée ou professionnelle.

Quand le sujet perd le sommeil et s'enferre dans ses soucis, sans se l'avouer, il se crée ces préoccupations parce que cela répond chez lui à un besoin. A ce stade, on parle d'auto-punition masochiste.
Y a-t-il encore d'autres causes possibles à ces soucis chroniques ? Oui !
Ici, l'identification peut jouer son rôle et si le père ou la mère était un soucieux, cette habitude peut entacher le comportement de l'enfant qui, inconsciemment, s'identifie à lui (ou à elle). J'ai l'impression que les femmes sont plus soucieuses de nature que les hommes. Il s'agit donc plus spécialement d'une identification à la mère — mais cela peut être aussi une identification au père ou à un proche parent.
Cette appréhension chronique prend, pour beaucoup, sa source dans le pessimisme et l'habitude de tout voir en noir. Les soucis provoquent une tension nerveuse qui, à son tour, augmente la tendance à l'appréhension : c'est là un véritable cercle vicieux.
Un sujet qui souffre d'appréhension chronique et exagérée doit faire l'impossible pour perdre cette habitude, surtout lorsque du masochisme s'y mêle. Il doit prendre conscience qu'il copie l'attitude de quelqu'un d'autre, afin de briser la puissance de l'identification. Dès qu'il se sent soucieux, il devrait tourner ses pensées vers le souvenir d'événements agréables.
Knight Dunbar, qui fut en son temps une autorité reconnue dans le domaine des habitudes et de leur formation, préconise une autre méthode pour rompre avec une manière d'être. Il expose que, chaque fois que l'on s'efforce de se dégager d'une habitude, on ne fait que renforcer celle-ci : nous retrouvons ici notre vieux démon, la loi du résultat inversé... Dunbar recommande de se concentrer sur le but final recherché (une forme de suggestion). Lorsqu'une habitude se manifeste, on l'exagère énormément, ce qui permet de s'en libérer plus facilement.

Appliquons cette méthode dans le cas de l'appréhension chronique. Celui qui en souffre devrait volontairement exagérer son pessimisme et se plonger consciemment dans les soucis les plus profonds. Il devrait alors répéter mentalement : « Maintenant, il faut absolument que je me plonge entièrement dans mes soucis ! Je me débats en ce moment même dans des soucis épouvantables ! Il va certainement se passer quelque chose d'atroce ! » Vous n'aurez pas besoin de continuer dans ce sens, la santé morale — et vraisemblablement aussi corporelle — nous reviendra.

Sentiments de culpabilité

Nous avons tous nos faiblesses et nos manquements et n'atteignons jamais notre idéal. Aucun être n'est parfait. En nous vit encore l'homme des cavernes, avec ses instincts et son comportement refoulés par les tabous de la vie en commun. Souvent nous commettons des actes que nous regrettons plus tard, ou accueillons des pensées que nous considérons comme mauvaises. C'est là une concession faite à l'humaine nature. Fort heureusement, la conscience joue le rôle du frein pour beaucoup de nos désirs, sinon tout irait encore plus mal sur la terre.

Mais on peut également avoir une conscience trop sourcilleuse. Nous devrions tirer une leçon de nos manquements, de nos mauvais agissements et de nos pensées coupables. Nous ne devrions jamais récidiver, puisque notre conscience nous a réprouvés antérieurement. Il est malsain de trop vivre dans le passé et de cultiver de profonds sentiments de culpabilité. Le sentiment du péché et la honte peuvent nous coûter cher, car ils entraînent l'auto-punition et les déviations émotionnelles. Comme nous l'exposerons plus loin, l'une des principales sources du sentiment de culpabilité relève du domaine sexuel. La peur et la tension psychologique qui l'accompagne conduisent à la dépression nerveuse. On peut rapidement détecter cet état d'après les manifestations nerveuses qui l'escortent, à savoir : le pianotement saccadé des doigts, l'impossibilité de rester en place, le fait de fumer, l'alcoolisme, et quantité d'autres symptômes.

Appréhension

L'appréhension irraisonnée est un réflexe conditionné bien déplaisant. Chacun se fait des soucis, à certaines occasions, par exemple lorsqu'un être cher tombe malade, et c'est là une réaction tout à fait normale. Ce qui l'est moins, c'est un état chronique d'appréhension et de souci. Celui qui voit ainsi tout « en noir » se ronge de soucis même quand tout va très bien. Lorsqu'il a détecté la cause d'une préoc-

cupation, il trouve rapidement une autre source d'inquiétude : sa durée ; bientôt la situation lui paraîtra tout à fait risible ;
Souvent le « soucieux chronique » prétend qu'il essaie de toutes ses forces de ne plus se faire de soucis, mais sans jamais y arriver. Il s'appuie là sur une pensée négative. Ce qu'il veut dire, en fait, c'est qu'il ne veut pas arrêter le cours de ses soucis. Son « je ne peux pas » veut dire « je ne veux pas ». Si, à l'occasion, vous voyez tout en noir, vous feriez bien de vous en souvenir.
Dans bien des cas, cette façon d'être provient d'une peur cachée ou satisfait un besoin d'auto-punition.

Jalousie et envie

Ce sont là des sentiments voisins, ayant tous deux pour base un sentiment d'infériorité et d'insécurité. Celui qui accueille calmement le don d'un amour et qui place sa confiance dans celui qu'il aime ne sera jamais jaloux, sauf en cas d'infidélité manifeste. La jalousie reflète un sentiment d'insécurité intérieure et d'indignité. Cette manifestation émotionnelle apparaît sous plusieurs formes, dont l'une est la jalousie éprouvée pour une rivale plus heureuse. Dans ce cas, le ressentiment se concentre sur la rivale plus heureuse et se justifie donc absolument. Cependant, en montrant sa jalousie à l'objet de son affection, on commettrait peut-être une faute irréparable. Dans ce genre de situation, la meilleure réaction consiste à refuser de se laisser affecter par ce sentiment. La technique du « Eh bien, et quand cela serait ? » maintient le sujet dans une impassibilité qui lui sert de défense.
La jalousie peut aussi apparaître comme un sentiment diffus, sans aucun objet précis. Dans ce cas, il s'agit de peur et d'anxieuse appréhension. Le jaloux craint qu'un suppléant n'apparaisse sur la scène, ou qu'il n'ait un rival inconnu. Ceci témoigne également d'un manque de confiance dans l'objet de son inclination. L'amour sans confiance s'interdit le droit au bonheur et provoque des troubles réellement nocifs.
L'extrême jalousie est probablement un symptôme paranoïaque, comme dans le cas que nous avons décrit et où l'homme voulait interroger sa femme sous hypnose pour lui fair avouer son infidélité.

L'envie est un sentiment émotionnel plus normal que la jalousie, mais il se fonde également sur un sentiment d'insécurité et d'infériorité. Ce sentiment ne combat pas seulement un rival mais aussi des concurrents. Il peut prendre à parti un collègue de travail ou s'attaquer au propriétaire d'un objet ou d'un avantage enviés.

Relaxation

La plupart du temps, la tension nerveuse fait bon ménage avec l'inaptitude à se relaxer. Bien des gens n'arrivent pas à se relaxer, simplement parce qu'ils ne savent pas comment l'on procède. Une mise sous tension constante peut faire beaucoup de mal, aussi bien physiquement que mentalement ; c'est l'une des causes principales des maladies émotionnelles dont l'exemple classique est l'ulcère d'estomac.

La relaxation a pour but de faire baisser, du moins momentanément, cette tension nerveuse. Avec une certaine pratique de la relaxation, on arrive à faire baisser sensiblement la tension nerveuse.

On a écrit des livres entiers sur l'art de la relaxation. Le plus connu de ceux-ci est l'ouvrage de Jacobson « You must Relax » (Vous devez vous relaxer), Whittlesey House, New-York. Jacobson nomme ses méthodes, qui connaissent beaucoup de succès, « relaxation progressive ». Malheureusement il faut plusieurs semaines d'exercices constants pour bien apprendre cette technique.

Mais il existe une autre méthode, beaucoup plus facile, et pourtant efficace, que l'on peut posséder en deux ou trois séances. Cette technique, presque oubliée aujourd'hui, a été présentée par Frédéric Pierce dans son livre « Mobilizing the Mid-Brain », publié en 1942, totalement épuisé actuellement, mais que l'on pourrait peut-être trouver dans les boîtes des bouquinistes. Pierce nomme ses exercices de relaxation « Decubitus ». Ils se fondent sur un principe étonnant dont il fit la découverte. Un jour, en jouant aux quilles, il se fatigua le bras. Tandis qu'il remontait les quilles, son attention fut attirée ailleurs, et lorsqu'il voulut relancer la boule, ses doigts glissèrent sans force des trous de la boule. Les muscles fatigués s'étaient entièrement décontractés. Ensuite, quand il fit consciemment l'expérience de relaxer ainsi son bras, ses muscles ne se décontractèrent pas autant. C'est au cours de différentes expériences qu'il mit au point son, exercice, qui repose sur ce principe.

Lorsque des muscles — que ce soient ceux du bras ou d'une jambe — sont fatigués, ils se décontractent entièrement d'eux-mêmes, à la condition d'en détourner son attention et de se concentrer sur un autre objet.

Comment se relaxer

Pour obtenir, par cette méthode, une relaxation complète du corps, il est recommandé de se coucher. On peut également s'asseoir, mais la décontraction est moins bonne. Cette technique comprend six exercices.

Pour se livrer au premier exercice, il vaut mieux se coucher sur un lit. Fermez les yeux, puis décontractez le plus possible les muscles de votre nuque et de vos épaules. Puis imprimez à votre tête un mouvement de rotation, quatre fois, dans le sens des aiguilles d'une montre, en essayant de relaxer toujours davantage vos muscles. Répétez ensuite ce mouvement quatre fois dans le sens contraire aux aiguilles d'une montre. Ceci fait, allongez-vous et levez le pied droit à environ 40 centimètres. Contractez-en les muscles le plus possible, afin qu'ils se fatiguent rapidement. Gardez ainsi le pied en l'air, tout en suivant mentalement le tissu musculaire de l'orteil à la hanche.

Pendant tous ces exercices, les yeux doivent rester fermés. Vous avez ainsi une « vue mentale » de vos muscles, et vous détournez votre attention de vos muscles de l'épaule et de la nuque, si bien qu'ils se relaxent automatiquement.

Gardez la jambe en l'air jusqu'à ce qu'elle soit extrêmement fatiguée et que cette position devienne intolérable. Cela peut prendre de une à trois ou quatre minutes. Lorsque la jambe se trouve ankylosée, ne la laissez en aucun cas redescendre lentement jusqu'au lit : il faut la laisser tomber d'un coup, tout à fait décontractée. Dans bien des cas, il faut tout spécialement exercer ce mouvement de chute en pleine décontraction.

Dès que vous avez laissé tomber votre jambe droite sur le lit, recommencez l'exercice avec la jambe gauche et contractez ses muscles. Eloignez-en immédiatement votre pensée, en parcourant de nouveau mentalement le tissu musculaire, de l'orteil à la hanche. Suivant le temps qu'il vous faudra pour ankyloser la musculature de la jambe, vous répéterez le processus mental lentement, trois ou quatre fois. Puis laissez aussi retomber cette jambe.

Levez alors le bras droit dans une sorte de salut nazi, mais le poing fermé. Contractez les muscles à l'extrême, afin de vite les fatiguer le plus possible. Suivez de nouveau mentalement le circuit musculaire depuis le bout des doigts jusqu'à l'épaule et à la nuque, et répétez ce processus jusqu'à ce que votre bras soit ankylosé. Les bras étant plus légers que les jambes, ce processus durera plus longtemps.

Vous devriez arriver à décontracter entièrement bras et jambes et les laisser retomber, totalement ankylosés.

Dès que le bras droit tombe, décontracté, faites le même exercice avec le bras gauche, en dirigeant à nouveau vos pensées, comme indiqué.

Lorsque le bras gauche est retombé à son tour, détournez-en vos pensées en vous imaginant que vous voyez — les yeux toujours fermés — un cercle au plafond au-dessus de vous. Représentez-vous qu'il a environ 1 mètre 50. Suivez ce cercle des yeux dans le sens des aiguilles d'une montre, quatre fois, lentement, et répétez également quatre fois cet exercice dans le sens contraire aux aiguilles d'une montre. Ensuite, au lieu de vous représenter un cercle, imaginez-vous un carré, de 1 mètre 50 de côté environ. Suivez également quatre fois son pourtour dans le sens des aiguilles d'une montre, puis quatre fois dans le sens contraire.

C'est le dernier des six exercices. Restez alors quelques minutes couché en jouissant de la relaxation totale à laquelle vous êtes arrivé. Ne pensez plus à ce que vous voyez, mais rêvez à quelque chose d'agréable. Après trois ou quatre séances d'exercices, vous serez passé maître en cette technique et vous serez surpris du degré de relaxation que vous atteindrez.

Utilisation pratique de la méthode de relaxation

Avec le temps, vous pourrez utiliser instantanément cette méthode, en cas de tension nerveuse trop forte. Parallèlement, vous vous entraînerez à vivre décontracté, et vous en ressentirez bientôt l'effet bénéfique. Bien sûr, certaines situations continueront à augmenter votre tension nerveuse, mais cet état ne sera plus chronique et vous vous sentirez beaucoup plus reposé. Vous ne vous déferez pas de toutes vos habitudes nerveuses ; elles pourront être vaincues d'autre façon, mais vous obtiendrez néanmoins une amélioration notable. D'autre part, quelqu'un qui sait se décontracter constitue un bien meilleur sujet pour l'auto-hypnose.

Cette dernière technique diffère quelque peu des méthodes préconisées par Pierce, qui recommande, lui, de baisser bras et jambes très lentement, au lieu de les laisser retomber d'un coup. Mon expérience m'a prouvé que cette technique légèrement modifiée donnait de meilleurs résultats. Vous pouvez d'ailleurs essayer l'une et l'autre méthode et voir celle qui vous convient le mieux.

Respiration diaphragmatique

Une autre technique qui peut être utile en cas de surcharge nerveuse, c'est la respiration profonde, ou diaphragmatique. Les fanatiques des pratiques naturistes utilisent depuis longtemps la puissance de cette technique, mais rares sont ceux qui se donnent la peine de la pratiquer. Elle peut fort bien être utilisée conjointement à la technique de Pierce, peut-être en commençant par elle, puisqu'on doit faire les respirations nécessaires en position assise.

Les adeptes du Yoga accordent une importance primordiale à ces respirations. Ils leur attribuent une signification déterminante pour le maintien de la santé. Ce genre de respiration était déjà en honneur voici 2000 ans ou plus. Certaines sont difficiles, d'autres même dangereuses, et c'est pourquoi l'on recommande bien aux débutants de ne s'y livrer que sous le contrôle d'un maître. Un de ces exercices, très facile, opère très efficacement, sans danger, s'il n'est pas pratiqué avec exagération.

On l'appelle l'exercice 4 - 8 - 4. Pour l'exécuter, vous devez être en position décontractée, mais en vous tenant bien, les épaules en arrière et la tête droite. Le bras gauche devrait être en relaxation à votre côté, ou reposant sur vos genoux. Si vous êtes gaucher, procédez de même avec le bras droit. Levez l'autre main jusqu'à votre visage, les doigts allongés, sauf le pouce, qui doit être à l'équerre. Pressez maintenant le pouce contre votre narine droite, en fermant ainsi le canal respiratoire, et respirez profondément par la narine gauche. Cet exercice devrait se faire en quatre secondes environ. Vous pouvez rythmer vos respiration, en comptant lentement : 21 - 22 - 23 - 24. Pendant la seconde suivante, retenez votre souffle. Enlevez votre pouce de la narine droite, fermez la narine gauche avec l'auriculaire. Dès que vous aurez compté huit secondes, respirez lentement pendant quatre secondes par la narine droite en vidant complètement vos poumons.

Vous fermerez ensuite la narine gauche et respirerez pendant quatre secondes par la narine droite, pour remplir complètement vos poumons. Modifiez maintenant la position de votre main en fermant la narine droite et en libérant la narine gauche. Retenez encore une fois huit secondes votre souffle et expirez pendant quatre secondes par la narine gauche. Vous aurez ainsi bouclé un cycle.

Au début, cet exercice consiste en quatre cycles identiques. On l'effectue de préférence en se levant et en se couchant. Même si on ne s'y applique qu'une fois par jour, le résultat est très bénéfique. Avec un peu d'habitude, le nombre des cycles devrait monter à huit mais, si vous êtes pris de vertige, diminuez aussitôt le nombre des cycles.

Le yoga et votre santé

Ces techniques respiratoires remplissent vos poumons d'oxygène et les nettoient. Elles vous procurent donc un sentiment de bien-être. Le résultat en vaut la peine et vous n'aurez besoin que de peu de temps pour vos exercices. Quelques patients m'ont affirmé avoir perdu leurs angoisses après avoir appliqué cette technique. A mon avis, cet exercice est efficace dans certaines maladies psychosomatiques, par exemple l'asthme et la bronchite.

Un asthmatique ne peut utiliser ces techniques que lorsque ses difficultés respiratoires ne sont pas trop accusées. Il faut les proscrire pendant une crise.

Les yogi, par le concept « prana », désignent une force vitale ou énergie primaire et pensent accumuler, par ces exercices, une réserve fraîche de prana. L'oxygène fait partie de la prana. En principe, il stimule le système nerveux tout entier. En théorie, la prana devrait régénérer tout le système nerveux, le corps et l'esprit.

Le yoga enseigne également une méthode thérapeutique fondée sur la concentration intégrale. Elle nécessite beaucoup d'entraînement. Elle est combinée avec l'autosuggestion et fait suite aux exercices respiratoires. Dans ce cas, toutefois, les exercices sont poursuivis jusqu'au moment où l'élève, complètement épuisé, transpire abondamment. En fait, cet exercice devrait être fréquent et il faudrait qu'il se déroulât en plein soleil, ou dans l'eau.

RÉSUMÉ :

Une meilleure compréhension de vos états émotionnels et une façon différente d'envisager certains d'entre eux pourraient vous être utile. Il ne tient qu'à vous de les modifier et de les surmonter. L'auto-hypnose et l'autosuggestion vous y aideront.

Si vous pratiquez l'auto-hypnose, il est certain que vous en retirerez un sentiment de décontraction et de libération. S'il vous semble difficile de vous décontracter, utilisez la méthode de Pierce. Elle vous aidera à atteindre un stade plus profond d'hypnose. Cette méthode de relaxation est d'ailleurs utilisée aussi à titre d'introduction à l'hypnose.

Certaines personnes qui pratiquent ces exercices s'aperçoivent, à la fin de ceux-ci, qu'elles se trouvent en état spontané d'hypnose. Si l'on accompagne ces exercices de suggestions mentales adéquates, l'effet hypnotique en sera renforcé.

Si vous pratiquez une ou deux fois par jour la respiration du yoga, vous constaterez rapidement une amélioration de votre état et un accroissement de votre énergie. Cet exercice fortifie votre santé et mérite certainement le temps et la peine que vous y consacrerez.

CHAPITRE 9

Comment surmonter les complexes d'infériorité et d'indigence

Nous sommes tous sujets aux complexes d'infériorité. Il est surprenant de constater le nombre de gens qui se sentent en état d'infériorité ou considèrent qu'ils n'ont que peu de valeur. Ces sentiments représentent un important handicap. Dans une certaine mesure, vous souffrez certainement vous-même de ces complexes. Libérez-vous de ces sentiments : ils vous empêchent d'entreprendre certaines tâches dont vous pourriez fort bien venir à bout.

Le complexe d'infériorité dépend de réflexes conditionnés qui donnent au sujet une fausse représentation de sa valeur. Ils lui sont une source de difficultés continuelles. Le complexe d'indigence en est le proche parent.

Dans son livre d'auto-thérapie, « Psycho-Cybernetics » (Prentice Hall Inc., Englewood Cliffs, New Jersey), le Dr Maltz met tout spécialement l'accent sur le « portrait personnel ». Il pense que les difficultés émotionnelles proviennent d'un auto-portrait non conforme à la réalité. A son avis, c'est en corrigeant cet auto-portrait que l'on trouve une solution aux problèmes émotionnels.

Le Dr Rolf Alexander, dans « Creative Realism » (Pagant Press, New-York) est, en fait, du même avis, dans sa description de la « fausse personnalité ». En découvrant la véritable personnalité du sujet, quantité de problèmes émotionnels disparaissent de l'horizon. En examinant d'un œil critique l'image que vous vous faites de vous-même, vous pouvez faire un grand pas en avant. Vous êtes en réalité ce que vous pensez être, et votre subconscient enregistre les pensées qui vous reflètent. Si vous vous attendez à un échec ou si vous doutez de votre réussite, une loi bien connue vaus apportera sons doute l'échec. Les philosophes de l'Antiquité le disaient déjà : « Connais-toi toi-même. » « La connaissance, c'est la puissance » a aussi force d'axiome.

Souffrez-vous d'un défaut physique ? Etes-vous contrefait ?

Souvent c'est l'apparence physique qui fait lever le spectre des complexes d'infériorité. Le Dʳ Maltz, qui est chirurgien esthétique, prône l'importance de l'apparence extérieure. Un vilain visage et des difformités de toutes sortes peuvent être de réels sujets d'affliction. Le Dʳ Maltz cite bien des cas où une intervention chirurgicale modifiant l'apparence physique a entraîné une nette amélioration de la personnalité. Toute difformité — par exemple un bec de lièvre — peut faire naître un sentiment d'humiliation. Une malformation congénitale provoque des complexes d'insécurité et d'infériorité. Il arrive même que des personnes dont l'apparence physique a été modifiée accidentellement réagissent de cette façon. Les malformations physiques, chez certaines personnes, tendent à oblitérer partiellement ou totalement le sentiment de leur propre valeur. A cette catégorie se rattachent les sourds et les durs d'oreille, ceux qui ont mauvaise vue, les bègues, les obèses, les pygmées, etc. Lorsque ces défauts ont une origine psychologique — comme, par exemple, l'obésité — ils peuvent disparaître. Mais s'il s'agit de défauts contre lesquels on ne peut rien, ou fort peu de chose, la personnalité du sujet peut en être fortement modifiée.

Dans ce cas, il faut que le sujet corrige l'estime où il se tient et reconnaisse la valeur de sa personnalité. Lorsqu'il a appris à s'estimer à sa juste valeur, son comportement envers son entourage réfléchira l'image mentale qu'il se fait de lui-même.

Nous ne devons jamais oublier que les tiers nous apprécient dans la mesure où nous nous apprécions nous-mêmes ! Dès que quelqu'un ne pense plus à ses défauts, son entourage en fait autant. Un homme de très petite taille, par exemple, devrait se persuader que la qualité prime toujours la quantité.

Par ailleurs, il est toujours réconfortant pour nous de constater que nos amis, eux, ne s'aperçoivent pas de nos défauts.

Instinctivement nous avons tous besoin d'être appréciés et aimés. Quelqu'un de très beau ou de particulièrement attirant sera parfois si imbu de lui-même qu'il deviendra incapable du moindre altruisme. Par contre un homme chaleureux qui apprécie et aime son prochain devient une personnalité qui attire magnétiquement tous les cœurs, quelle que soit son apparence physique ou les défauts qu'il peut avoir. Une femme de peu de beauté devrait garder en mémoire le cas de George Sand, si connue comme écrivain. Cette femme rayonnait de tant de chaleur et dégageait tant de puissance d'attraction que de jeunes hommes en tombaient amoureux, quand elle avait déjà 60 ou 70 ans... Et pourtant elle était affligée d'un profil chevalin et ses traits étaient très communs.

Bien des gens ont tout à fait oublié, tant sa personnalité dégageait un rayonnement « surhumain », que le Président Roosevelt était resté impotent après une paralysie infantile. Tous ceux qui l'entouraient ne pouvaient s'empêcher de l'aimer.

Hélène Keller, aveugle de naissance, fut un autre exemple d'une personnalité qui vainquit son destin malheureux et réussit sa vie, malgré les conditions les plus défavorables.

Ces personnalités avaient une conscience exacte de leur valeur. Ce qui est indispensable, c'est de bien se comprendre soi-même. La suggestion et l'auto-hypnose peuvent constituer, dans ces circonstances, une aide précieuse pour arriver à une meilleure compréhension de soi-même.

Un défaut corporel ne doit pas vous reléguer dans une tour d'ivoire

Un de mes amis, nageur de première force, adorait ce sport. Un jour, au cours d'une chasse, il trébucha sur son arme et tomba. Le coup partit, lui arrachant la main. Des années après sa guérison, il ne se lançait toujours pas à l'eau car il lui semblait que sa main amputée le ferait couler. Lors d'un voyage, nous eûmes l'occasion de visiter une magnifique plage du Pacifique. Je saisis cette occasion pour lui parler seul à seul : j'arrivai à le persuader qu'il était ridicule d'éprouver de la gêne à cause de son bras. La perte d'une main changeait-elle quelque chose à sa personnalité ? Ce n'était qu'un malheureux accident ! Et peut-être nageait-il toujours aussi bien qu'autrefois ? Bref, je lui assurai que, s'il se baignait, personne ne lui accorderait la moindre attention. Chacun pouvait constater qu'il avait une carrure athlétique. Il était vraiment déraisonnable de se priver de ce sport. Je lui dis aussi qu'il était grand temps de changer d'optique et de considérer les choses avec plus d'objectivité. Il écouta attentivement mon plaidoyer, puis se mit à rire en reconnaissant : « Je crois qu'en effet j'ai été plutôt stupide. Allons dans l'eau. » Il recommença depuis lors à pratiquer son sport favori.

Des suggestions bien dirigées vous procurent un corps parfait

Voici quelques années, la mode était aux bustes menus. Celles qui avaient de la poitrine se serraient désespérément... Aujourd'hui, c'est le contraire qui se produit, et beaucoup de jeunes filles voudraient être des Sophia Loren ! Celles qui n'ont guère de poitrine sont très conscientes de cette déficience. Le fait est si universellement admis qu'on vend des quantités considérables de postiches en caoutchouc qui déçoivent les hommes...

Quantité de chirurgiens esthétiques se sont penchés sur ce problème, s'y sont spécialisés et ne manqueront jamais de clientes ! Ils opèrent la poitrine, y ajustent un buste de plastique et obtiennent ainsi le galbe désiré. D'autres chirurgiens refusent d'opérer dans ces conditions, car cela peut présenter un certain danger. Mais les femmes prônent cependant les chirurgiens qui acceptent d'exécuter ces opérations.

Or, nombre d'entre elles aurait pu atteindre ce même résultat sans passer par la chirurgie : par leurs seules forces personnelles, par suggestion hypnotique, des femmes ont développé leur poitrine. Parmi sept consultantes, six avaient accusé, après quelque temps, une augmentation de la poitrine allant de 3 à 5 centimètres... Vous imaginez aisément quelle fut leur joie ! C'est l'emploi de la suggestion verbale directe en combinaison avec les images mentales qui permit d'arriver à ce résultat.

J'avais conseillé à ces jeunes personnes de fermer les yeux en se couchant et de s'imaginer la poitrine qu'elles voulaient avoir.

J'utilisai encore une autre suggestion. Avant d'atteindre la puberté, une jeune fille n'a pas encore de poitrine. A la puberté, elle commence à se développer, mais parfois le processus s'arrête avant son complet épanouissement. Après cet exposé d'un fait connu, je suggérai que le subconscient allait reprendre maintenant ce processus de développement, exactement comme au début de la puberté. Le volume de la poitrine se développerait donc d'au moins 4 centimètres. Je mentionnai que différentes glandes endocrines (hormones et autres) fonctionnaient et que le développement physiologique était également en cause lors du premier développement de la poitrine, et que tout ce processus allait reprendre et engendrerait les mêmes effets. Il m'est difficile de dire si ce fut réellement le cas, mais à considérer le développement qu'avait atteint la poitrine, cela me semble très plausible.

La jeune fille qui ne voulait pas être femme

Le seul insuccès enregistré fut celui d'une jeune fille qui ne voulait absolument pas accepter sa féminité. Elle aurait tant voulu être un homme, plutôt qu'une femme.

A ce propos il est intéressant de relever que les six autres patientes offraient ce même symptôme de rejet de leur sexe, mais à un degré moindre. On essaya de modifier cette tendance. Je ne sais pas si cette nouvelle acceptation de la féminité opéra une libération du développement de la poitrine, mais cette explication peut être valable. En théorie, il est tout à fait possible, chez un enfant qui ne veut pas être fille, que le subconscient accepte cette idée et empêche de ce fait un plein développement de la poitrine. Mais ce ne sont là que conjectures.

Le Dr Cheek, gynécologue, relève aussi que le rejet de la féminité joue un rôle très important dans la stérilité, les fausses-couches fréquentes, les difficultés de la menstruation, etc. Ces phénomènes sont naturellement liés à l'image que l'on se fait de soi. Le Dr Cheek a constaté qu'un changement de point de vue concernant son « moi » aidait quantité de ses patientes à surmonter leurs difficultés.

Une femme qui voudrait être un homme est souvent conditionnée par les paroles de ses parents qui disaient, lorsqu'elle était enfant, avoir désiré un garçon ; il se peut aussi qu'un frère ait joui pendant l'enfance d'un traitement préférentiel. La sœur a donc désiré être aussi un garçon, pour bénéficier des mêmes avantages. Une autre raison à ce désir, mais à l'âge adulte, c'est l'envie de la position que l'homme occupe dans notre société. L'homosexualité peut d'ailleurs y jouer aussi un rôle.

N'est-il pas préférable, pour une femme, de se faire traiter par la suggestion hypnotique, plutôt que de se livrer à une opération chirurgicale dangereuse ? Mes patientes utilisèrent l'autosuggestion comme supplément à mon traitement. Je ne peux pas estimer de façon précise si le traitement aurait réussi par l'autosuggestion seule, mais je serais très surpris si ce n'était pas le cas. C'est bien par l'auto-hypnose que l'on atteint le mieux son but.

Dans une tentative de ce genre, aucune contre-indication n'est à craindre et je suis certain que beaucoup de jeunes filles obtiendraient des résultats « mesurables » (dans le sens exact de ce terme !) par cette méthode. Une jeune fille qui souffre d'avoir trop peu de poitrine devrait tenter l'expérience. Je signale encore que mes patientes avaient entre 22 et 30 ans.

On ne sait pas de façon certaine si toutes les parties du corps peuvent être influencées par la suggestion ou non. L'hypnose n'est pas une baguette magique, et elle ne peut pas faire de miracles. Un essai ne nuit jamais, mais il n'est guère vraisemblable de pouvoir corriger de cette façon des malformations telles que chevilles lourdes ou jambes grosses et pesantes.

Comment les complexes d'infériorité se développent dès l'enfance

Ces complexes se développent dans les premières années de notre enfance. Dans bien des cas, les parents exigent trop de leurs enfants et les grondent lorsqu'ils ne répondent pas entièrement à leur attente. L'enfant devrait absolument être un génie... comme son père ou sa mère !

De peur d'un échec, l'enfant évitera d'entreprendre quoi que ce soit, ce qui entraînera de nouveaux reproches. En réalité, nos échecs devraient être une leçon dont nous tirerions profit pour réussir l'expérience suivante. Mais si l'échec est une source de punitions ou d'ennuis, il est bien évident qu'on perd toute envie de renouveler l'expérience. Les parents trop protecteurs n'œuvrent pas non plus en faveur de leurs enfants. Par amour, et avec le désir d'aider l'enfant que nous chérissons, nous ne lui laissons pas toujours tirer les enseignements de ses actes. Or, s'il n'a pas l'occasion de résoudre lui-même ses problèmes, comment apprendra-t-il à faire les choses ? Je suis aussi père, et je sais combien j'ai souvent la tentation « d'aider » et comme il m'est difficile de me retenir. A l'occasion, mes intrusions intempestives sont d'ailleurs freinées par la remarque de mon fils : « Mais laisse-moi faire, papa ! »

Certains alcooliques semblent avoir été des enfants très gâtés. Des parents indulgents et faibles cédaient à tous leurs caprices. Ils n'ont donc jamais appris à se débrouiller eux-mêmes. Un fois adultes, ils se sont trouvés démunis devant leurs problèmes et les nécessités de la vie : l'alcool leur est apparu comme une échappatoire.

Le cadet d'une famille peut aussi avoir des raisons d'éprouver des sentiments d'infériorité, surtout si les aînés sont du même sexe que lui. En concurrence avec son frère aîné, le cadet n'a guère la chance d'une victoire ! Mais on peut l'encourager et lui expliquer que ce n'est pas ce qu'on attend de lui ; il peut ainsi s'adapter à sa condition et ne pas perdre confiance en sa valeur et en ses capacités. Trop peu de parents sont conscients de l'importance des questions que pose l'éducation des enfants et moins encore connaissent la psychologie enfantine. Or, les parents commettent aussi des erreurs. Il est vrai qu'on connaît des psychologues dont les enfants sont abominablement gâtés : il est toujours plus facile de donner de bons conseils aux autres que de les mettre soi-même en pratique.

Certaines remarques que les parents laissent inconsidérément échapper devant leurs enfants peuvent s'ancrer dans leur subconscient. Elles deviennent des idées fixes qui, plus tard, agissent avec la force des suggestions post-hypnotiques. La naissance de ces idées fixes est encore facilitée lorsque l'enfant se trouve précisément dans un état émotif intense, par exemple lorsqu'il vient d'être puni. En cette occurrence, la réceptivité de l'enfant est encore plus grande que d'habitude.

Dire à un enfant : « Tu es un vilain garçon » peut paraître tout à fait anodin. Mais si le jeune garçon s'entend souvent répéter ces mots, il acceptera ce concept et se sentira contraint d'être vraiment méchant. Peut-être n'a-t-il été que désobéissant, et non pas méchant ? Méchant signifie mauvais.

J'ai souvent trouvé chez les adultes la preuve que le subconscient s'attachait littéralement aux mots et acceptait comme telles les phrases suivantes : « Tu es un incapable » — « On ne tirera rien de toi » — « Tu fais toujours le contraire de ce que tu dois » — « Tu es bête ».

Une étrange contrainte traitée avec succès

Les assertions ci-dessus ont joué leur rôle dans le cas assez étrange d'un jeune homme qui vint me voir, tout à fait désespéré. Il me dit avoir d'urgence besoin de l'aide d'un psychiatre et avoir déjà vu cinq médecins spécialistes des maladies nerveuses. Il me dit : « Je me sens curieusement contraint de faire toujours le contraire de ce qu'on me dit, en particulier si on me donne un ordre de façon très décidée et impérative. » Et il ajouta : « Par bonheur, j'ai fait un héritage, et je ne suis donc pas obligé de travailler. Je pense ne jamais pouvoir garder un emploi. Chaque fois que je suis allé voir un psychiatre et que j'eus exposé mon cas, celui-ci terminait l'entretien en me disant : « Revenez me voir la semaine prochaine », ou quelque-chose d'approchant. Et, précisément, je ne puis pas obéir à cette injonction ! Cela m'est tout à fait impossible. Que dois-je faire ? Pourriez-vous, par hypnose, me libérer de cette contrainte ? »

Je lui répondis que je n'en savais encore rien, mais l'assurai que j'allai chercher à son cas une solution. Pour l'hypnotiser, ce fut un véritable casse-tête : il répliquait à chaque mot ! Je lui dis, pour finir : « Mais comment puis-je vous hypnotiser ? C'est chose tout à fait impossible — nul ne peut vous hypnotiser. Je vais donc utiliser la suggestion. Je vous suggère que vos paupières deviennent lourdes et vont bientôt se fermer... Mais je remarque que vos yeux sont grand ouverts et qu'au lieu d'éprouver une sensation de pesanteur, ils deviennent de plus en plus brillants et de plus en plus ouverts. Au lieu de vous relaxer comme vous devriez le faire pour entrer en hypnose, vous vous contractez de plus en plus ! Je vois clairement cette extrême tension. Au lieu de vous sentir un peu fatigué et sans désirs, vous vous éveillez davantage, d'instant en instant. »

Je continuai ainsi en soutenant toujours le contraire de l'effet que je voulais obtenir et, au bout d'un moment, mon patient tomba en profonde hypnose. Je pouvais enfin rechercher les raisons de sa conduite contradictoire et négative.

Ses réactions prenaient leur source dans certaines remarques analogues à celles citées plut haut, faites par un père irritable et dominateur, et suivies de fortes punitions. C'était la clé de son état, même si d'autres causes s'y ajoutaient encore. Après ce traitement, il lui fut possible de rendre une deuxième visite à son psychiatre, son cas ne relevant pas de ma spécialité.

Des réactions semblables ne sont pas rares — mais généralement elles ne prennent pas une forme aussi grave.

Le Dr Clark Hull, de Yale, entreprit beaucoup d'expériences scientifiques sur l'hypnose. Pour contrôler les aptitudes de quelqu'un à l'hypnose, on lui demande de se laisser tomber en arrière. Hull constata que sur vingt personnes contrôlées, une au moins tombait en avant, et non pas en arrière.

Le complexe d'indigence et son traitement

Un complexe très voisin du complexe d'infériorité est le complexe d'indigence.

Peut-être serait-il bon de donner ici une définition du « complexe », car on emploie souvent ce mot sans en connaître vraiment la signification. Le dictionnaire le définit ainsi : « En psychanalyse, association de sentiments, de souvenirs inconscients ». Le complexe est en effet un groupe de sentiments chargés d'une intense émotivité, fait d'idées qui ont une parenté entre elles, de souvenirs et de stimuli s'influençant les uns les autres, dans le subconscient.

Les sentiments d'infériorité et de pauvreté marchent souvent de pair, entravant ainsi toute réussite. L'on entend beaucoup plus souvent parler du premier groupe de complexes, mais le deuxième est également fort répandu.

En voici un exemple pratique : Philippe D. est un excellent juriste. Il jouit d'une excellente réputation professionnelle, qui lui assure une grosse clientèle. Il devrait donc avoir de bons revenus. Toutefois, frais généraux déduits, ce revenu, quand il vint me voir, n'atteignait que quelques milliers de francs par an.

Comme il ne pensait que par petites sommes — calculant en centimes plutôt qu'en francs — il ne demandait souvent que de faibles honoraires, là où de grosses estimations auraient été justifiées. Par une intervention, il avait permis une économie de plus de 100.000 dollars à une grosse compagnie : il n'avait demandé, pour sa peine, que 1500 dollars. C'étaient d'ailleurs les honoraires les plus élevés qu'il ait jamais demandés !

Un psychologue lui démontra combien ce complexe d'indigence le gênait. Il remonta à l'enfance. Dès son jeune âge, Philippe D. dut participer à l'entretien de sa famille, en portant des journaux ou en acceptant, plus tard, des travaux occasionnels. En famille, on manquait toujours d'argent. Il devait porter les vêtements usagés d'un frère aîné. Même la nourriture posait souvent un problème. Mais Philippe était ambitieux.

Grâce à l'aide d'un parent et à son propre travail, il put fréquenter l'université et terminer ses études de juriste.

Dès qu'il eut mis le doigt sur les raisons de son attitude et de son comportement, il lui fut aisé de changer d'optique. Ses revenus atteignirent bientôt une somme respectable. Il avait ainsi réévalué son propre Moi et la valeur qu'il représentait.

Comment surmonter la passion du jeu

Un symptôme extrêmement préjudiciable de névrose (qui peut également avoir sa source dans un sentiment d'infériorité) est la passion irrépressible pour les jeux de hasard. L'extension qu'ils ont prise se traduit par des sommes énormes misées dans les courses de chevaux, aux tables de jeux et sous différentes formes plus ou moins légales de paris. Les gains des propriétaires de ces établissements se chiffrent en centaines de millions ! Il n'existe évidemment pas de statistiques exactes, car la plupart des jeux de hasard sont illégaux. Les autorités et les particuliers les ignorent, ou les soutiennent en secret.

Le vieux proverbe qui dit que « les parieurs meurent pauvres » n'est, hélas ! qui trop vrai et ne souffre que de rares exceptions. Ce sont toujours « les autres », les joueurs professionnels, les tricheurs, les propriétaires de salles de jeux, qui gagnent au jeu. Mais le véritable joueur, même s'il se rend compte que toutes les probabilités sont contre lui, continue à parier, malgré ses pertes continuelles, comme mû par une contrainte intérieure.

Cette passion du jeu est une maladie névrosique, l'une des pires qui soit, puisqu'elle mène sa victime à la ruine. Pour compléter le portrait du joueur, il faut ajouter que celui qui s'adonne à cette passion ressent un besoin inconscient de perdre. Il ne le reconnaîtra jamais, bien sûr ; mais en réalité chaque coup heureux ne sert qu'à prolonger la partie jusqu'à l'échec final.

Un de mes clients était bookmaker (preneur de paris illégaux), il avait une jolie épouse et deux magnifiques enfants. Il travaillait pour un syndicat et, malgré une position de second ordre, gagnait plus de 1000 dollars par semaine. Il en jouait presque la totalité.

Sa famille n'avait souvent pas suffisamment à manger. Il vint me voir, car ses soucis lui faisaient perdre le sommeil, mais sans lui enlever sa passion du jeu. Sa femme, bien sûr, le suppliait de se libérer de cette passion funeste. Je n'arrivai pas non plus à lui faire admettre qu'il souffrait d'une contrainte névrosique qu'il fallait soigner. Il était absolument sûr de gagner la fois suivante. Je ne le vis qu'une fois et lus peu de temps après un entrefilet sur son suicide. Sa femme me dit qu'il avait « détourné » une grosse somme qu'il avait encaissée pour le syndicat et qu'il l'avait perdue au jeu. Sans aucun doute, il s'était suicidé par crainte des poursuites dont il ferait l'objet.

Dans cette passion du jeu, on peut détecter aussi, en général, un fort besoin d'auto-punition, et c'est la raison pour laquelle le joueur cherche inconsciemment à perdre.

Si vous jouez souvent et perdez beaucoup au jeu, interrogez votre subconscient pour savoir si vous êtes dans la catégorie des joueurs invétérés, ou non. Ensuite, déterminez les raisons de ce sentiment de culpabilité, qui contraint à l'auto-punition. Si l'auto-hypnose et l'autosuggestion ne donnent pas de résultats, je vous conseille vivement de vous faire aider par un psychologue ou un psychiatre. En effet, s'il s'agit d'une névrose bien établie, l'auto-traitement risque de ne pas aboutir.

Fixez-vous des buts idoines

Je constate toujours chez mes patients une absence de buts valables. Cela doit se vérifier pour quantité de personnes, puisqu'un infime pourcentage d'entre elles remporte vraiment des succès dans la vie. Beaucoup d'autres peuvent annoncer une moyenne raisonnable de bonheur et de succès.

Mais pour être vraiment heureux et satisfait, on doit absolument avoir devant soi des buts bien établis. L'intention de les atteindre et l'approche du succès, même partiel, sont déjà satisfaisants en soi. L'absence de buts bien définis s'explique pour quantité de raisons, dont souvent la paresse et le manque d'ambition. Les sentiments de peur et d'angoisse jouent également leur rôle. La hantise de l'insuccès est largement répandue. On s'abstient donc d'agir, et l'on éprouve ainsi la certitude de ne pas commettre d'impair! L'expectative d'un malheur imminent annule également les effets bénéfiques que l'on est en droit d'attendre du concept même de « but ». Le pessimiste considère l'atteinte d'un but comme impossible. Pourquoi, dès lors, s'y astreindre ?

C'est ainsi que les complexes d'infériorité et le manque de confiance en soi s'expriment par cette absence de buts définis dans la manière de vivre.

On se fixera des buts faciles à atteindre, pour débuter, et on augmentera graduellement la difficulté. En vous livrant avec plaisir et succès à un « hobby » (occupation accessoire) vous faites déjà un premier pas vers une amélioration. Mais il faut s'adonner entièrement à cette marotte, que l'on choisira en fonction de ses goûts, de ses capacités ou de ses talents.

Un but valable consisterait à décider d'améliorer son rendement professionnel, de façon à obtenir, au bout d'un certain temps, un meilleur salaire, une meilleure position ou un avancement. La pensée positive, une ferme détermination et des efforts adéquats trouveront bientôt leur récompense.

Si vous n'êtes pas heureux dans votre emploi, vous devriez vous fixer pour but de changer de place, voire même de métier. Si votre profession ne vous plaît pas, elle ne peut vous amener ni le succès ni le plein épanouissement de votre personnalité.

Quels buts primordiaux devez-vous vous fixer ? Naturellement ceux qui conduisent à la Santé et au Bonheur. Tous les autres buts y ramènent, d'ailleurs.

La sécurité financière est également très importante. Un mariage heureux et une belle vie de famille figurent probablement aussi en tête de liste. On peut également mentionner le succès professionnel, même en laissant de côté la question financière. La réussite sociale, la popularité et la considération sont des buts de second plan car, dans un certain sens, ils ne satisfont que l'instinct terre à terre. N'oubliez pas de vous fixer également pour but la connaissance de votre propre Moi, car c'est elle qui vous ouvrira les portes du succès dans tous les domaines.

La maîtrise des complexes d'infériorité et d'indigence

Pour vous libérer de votre complexe d'infériorité, la première démarche à faire est d'établir, sur vous-même, un bilan complet.

Inscrivez ce que vous pensez de vous-même en motivant votre opinion. Je vous conseille d'inscrire ces données, et non seulement de les penser, car de les voir écrites aide à la solution du problème. Il n'est pas nécessaire que quelqu'un vous relise. Vous pourrez ensuite jeter vos notes ou les brûler.

Quels sont les faits de votre enfance qui ont motivé l'image que vous vous faites de vous-même ? Vos parents vous repoussaient-ils ? Est-ce qu'ils vous amoindrissaient, vous grondaient ou vous punissaient pour vos fautes ? Etaient-ils maladivement anxieux ? Comment se sont déroulées vos relations fraternelles, notamment avec vos aînés ? Aviez-vous le sentiment de leur être inférieur ? Tous ces facteurs pourraient avoir occasionné votre complexe d'infériorité.

Ensuite faites un inventaire de vous-même, sous forme d'un bilan, avec actif et passif, identique à celui que fait le comptable d'une maison de commerce. Vous trouverez plus loin une récapitulation qui vous aidera à n'omettre aucun point important. A côté des points qui y sont mentionnés, vous pouvez indiquer certains facteurs qui s'appliquent spécialement à votre cas. Le seul fait de vous intéresser à ce livre pour vous améliorer vous donne la quasi certitude que votre actif dépasse de beaucoup votre passif.

Il est impossible que vous vous jugiez objectivement, dans chaque petit détail. Priez un ou plusieurs membres de la famille qui vous connaissent bien d'établir le même bilan. Vous constaterez que, sur certains points, vos familiers diffèrent totalement dans leur jugement sur vous et que leur opinion est beaucoup plus exacte. Le but de cet exercice est de vous aider à faire une meilleure estimation, plus réaliste, de ce que vous êtes. Vous aurez sans doute exagéré vos faiblesses et sous-estimé beaucoup vos qualités. Certainement la courte vue que vous avez de vous-même sous certains angles défigure beaucoup les faits. Vous vous voyez par le mauvais bout de la lorgnette. En vérifiant votre bilan, vous verrez quelles erreurs vous commettez dans votre connaissance de vous-même.

L'autosuggestion vous aidera à redresser cette fausse vue des choses. Poussez votre subconscient à corriger ce jugement. Dites-lui que, par essence, vous êtes un homme plein de bonté, avec bien des qualités et des talents et que, désormais, vous allez surmonter quelques-unes de vos faiblesses.

Vous aurez d'autres possibilités d'auto-traitement dès que vous aurez compris que ce sont vos impressions d'enfant qui sont responsables de la vue fausse que vous avez de vous-même. Avec le pendule ou par les réponses des doigts vous pouvez localiser ces expériences. Par le même moyen, essayez de trouver les raisons de votre sentiment de culpabilité. Regardez votre passé à la lumière des événements où, à votre avis, vous avez mal agi. Ne s'agissait-il pas, souvent, de petits faits sans importance ? Votre sentiment de culpabilité en vaut-il vraiment la peine ?

Ne serait-il pas plus sage de vous dire que, malgré vos fautes, vous avez aussi su en tirer des leçons et que vous ne récidiverez plus ? Si vous y réussissez, vous pourrez tirer un large trait sur votre passé. Salter, dans son livre « Conditioned Reflex Therapy », conseille quelques bons exercices pour se débarrasser du complexe d'infériorité. En les utilisant de façon précise, vous arriverez à une meilleure connaissance de votre Moi :

1. Dites à haute voix ce que vous éprouvez, en décrivant n'importe quelle émotion ressentie spontanément. Si vous êtes en colère, dites-le, mais avec de la modération. Si vous vous sentez blessé, ne vous retirez pas en vous-même, mais faites-en part à celui qui vous a offensé. Traduisez toujours immédiatement en mots vos tensions émotionnelles.

2. Utilisez la contradiction et l'attaque. Si vous n'êtes pas d'accord avec une opinion, dites-le, au lieu de vous taire ou d'acquiescer. Vous pouvez le faire de façon tout à fait polie. Exposez clairement vos idées.

3. Utilisez fréquemment le pronom personnel « JE », en y mettant de l'emphase. « Je pense... » Donnez ainsi au « Je » une importance évidente.

4. Lorsqu'on loue l'un de vos actes, acceptez simplement cet hommage, au lieu d'en minimiser l'importance par une remarque du genre : « Mais non, ce n'était rien. » Admettez que vous avez bien agi.

Salter appelle ce processus « une excitation du réflexe conditionné », qui doit lutter contre les inhibitions. Il recommande de se montrer agressif. Ce conseil est bon mais, à mon avis, on obtient de meilleurs résultats en se montrant décidé, sans aller jusqu'à l'agressivité. Il faut employer un ton très ferme. Un certain désir d'attaque donnera également des résultats.

Mais, pour une personne timide ou timorée, cette attitude sera bien difficile à adopter. De plus, ce comportement agressif risque de provoquer un ressentiment et de se heurter à la mauvaise volonté d'autrui.

Bien employés, ces mécanismes se révèleront fort utiles pour surmonter le complexe d'infériorité.

Ce complexe d'infériorité produit finalement un sentiment d'insécurité, qui est une forme de la crainte. La peur de l'échec, la timidité, le manque d'agressivité, la susceptibilité, l'indécision, la dépendance se basent sur ce complexe et aboutissent à l'immaturité et à la peur. C'est en corrigeant la fausse image que vous vous faites de vous-même que vous arriverez à vous dégager de cette attitude négative : Modifiez les dominantes de votre caractère pour que votre subconscient puisse vous amener au bonheur et au succès. Ainsi disparaissent les tabous auxquels vous aviez cru jusqu'ici. Les buts principaux auxquels tend le subconscient sont : la quête du succès et du bonheur et le refus de la douleur. En ayant une image mentale exacte de vous-même, vous faites un grand pas en avant vers ces buts.

Le bilan de vos défauts et qualités

Pour établir cet inventaire, munissez-vous d'un crayon qui vous permettra de biffer ensuite ce qui ne convient pas. Prenez note des résultats. Par le pendule, questionnez également votre subconscient, sur chacun des points particuliers du bilan, et examinez encore une fois le résultat. Vraisemblablement vous constaterez avec étonnement que certains points de ce bilan ne correspondent pas, et que votre subconscient n'est pas toujours d'accord avec vous. Vous pouvez par exemple poser la question suivante : « Suis-je vraiment paresseux ? » — « Suis-je vraiment décidé ? » — « Suis-je vraiment stupide ? » — « M'aime-t-on vraiment peu ? » et vous apprendrez sans doute avec intérêt ce que votre subconscient pense de vous sur certains de ces points. Ceci vous aidera à vous juger selon une nouvelle optique. Vous devriez également demander si possible à d'autres personnes de votre entourage et qui vous connaissent bien de faire ce test sur vous-même. Vous constaterez certainement que, sur certains points, le jugement de vos proches diffère de vos impressions personnelles. Voilà qui devrait aussi vous aider à réviser votre propre jugement. Lorsque vous aurez terminé votre bilan, examinez dans votre passif ce que vous pourriez corriger le plus aisément. Le fait même de bien connaître vos manquements vous aidera à les corriger. Vous n'aurez à fournir qu'un effort minime pour éliminer certains défauts mais, pour d'autres, il vaus faudra vous donner beaucoup de peine et vous tenir bien en mains. A l'aide de l'autosuggestion, vous pourrez sans doute « balancer » bien des écritures de votre passif.

Un an environ après avoir terminé votre programme d'auto-traitement, vous pourrez à nouveau vous tester. Ce laps de temps suffit pour enregistrer quantité de changements qui, certainement, ont déjà impressionné le subconscient.

Votre nouvelle appréciation de vous-même différera considérablement de la précédente.

RÉSUMÉ :

Pour bien exécuter votre programme d'auto-thérapie, il est primordial que vous vous fassiez une image exacte de vous-même. Si vous avez des défauts physiques ou des difformités, ne vous exagérez pas leur importance, car vous pouvez les regarder de haut. Vous avez certainement quantité de talents et de qualités qui vous aident à passer outre.

Si vous souffrez d'un profond sentiment de nullité, d'un complexe d'infériorité et d'insécurité, c'est en examinant les événements de votre enfance que vous en trouverez sans doute les raisons. Revoyez, à ce propos, quelle était l'attitude et le comportement de vos parents à votre égard.

Examinez-vous d'un œil critique et voyez si vous vous êtes fixé des buts cohérents dans la vie. C'est d'une importance considérable. Peut-être auriez-vous besoin de vous fixer, à côté des buts généraux que vous poursuivez, d'autres buts encore. Votre santé et votre bonheur dépendent de votre sentiment de sécurité, d'une vie de famille heureuse et de votre réussite sociale. Si, en plus, vous êtes bien portant, vous devriez être réellement heureux. En vous fixant des buts à atteindre, votre santé physique et mentale s'en trouvera augmentée. Pour surmonter vos sentiments d'infériorité, apprenez à vous « reconsidérer ». Les moyens d'y parvenir ? Ce sont la connaissance des circonstances que vous avez traversées dans votre enfance, l'autosuggestion, les exercices de Salter, l'investigation aux sources de vos sentiments de culpabilité, afin de supprimer votre besoin d'auto-punition.

Ce qui vous aidera le mieux à vous faire une idée nouvelle de vous-même, c'est l'établissement d'un inventaire personnel. Il serait utile également de vous faire tester par d'autres personnes de votre entourage.

BILAN DES QUALIFICATIONS
caractérielles, corporelles et autres

Certains des traits indiqués ici sont plus importants que d'autres. Chacun est suivi de trois chiffres, indiquant sa valeur, pour certains plus haute, pour d'autres plus basse.

Voici par exemple comment vous répondrez à la qualification « décidé » :

Si vous trouvez qu'après quelques hésitations vous finissez relativement vite par vous décider, vous devriez compter 3 points. Si vous vous décidez très facilement, vous en compterez 4, et si vous êtes une personnalité douée d'un profond esprit de décision, vous en compterez 5.

Sous la rubrique « Etat des finances », vous compterez 3 points si cet état est satisfaisant, 4 s'il est bon et 5 s'il est excellent.

Sous « éducation », comptez 3 points si vous avez fait des études secondaires, 4 points si vous possédez un diplôme, et 5 points si vous êtes gradué d'une université.

Comme exemple du passif, prenons la qualification « irritable » : indiquez 2 points s'il vous arrive parfois de l'être, 3 points si vous l'êtes souvent, et 4 points si vous êtes vraiment très irritable.

Prenons également la rubrique « apparence extérieure » : si vous ne vous trouvez pas beau, comptez 3 points, si vous vous estimez insignifiant, comptez 4 points, et réellement laid, 5 points.

Si vous n'arrivez pas à vous décider avec exactitude quant à l'une de ces qualifications, n'indiquez rien.

A côté de chaque qualification, indiquez le point obtenu, et calculez pour finir le total de l'actif et du passif. En comparant les résultats finals, vous aurez une bonne vue à vol d'oiseau de vos qualités et défauts. Ce bilan personnel gagnera encore en précision si vous le faites aussi établir par vos proches.

ACTIF

Traits caractériels :

- [ ] Etes-vous honnête ? 3, 4, 5
- [ ] Etes-vous ambitieux ? 3, 4, 5
- [ ] Etes-vous aimable ? 3, 4, 5
- [ ] Avez-vous des égards pour les autres ? 3, 4, 5
- [ ] Etes-vous sincère ? 3, 4, 5
- [ ] Etes-vous positif ? 3, 4, 5
- [ ] Etes-vous efficient ? 3, 4, 5
- [ ] Etes-vous décidé ? 3, 4, 5
- [ ] Etes-vous énergique ? 3, 4, 5
- [ ] Etes-vous courageux ? 3, 4, 5
- [ ] Etes-vous combattif, de façon constructive ? 3, 4, 5
- [ ] Etes-vous de bonne humeur ? 3, 4, 5
- [ ] Voyez-vous vos problèmes et la réalité en face ? 3, 4, 5
- [ ] Etes-vous franc ? 3, 4, 5
- [ ] Etes-vous patient ? 2, 3, 4
- [ ] Etes-vous tolérant ? 3, 4, 5
- [ ] Etes-vous généreux ? 3, 4, 5
- [ ] Vous laissez-vous persuader ? 2, 3, 4
- [ ] Arrivez-vous facilement à vous concentrer ? 2, 3, 4
- [ ] Etes-vous ponctuel ? 1, 2, 3

Traits corporels :

- [ ] Etes-vous en bonne santé ? 3, 4, 5
- [ ] Votre présentation est-elle satisfaisante, bonne ou excellente ? 3, 4, 5
- [ ] Votre tenue est-elle bonne, très bonne ou excellente ? 3, 4, 5
- [ ] Etes-vous adroit ? 3, 4, 5
- [ ] Avez-vous une taille suffisante ? 1, 2 3
- [ ] Avez-vous de bons yeux ? 2, 3, 4

Traits variés :

- [ ] Etes-vous intelligent ? 3, 4, 5
- [ ] Avez-vous des buts dans la vie ? 3, 4, 5
- [ ] Avez-vous des talents ? 3, 4, 5
- [ ] Avez-vous une bonne éducation ? 3, 4, 5

- [ ] Avez-vous une bonne situation ? 3, 4, 5
- [ ] Vos finances sont-elles saines ? 3, 4, 5
- [ ] Avez-vous fait un heureux mariage ? 3, 4, 5
- [ ] Avez-vous des enfants ?   Comptez 5 points par enfant
- [ ] Avez-vous réussi socialement ? 2, 3, 4
- [ ] Etes-vous aimé ? 3, 4, 5
- [ ] Etes-vous sportif ? 2, 3, 4

_____

_____

_____

PASSIF

Traits du caractère :

- [ ] Etes-vous malhonnête ? 3, 4, 5
- [ ] Etes-vous menteur ? 3, 4, 5
- [ ] Etes-vous inefficient ? 3, 4, 5
- [ ] Etes-vous insociable, cruel, sadique ? 3, 4, 5
- [ ] Etes-vous égocentrique, égoïste ? 3, 4, 5
- [ ] Etes-vous déprimé ? 3, 4, 5
- [ ] Etes-vous négatif ? 3, 4, 5
- [ ] Etes-vous anxieux ? 3, 4, 5
- [ ] Avez-vous des sentiments de culpabilité ? 3, 4, 5
- [ ] Avez-vous des sentiments d'infériorité ? 3, 4, 5
- [ ] Fuyez-vous les responsabilités ? 3, 4, 5
- [ ] Eprouvez-vous une peur déterminée, une phobie ? 3, 4, 5
- [ ] Etes-vous indécis ? 3, 4, 5
- [ ] Etes-vous paresseux ? 3, 4, 5
- [ ] Etes-vous suffisant ? 2, 3, 4
- [ ] Etes-vous irritable ? 2, 3, 4
- [ ] Etes-vous indifférent ? 1, 2, 3
- [ ] Etes-vous impatient ? 1, 2, 3
- [ ] Avez-vous de la peine à vous concentrer ? 1, 2, 3
- [ ] Etes-vous tâtillon ? 1, 2, 3
- [ ] Etes-vous entêté ? 1, 2, 3
- [ ] Voyez-vous tout en noir ? 1, 2, 3

☐ Etes-vous trop agressif ? 1, 2, 3
☐ Etes-vous trop passif ? 1, 2, 3

Traits corporels :

☐ Votre santé est-elle mauvaise ? 3, 4, 5
☐ Votre apparence extérieure est-elle peu agréable, défectueuse ou repoussante ? 3, 4, 5
☐ Votre tenue est-elle mauvaise, très mauvaise, tout à fait déficiente ? 3, 4, 5
☐ Etes-vous de petite taille ? 2, 3, 4
☐ Etes-vous maladroit ? 1, 2, 3
☐ Avez-vous mauvaise vue ? 1, 2, 3

Traits variés :

☐ Avez-vous eu une mauvaise éducation ? 3, 4, 5
☐ L'état de vos finances est-il mauvais ? 3, 4, 5
☐ Etes-vous stupide ? 3, 4, 5
☐ Votre mariage est-il malheureux ? 3, 4, 5
☐ Etes-vous peu aimé ? 2, 3, 4
☐ Avez-vous mauvaise mémoire ? 2, 3, 4
☐ Etes-vous mécontent de votre travail ? 2, 3, 4
☐ Buvez-vous trop ? 3, 4, 5

_____

_____

_____

☐ Montant total de l'actif :

☐ Montant total du passif :

CHAPITRE 10

Lutte contre la douleur et les habitudes néfastes

Avant d'en venir à ce qui fait l'essence même de votre programme, ce chapitre vous montrera comment vous tirer d'affaires par vos propres moyens, lorsque vous souffrez, et quelle qu'en soit la raison. Si vous désirez cesser de fumer, vous trouverez également ici quelques conseils qui vous seront utiles.

Si vous désirez cesser de fumer

Certains livres qui traitent de l'hypnose expliquent comment, par son truchement, quantité de gens ont perdu l'habitude de fumer. Malheureusement, on en retire l'impression qu'il suffit de se faire hypnotiser une seule fois pour perdre ensuite et à jamais toute envie de fumer ! Le pourcentage de succès, dans ces cas, atteindrait péniblement 1 pour 100...

Même avec l'aide de l'hypnose — et c'est bien une aide *réelle* — le fumeur acharné ne trouvera pas facile du tout l'abandon de ses habitudes. La plupart de ceux qui décident de cesser de fumer trouvent qu'il leur faut beaucoup de discipline pour y arriver et passent par un temps d'épreuve bien déprimant.

J'ai entendu quantité d'anciens fumeurs de mon entourage raconter comment ils se sont défaits de cette habitude et par quels moyens ils y sont parvenus. J'en ai aidé d'autres par l'hypnose.

Si quelqu'un prend la ferme décision de ne plus fumer, je ne crois pas qu'il ait nécessairement besoin d'aide pour y parvenir. Il arrêtera de lui-même, par sa propre volonté, et ne trouvera pas cette privation insupportable. Les fumeurs qui rompent de cette façon-là avec cette funeste habitude sont souvent surpris de la facilité avec laquelle ils y sont parvenus.

Généralement, la plupart de ceux qui veulent se déshabituer de fumer trouvent qu'ils sont esclaves d'une habitude malsaine et coûteuse, qui représente un danger pour leur santé.

Mais être persuadé que l'on devrait s'arrêter, et désirer s'arrêter sont deux choses bien différentes ! Les intéressés ne veulent pas suspendre le cours de cette habitude : ils veulent continuer à fumer et satisfaire ce besoin. Le vœu de leur intellect est bien de cesser de fumer, mais ils ne s'y forceront pas. Ici se mêlent désirs et pensées négatives.

« Je vais avoir de la peine à m'arrêter de fumer. J'ai devant moi une vilaine période d'épreuves jusqu'à ce que j'aie perdu ce besoin. » Un homme qui entretient de telles pensées doute dès l'abord du succès. Et lorsqu'il essaie véritablement d'y parvenir, notre vieille connaissance, la loi de l'effet inversé, l'arrête dans sa tentative, qui échoue.

Une méthode qui a fait ses preuves

Il n'y a, semble-t-il, qu'une solution à ce problème : non seulement, il faut fermement décider d'abandonner l'habitude de fumer, mais encore avoir la ferme conviction qu'on tiendra sa décision.

Dites-vous que vous êtes plus fort que cette herbe diabolique ; que voici venu le moment de vous libérer de cet esclavage.

Certains d'entre vous trouveront facile de faire une réalité de leur décision, irrévocablement prise. Pour d'autres, ce sera plus difficile, mais eux aussi arriveront à se libérer de ce besoin. L'autosuggestion sous hypnose peut vous aider beaucoup. Elle imprimera profondément dans votre subconscient les raisons pour lesquelles vous voulez cesser de fumer. En employant des suggestions positives, vous pourrez d'ailleurs rendre moins fort ce désir. Ce serait une erreur de suggérer que vous n'éprouvez plus aucun besoin de fumer car, pendant un certain temps, vous éprouverez toujours l'envie d'une cigarette.

Quand vous avez décidé de cesser de fumer, fixez-vous une date-limite, deux jours plus tard. Pendant ce court laps de temps, fumez deux fois plus que d'habitude ! Au bout de deux jours, vous serez dégoûté et vos cigarettes auront si mauvais goût que vous les supprimerez sans effort.

Il y a des gens qui cessent de fumer en réduisant de jour en jour le nombre de cigarettes qu'ils s'octroient, jusqu'à l'abstention totale. Mais dans la plupart des cas cette méthode donne de piètres résultats — on fume, ou on ne fume pas !

Différents moyens peuvent vous aider, les premiers jours, à supporter cette privation. Fumer est un besoin bucal, que vous pouvez tromper en suçant des Drops ou de la gomme à mâcher. On vend aussi en droguerie des cigarettes factices (un bout de bois de la grosseur d'une cigarette fera parfaitement l'affaire). Vous trouverez aussi en vente libre certains médicaments, par exemple le Nicocortyl, qui rendent moins dure cette épreuve. Ces médicaments luttent contre le besoin de nicotine qui, lui, subsiste un certain temps. On prétend que le corps a éliminé en huit jours toute la nicotine accumulée.

Comment supprimer le besoin de fumer

Au début, bien des fumeurs qui abandonnent cette habitude en deviennent très irritables. Ils semblent éprouver un ressentiment à l'idée de traverser la déplaisante épreuve de privation de nicotine. Souvent on observe aussi une nette tendance à grossir, car la nicotine n'altère plus le goût des aliments et la nourriture semble meilleure. Votre besoin bucal et gustatif peut également vous pousser à manger davantage. A l'aide de la suggestion, vous pourrez y résister.

Lorsque le désir d'allumer une cigarette monte en vous, vous devriez aussitôt faire suivre ce désir des pensées suivantes : « Je ne fume plus, et je n'en ai plus besoin », en détournant tout de suite votre attention sur un autre sujet.

Une fois ce besoin vaincu, vous n'aurez plus que rarement quelque velléité de fumer.

Cependant, je vous signale deux périodes dangereuses, où beaucoup d'anciens fumeurs succombent à leur envie de fumer :

a) Trois mois environ après avoir cessé de fumer, vous ressentirez certainement un jour un violent désir de savoir quel goût vous trouveriez à une cigarette. Si vous y cédez, vous recommencerez sans doute à fumer.

b) Une année après, la même envie vous reprendra sans doute.

En toute connaissance de ces dangers, il ne doit pas vous être difficile d'y résister.

La situation présente d'ailleurs des analogies avec celle du buveur, qu'une seule gorgée d'alcool sépare du ruisseau... Entre vous et le besoin de tabac, il n'y a qu'une seule cigarette.

Il existe des statistiques démontrant les chances de vie des fumeurs et des non-fumeurs. D'après celles-ci, vous vivrez d'autant moins longtemps que vous fumerez plus. La différence peut porter sur une dizaine d'années. Il est prouvé également que le cancer des poumons se rencontre dix fois plus chez les fumeurs que chez les non-fumeurs. Le Gouvernement britannique a tenu à relever officiellement ces faits et a mis sur pied une campagne publicitaire mettant l'accent sur l'urgence de ne pas contracter une habitude néfaste. Depuis, la vente des cigarettes en Angleterre a baissé de façon spectaculaire, ce qui prouve que beaucoup de fumeurs peuvent fort bien s'arrêter.

En traitant ce problème comme ce chapitre vous l'indique, vous arriverez à vous défaire de cette habitude et vous vivrez plus longtemps.

La lutte contre la souffrance

Il n'est pas donné à chacun d'arriver à contrôler ses propres souffrances. Mais ce n'est plus un problème pour celui qui atteint un stade moyen d'auto-hypnose. Comme beaucoup de mes lecteurs seront assez familiarisés avec l'auto-hypnose pour arriver à se libérer de leurs douleurs, j'en expose ici la méthode.

En dehors de la narcose hypnotique ou des médicaments spécifiques, il existe encore d'autres moyens d'exercer un contrôle sur la douleur. Plus on arrive à se décontracter, moins on est réceptif à la douleur. Tous les dentistes le savent, et ils mettent tout en œuvre pour que leurs clients restent détendus avant une intervention douloureuse. L'art dentaire en soi remplit le patient d'angoisse et le met sous tension. La tension nerveuse à son tour le rend irritable.

Un des résultats dont peut se prévaloir l'hypnose, dans les soins dentaires, c'est la décontraction du sujet, qui ne souffre que fort peu. Les piqûres deviennent de ce fait superflues.

On arrive également à contrôler la douleur en portant son attention sur un tout autre objet. Peut-être vous est-il déjà arrivé de vous apercevoir subitement que vous saignez. Vous vous demandez ce qui s'est passé, et vous vous apercevez que vous vous êtes coupé sans l'avoir remarqué. Votre attention en était détournée, et c'est d'ailleurs pourquoi vous ne ressentiez aucune douleur. Mais dès que vous avez vu du sang et su que vous étiez blessé, vous avez ressenti la douleur. Au feu, face à l'ennemi, il arrive souvent que des soldats soient blessés sans qu'ils s'en rendent immédiatement compte. Dans l'excitation, leur attention entièrement concentrée sur un autre sujet, ils ne sentent pas la balle qui les transperce et ce n'est que lorsqu'ils voient leur blessure que la douleur s'installe.

Une leçon de psychologie donnée par un vétérinaire

Ma fille eut, en son temps, un chat qui souffrait de diarrhée et que j'amenai chez le vétérinaire ; celui-ci lui fit deux piqûres. Lors de la première visite, l'assistant prit le petit chat, le mit sur la table et saisit une seringue. L'animal se rendit compte que quelque chose de désagréable allait lui advenir, et il se mit à miauler et à se débattre. L'assistant me demanda alors de l'aider à tenir le chat. J'attrapai ses pattes, tandis que l'assistant lui maintenait fortement la tête d'une main, tandis que de l'autre il lui enfonçait l'aiguille dans le dos. Au moment de l'injection l'animal hurla de douleur.
Une semaine plus tard, lorsque je revins, j'eus affaire au vieux vétérinaire. Il mit le chat sur la table, et je lui demandai si je devais l'aider à le tenir. « Oh non ! me répondit-il, ce n'est pas nécessaire. » Il posa la main sur l'arrière de la tête du chat, et se mit à lui frotter doucement le nez sur le plat de la table, tandis qu'il prenait la seringue de l'autre main. Avec une remarquable dextérité, il enfonça l'aiguille et l'animal ne perçut même pas la piqûre : il était bien trop occupé à chercher de qu'on faisait à son nez pour ressentir la moindre douleur...

En répétant une expérience, on peut atténuer la douleur

Voici encore un moyen rapide d'alléger la douleur.
Admettons que vous vous êtes blessé, par exemple en vous foulant la cheville : asseyez-vous ou couchez-vous et, les yeux fermés, vivez encore une fois tout l'accident. En esprit retournez à l'instant qui précéda immédiatement celui où vous vous êtes démis la cheville.

Que faisiez-vous exactement ? Que regardiez-vous justement ? Où vous trouviez-vous ? Portez votre attention sur tous ces faits et essayez de voir, d'entendre, d'être conscient des mouvements de votre corps et de sa position au moment de l'accident. Peut-être quelqu'un dit-il quelque chose ? Rappelez-vous vos pensées, quelle a été votre réaction émotionnelle au moment de l'accident. Pendant que vous vous livrez à cette activité mentale, il se peut que la douleur grandisse, alors qu'elle avait diminué après l'accident. Remémorez-vous aussi les deux ou trois minutes qui suivirent l'accident. Refaites cet exercice mental trois ou quatre fois. A chaque fois, certaines scènes s'éclaireront de façon plus vivante, mais la douleur diminuera. A la fin, la douleur aura presque complètement disparu. L'effet secondaire de ce traitement sera la guérison beaucoup plus rapide de la blessure. Vous pouvez encore améliorer cette thérapie en questionnant votre subconscient avec le pendule ou la méthode des doigts. Cette foulure de la cheville aurait-elle quelque raison subconsciente ? Si la réponse est « oui », essayez d'en découvrir le motif. Il est évident que cet accident peut être tout à fait fortuit.

La narcose hypnotique

En état d'auto-hypnose on peut arriver, par différents moyens, à l'insensibilisation ou anesthésie.
Nous indiquons ici les deux meilleures méthodes de narcose hypnotique. Plus l'hypnose sera profonde, meilleurs en seront les résultats.
La sensation de douleur est conduite au cerveau par le canal des nerfs : ces impulsions nerveuses peuvent même être mesurées au myographe.
En médecine, on enseigne que, pour anesthésier localement, on emploie des médicaments qui paralysent ou bloquent les nerfs, par exemple la novocaïne ; l'impulsion douloureuse n'atteint donc pas le cerveau et la douleur n'est pas ressentie.
Notons que la narcose hypnotique a le même effet.
Fermez les yeux, mettez-vous en état d'hypnose et représentez-vous qu'il y a dans votre tête une longue ligne d'interrupteurs électriques, avec un interrupteur au-dessus de chacun d'eux. Chaque ampoule brille d'une couleur différente. Par exemple, il y a un interrupteur avec une ampoule rouge, une autre avec une ampoule rose, avec une

ampoule bleu foncé, bleu clair, orange, etc., dans toutes les couleurs et toutes les nuances. Chaque interrupteur commande une partie différente du corps.

Insensibilisez maintenant votre main gauche ou votre main droite. Admettez que l'interrupteur à la lumière bleu clair conduit à cette main. Imaginez-vous que vous éteigniez la lumière bleu clair.

L'anesthésie d'un membre n'est pas nécessairement accompagnée d'un sentiment d'engourdissement. Si votre dentiste vous a déjà traité à la novocaïne, vous pouvez vous suggérer l'impression que vous aviez éprouvée à cette occasion. Répétez trois ou quatre fois les suggestions suivantes : « Ma main s'engourdit légèrement, puis de plus en plus. Je ressens une sensation de froid. » Continuez encore en disant : « Je puis maintenant me pincer la main, elle est insensible à la douleur ! » « A chaque nouveau pincement, l'anesthésie augmente. Tout d'abors, je pince légèrement, pour augmenter chaque fois, et au quatrième pincement, l'anesthésie sera complète. »

Attendez que la sensation d'engourdissement augmente encore un peu, et pincez-vous alors la main à différents endroits. Pour terminer, enfoncez vos ongles aussi fort que possible dans la paume de la main : vous ressentirez la pression, mais n'éprouverez aucune douleur. Il vous semblera que vous pincez un gant de peau.

Il est possible que, lors de votre premier exercice, vous n'arriviez pas à une totale anesthésie. A titre de comparaison, pincez-vous la main qui n'est pas sous narcose. Sans doute constaterez-vous une différence manifeste.

Le succès de ce traitement dépend beaucoup de la profondeur de l'hypnose et de votre attitude mentale. Le doute et le scepticisme empêchent vos suggestions de pénétrer complètement dans le subconscient, si bien que vos nerfs n'arrivent pas à un blocage parfait de la douleur. Comme déjà dit, le subconscient peut interrompre l'influx nerveux, tout comme les narcotiques le paralysent.

Vous devrez reconnaître que votre scepticisme est mal fondé en songeant que des milliers de femmes mettent leur enfant au monde par la méthode d'accouchement sans douleur, par narcose hypnotique. Le Dr Ralph August, de Musketon, Michigan, a écrit un livre sur la question, et il cite plus de mille naissances où la narcose hypnotique a été utilisée avec plein succès. Dans quelques cas, les parturientes ressentaient encore une certaine douleur, mais très affaiblie. Près de la moitié d'entre elles ne ressentirent absolument aucune douleur.

Certains anesthésistes emploient d'ailleurs l'hypnose, ce qui a permis de réaliser de graves opérations sans l'emploi du moindre médicament. Elle fut employée par exemple lors de l'amputation d'une jambe, d'opérations du cœur, lors de résections des poumons, et dans nombre d'interventions importantes. Normalement on utilise toujours des narcotiques, mais il peut arriver que l'état physique du malade s'y oppose.

Vous savez maintenant que, dans la narcose hypnotique, vous pouvez vous défaire de toute douleur ; il vous sera donc plus aisé de vous mettre à la pratiquer vous-même.

Parvenu à l'auto-hypnose complète, vous pourrez utiliser une technique plus simple. Vous vous suggérerez qu'une de vos mains est totalement anesthésiée. Formulez cette suggestion à peu près en ces termes : « Ma main droite va devenir complètement insensible, dès que je l'aurai frappée trois fois de la main gauche. Si je la pince, elle sentira cette sensation, mais n'en éprouvera pas de douleur. »

Suggérez ensuite qu'à chaque pincement l'insensibilité augmente. Puis mettez-vous à l'épreuve avec la méthode précédemment décrite. Quand vous saurez anesthésier une main, vous arriverez de même à anesthésier toutes les parties de votre corps. Probablement ferez-vous large usage de cette faculté lorsque vous vous ferez traiter par votre dentiste. Demandez-lui de vous laisser quelques instants pour vous mettre sous hypnose. Vous pourrez ainsi anesthésier la mâchoire supérieure ou la mâchoire inférieure, ou toutes les deux ensemble, et supporter sans souffrir les soins qui vous seront donnés. Peut-être votre dentiste devra-t-il encore, parfois, utiliser de la novocaïne mais, si vous arrivez réellement à pratiquer cette technique, ce ne sera sans doute plus nécessaire. N'oubliez jamais de vous livrer ensuite au processus contraire, pour que le membre anesthésié recouvre sa sensibilité. Vous pouvez rester en état d'anesthésie pendant plusieurs jours, et vous y remettre, si la nuit le fait disparaître. Vous apprécierez beaucoup cette possibilité, surtout lorsque vous avez à subir un traitement qui fait normalement souffrir pendant plusieurs jours : par exemple, pour une extraction dentaire. Mais chaque fois que vous avez atteint votre but, supprimez la narcose.

En effet, la douleur nous est utile, et il faut que nous puissions la ressentir : c'est elle qui attire notre attention sur une blessure, une maladie, etc. Dès que la douleur a rempli sa fonction de « sonnette d'alarme », il n'existe plus de raison de la supporter.

La douleur a souvent des causes psychologiques

Les médecins reçoivent souvent des patients qui se plaignent d'une douleur, quelque part dans le corps, parfois dans un membre, mais le plus souvent dans la poitrine ou la région du ventre. Le médecin se livre alors à toutes sortes de tests et d'examens pour découvrir la raison de cette douleur, mais sans arriver à la diagnostiquer. Pour le médecin comme pour le malade, la situation est sans issue. Le patient est persuadé que sa douleur — parfois très vive — a une cause physique. Généralement on décide alors d'opérer. On a bien souvent ouvert des abdomens sans y trouver la moindre explication organique de la douleur dont se plaignait le malade... Mais un médecin averti des causes psychologiques pouvant avoir des répercussions sur l'organisme voudra toujours, avant de se résoudre à opérer, vérifier cette éventualité.

Une douleur psychosomatique peut être aussi lancinante qu'une douleur organique. Le patient ne s'imagine nullement qu'il souffre — il souffre réellement, et souvent très douloureusement.

Lors d'un Séminaire sur l'hypnose, un médecin qui y participait demanda à être pris comme cobaye : il ressentait souvent de très violentes douleurs au bas de l'omoplate droite. Il croyait que cette douleur pourrait être guérie par narcose hypnotique. Un mois plus tôt, ce médecin avait souffert d'un infarctus. Il était en bonne voie de guérison et attendait impatiemment de reprendre son activité. Selon son diagnostic, cette douleur à l'omoplate était incontestablement organique.

Le directeur du Séminaire questionna le Dr P. par le pendule. La première question posée devait déterminer si la douleur avait quelque cause psychologique. Le pendule répondit : « Oui ». Le médecin était stupéfait, car il avait spontanément répondu à haute voix, sans consulter le pendule : « La réponse à cette question est non ». Son subconscient semblait donc d'un autre avis !

Voici la suite de ce questionnaire :

Q. :   Est-il bon pour vous de connaître les causes psychologiques qui ont suscité cette douleur ?

R. :   (pendule) Oui.

Q. :   Est-il bon que mes assistants et moi-même les connaissions ?

R. :   Oui.

Q. :   S'agit-il d'auto-punition ?

R. :   Non.

Q. :   Quelqu'un vous a-t-il dit que cette douleur pourrait surgir ? S'agit-il du résultat d'une suggestion ?

R. :   Non.

Q. :   La douleur est-elle associée de quelque façon à une expérience passée ?

R. :   Oui.

Q. :   Cela s'est-il produit avant que vous ayez 20 ans ?

R. :   Oui.

Q. :   Cela s'est-il produit avant que vous ayez 10 ans ?

R. :   Oui.

Q. :   Cela se produisit-il avant vos 5 ans ?

R. :   Oui.

Q. :   Avant que vous en ayez 2 ?

R. :   Oui.

Q. :   Avant que vous ayez 1 an ?

R. :   Non.

Q. :   S'agissait-il d'une maladie ?

R. :   Non.

Q. :   Fut-ce un accident ?

R. :   Oui.

Q. :   S'est-il produit dehors ?

R. :   Oui.

Q. :   Quelqu'un d'autre y prenait-il part ?

R. :   Je ne sais pas.

        (Plus tard on constata que cette question était mal posée et n'avait pu, de ce fait, recevoir de réponse. Quelqu'un était bien présent, mais ne faisait que regarder l'accident, sans y prendre part.)

Q. : Avez-vous été blessé ?
R. : Oui.
Q. : Votre épaule droite a-t-elle été blessée ?
R. : Oui.

En répondant à ces questions et en se concentrant sur le pendule, le Dr P. était tombé spontanément en hypnose. Cette hypnose s'intensifia encore et, par des questions « idéo-motrices », on lui demanda s'il pouvait retourner sans danger à cette expérience de son enfance. La réponse fut « oui ».
Il vécut à nouveau ce moment et on lui demanda de raconter ce qui lui était arrivé.
Le médecin raconta qu'il se trouvait dehors, en poussette. Quand on lui demanda son âge, il répondit qu'il venait d'avoir un an. Il ne voyait personne, mais la poussette se mit à rouler. Puis il sentit qu'elle se retournait et qu'il tombait sur l'épaule droite. On continua à le questionner par la méthode des doigts :

Q. : Cet accident a-t-il quelque chose à voir avec votre douleur actuelle ?
R. : Oui.
Q. : Il y a une raison bien précise à cela. Vous allez maintenant vous remémorer quel lien il y a entre ces deux expériences.
R. : (à haute voix) C'est ma mère.
Q. : A-t-elle quelque chose à voir avec la reviviscence de cette douleur ?
R. : Oui (la suite est dite à haute voix) :
Elle dit quelque chose d'une bouteille. Mais je ne vois là aucun lien. Elle est venue me voir voici quelques semaines et nous nous sommes disputés. C'est la nuit même que cette douleur s'est déclarée.
Q. : Cette douleur a-t-elle encore une autre cause ?
R. : (pendule) Oui.

En poursuivant ce questionnaire, on constata aussi que cette douleur l'éloignait de son cabinet médical où l'attendait certainement un surcroît de travail, pas très indiqué après cette attaque d'infarctus. Son subconscient se déclara disposé à rendre cette douleur très supportable, mais précisa qu'elle durerait aussi longtemps que sa convalescence : elle cesserait sitôt qu'il pourrait reprendre sans danger son activité.

Le Dr P. m'écrivit deux semaines plus tard, en me disant que cette douleur subsistait, mais bien moins forte. Sa mère se souvenait parfaitement de l'accident de poussette survenu à son enfant, et elle s'était souvent reproché son imprévoyance. La poussette lui avait échappé, elle avait descendu une légère pente et l'enfant en avait été éjecté comme décrit plus haut. Elle confirma que cela s'était passé peu après son premier anniversaire. La mère du Dr P. était certaine ne n'avoir jamais parlé de cet accident à son fils, car elle en gardait un très mauvais souvenir.

Ce cas est spécialement remarquable à différents égards : il s'agit ici d'un souvenir extrêmement lointain, datant de la prime enfance ; et le Dr P., pourtant praticien, était certain de souffrir d'une douleur purement physique. C'est une preuve aussi que, sous hypnose, on peut retrouver des souvenirs très lointains et que le subconscient connaît toujours les raisons de nos difficultés.

RÉSUMÉ :

Si vous voulez cesser de fumer, vous y parviendrez sans difficulté, à la condition que vous ayez le ferme désir d'y arriver et que vous soyez absolument décidé à abandonner cette habitude. Votre désir de cesser de fumer doit être une inébranlable détermination, accompagnée de la certitude du succès ! L'autosuggestion, conjointement à l'auto-hypnose, peut vous aider à réduire à un minimum votre besoin de fumer, et vous soutenir dans cet effort.
Fumer est un besoin buccal et gustatif auquel vous pouvez trouver un palliatif : sucer des drops, de la gomme à mâcher, des cigarettes factices. On peut recommander également les médicaments qui suscitent le dégoût de la nicotine. Durant cette période, vous devez absolument refréner votre désir d'une seule cigarette car, si vous y cédez, vous échouerez. Persuadez-vous dès le début que vous n'avez plus besoin de fumer. Fixez ensuite votre attention sur un autre sujet. Une fois refréné ce désir, il peut vous arriver encore parfois d'avoir envie de cigarettes. Rappelez-vous de temps à autre les motifs et les raisons qui ont déterminé votre décision de ne plus fumer.
Vous avez également vu dans ce chapitre comment la douleur, par le truchement de l'hypnose, peut être diminuée ou même supprimée. Des milliers de femmes ont ainsi accouché sans douleur, ou du moins en ne souffrant que très peu. Vous trouverez cette application de l'hypnose fort appréciable lors de vos traitements dentaires.

Exercez-vous à interrompre la douleur en auto-hypnose, et représentez-vous mentalement les « interrupteurs ». N'oubliez jamais ensuite de « remettre le courant ».

La douleur peut avoir des causes psychologiques ou physiques. Le résultat est le même, et pareillement douloureux.

Les réponses « idéo-motrices » vous indiquent s'il s'agit d'une souffrance psychologique ou non. En poursuivant votre questionnaire, vous pourrez en déterminer les causes.

CHAPITRE 11

Le traitement des maladies émotionnelles

Nous ne pouvons prendre ici en considération que quelques-unes des maladies les plus courantes, sinon cet ouvrage devrait prévoir plusieurs volumes.

A la base de l'auto-thérapie de tous ces cas se retrouvent cependant les mêmes méthodes.

Dans quantité de maladies, un traitement médical n'est nullement indispensable. On devrait si possible demander conseil à un psychothérapeute. Si, pour quelque motif — éventuellement le côté financier de la question — on devait y renoncer, on peut fort bien se traiter soi-même avec succès, mais en faisant preuve de bon sens. L'auto-traitement devrait également être entrepris toutes les fois qu'un traitement psycho-thérapeutique a partiellement ou complètement échoué. Dans bien des cas, en ayant recours à un psychothérapeute, on hâte la guérison, puisqu'on peut s'entretenir avec lui de ses progrès et des résultats que l'on obtient.

On ignore encore pourquoi un sujet qui souffre de tension nerveuse ou de difficultés émotionnelles présente un ulcère d'estomac, tandis que les mêmes conditions produiront dans un autre cas de l'arthrite, ou dans un troisième une allergie. Il faut croire que certains types physiques sont prédisposés aux ulcères d'estomac, d'autres aux migraines ; pourtant il n'y a qu'un certain nombres de types de maladies psychosomatiques.

La maladie peut être une défense

Lors de votre auto-thérapie, soyez toujours plein d'espoir et attendez-vous fermement à recouvrer la santé. Mais cela ne sera jamais qu'une attitude consciente.

Peut-être votre subconscient considère-t-il la question tout autrement. Une grosse part de nos troubles émotionnels — dont les maladies psychosomatiques — procèdent d'un mécanisme de défense. Le subconscient tente de résoudre un problème donné aussi bien qu'il le peut. La méthode qu'il choisit pour y arriver n'est peut-être pas la plus appropriée, elle peut même être très néfaste. Le subconscient ne pense pas logiquement et ne tient aucun compte des résultats. Une fois qu'il a choisi un mécanisme d'auto-défense, il n'y renoncera plus.

Dans ce cas, le subconscient peut considérer l'auto-thérapie comme une menace pour son auto-défense. Il se produit donc des contradictions intérieures, qui compliquent beaucoup le traitement. Le but poursuivi doit donc, pour que le subconscient le comprenne, être défini clairement. Il est bien évident que vous ne voulez pas vous priver de votre défense. Votre intention, tout au contraire, est d'éviter, dès que vous en connaissez les origines, la manifestation d'un symptôme ou des souffrances inutiles. Si vous arrivez à en persuader votre subconscient, votre attitude inconsciente changera et, en même temps, le mécanisme de défense imaginé par votre subconscient apparaîtra superflu. Vous obtenez naturellement de bien meilleurs résultats si votre subconscient collabore et réalise vos suggestions au lieu de les combattre.

L'opposition intérieure qui se manifeste en vous peut pousser votre subconscient à livrer à votre être conscient certaines pensées et réflexions qui doivent vous faire renoncer à perturber le système de défense. Il s'agit toujours ici de pensées négatives : « L'auto-thérapie va durer très longtemps (ce qui n'est pas toujours exact). Elle ne va sans doute pas m'aider. Pourquoi essayer cette technique ? Je vais laisser les choses telles qu'elles sont ».

D'autres fois, les progrès sont magnifiques, jusqu'au jour où une expérience traumatisante ou refoulée les arrête. Vous vous mettrez alors à différer la suite de votre traitement en y trouvant d'excellentes raisons... Une idée fixe du subconscient peut avoir le même effet qu'une dépossession. Aussitôt qu'une idée de ce genre surgit, il faut la supprimer avant de continuer le traitement et obtenir des résultats.

Des phrases telles que : « Rien ne me fait du bien » –- « A quoi tout cela sert-il ? » — « Cela ne mène à rien » — « Il faut bien que je m'en arrange » — « Vous n'arriverez jamais à le surmonter » et d'autres du même type sont très nocives, et il faut absolument et définitivement vous en libérer, si vous voulez que votre traitement réussisse.

Si vous suspectez l'effet de telles phrases, vous le détecterez en questionnant votre subconscient. Ces phrases se fondent sur des événements de votre vie passée. L'idée qu'elles impliquent a le même pouvoir qu'une suggestion post-hypnotique, et il faut la rendre inefficace.

Quelqu'un qui accueille ce genre de pensées y reviendra souvent dans la conversation et les répétera. De même pour les locutions, gallicismes, etc.

Quand vous vous apercevez que vous utilisez ainsi des lieux communs ou un langage imagé, vérifiez immédiatement s'ils influencent votre attitude ou votre comportement.

Mesures de sécurité lors de votre auto-traitement

En cas d'auto-traitement, les mesures de sécurité à adopter sont très importantes et il faut absolument les observer.

Votre subconscient connaît les raisons de votre état et vous aimeriez également les connaître. De plus, votre subconscient dispose de tous les renseignements et connaissances que votre mémoire a rejetés. Votre subconscient essayera toujours — et ceci sans exception — de vous protéger. Parfois l'événement passé qui est à l'origine de quelque symptôme est si effrayant qu'il a été profondément refoulé ; si vous deviez soudain vous en souvenir, vous n'en supporteriez pas le rappel. Le cas se rencontre rarement, mais n'est pas impossible : une réminiscence de ce qui s'est réellement passé deviendrait dangereuse pour le sujet.

Il est tout à fait certain que votre subconscient vous protégera en empêchant ce souvenir de remonter à la surface. Mais vous pouvez fort bien vous protéger dès l'abord contre de telles éventualités en demandant préalablement à votre subconscient : « Puis-je connaître sans danger les causes de tel ou tel événement ? » Si la réponse est : « oui », vous n'avez absolument rien à craindre. Si la réponse était : « non », vous demanderiez encore : « A côté des faits que je ne dois pas connaître, y en a-t-il encore d'autres que je pourrais connaître ? »

S'il y a plusieurs facteurs qui vous perturbent, il est tout à fait possible que vous puissiez tous les connaître, à l'exception d'un seul. La deuxième mesure de sécurité à observer est similaire. Prenez la précaution de demander à votre subconscient, une fois que vous avez remonté le temps : « Puis-je revenir sans danger à ce moment et revivre cet événement sans que son souvenir me nuise ? » De toute façon, s'il s'agissait d'un événement qui exercerait trop d'emprise sur vous, il vous serait impossible de vous y reporter. Cette mesure de sécurité vous protège de n'importe quel danger.

Vous connaissez déjà quelques-unes des techniques que l'on applique au subconscient. Mais avant de commencer votre traitement, familiarisez-vous complètement avec les techniques préliminaires. Apprenez ensuite à bien vous décontracter. Si, de surcroît, vous apprenez encore l'auto-hypnose, vous ferez des progrès plus rapides et plus spectaculaires. Mais il n'est pas indispensable d'être expert en cette technique.

Vous savez également comment les difficultés émotionnelles nous perturbent et vous connaissez les sept facteurs principaux qui provoquent les maladies psychosomatiques et d'autres maux. La connaissance de ces sept facteurs vous met aussi en main sept clés qui doivent vous ouvrir toutes grandes les portes du succès.

Avant de commencer votre auto-traitement, vous devriez peut-être relire le chapitre traitant de la suggestion et des causes possibles de maladies.

Rappel des sept principaux facteurs de souffrances émotionnelles

Afin de vous faciliter la tâche, nous vous rappelons encore une fois ici ces sept facteurs :

1) conflits intérieurs
2) motivation
3) suggestions obsédantes
4) effet de la parole sur l'organisme
5) identification
6) auto-punition
7) expériences passées.

Vous devez maintenant déterminer lequel, ou lesquels, de ces facteurs jouent un rôle dans votre cas. Vous pouvez négliger tous les autres.

Questionnez votre subconscient de la manière suivante : « Mon état a-t-il quelque motif mental ? » (employez le mot « état » ou le mot « symptôme »).

Quand vous avez déterminé lequel de ces facteurs agit, vous continuez à questionner :

« Cette motivation a-t-elle quelque but de protection envers moi ? » — « A-t-elle quelque autre but ? » — « Me sert-elle à m'esquiver ? » — « Suis-je à la recherche de compassion et d'attention ? » — « Est-ce pour m'empêcher d'entreprendre quelque chose ? ». Vous vous connaissez vous-même, et vous savez comment poursuivre ce questionnaire pour qu'il s'applique à votre cas.

S'il s'agit d'un conflit intérieur, celui-ci peut être si apparent que vous en êtes parfaitement conscient ; parfois, au contraire, il est refoulé très profondément.

S'il s'agit d'une contradiction intérieure et que vous n'arrivez pas à en déterminer les causes, continuez à interroger votre subconscient à ce propos. Un conflit intérieur peut avoir de multiples causes. L'une des principales est le sexe.

Si vous constatez que vous êtes l'objet de suggestions, vous devez localiser leur nature et le moment où elles sont apparues.

Dans les relations des cas de maladies traités plus loin, vous pourrez apprendre comment poser vos questions, et reconnaître les causes vraisemblables de ces maladies.

Une fois établi *le moment*, essayez ensuite de déterminer *le lieu* et *l'identité de quelqu'un* qui participait à cet événement, ou qui en était témoin. Demandez également le genre d'expérience dont il s'agit. Est-elle liée à une peur violente ? A une maladie ou à une opération ? S'est-elle produite dedans ou dehors, à la maison, à l'école, chez un ami, dans le cabinet d'un médecin ? Cette méthode d'inquisition vous permettra de localiser n'importe quelle expérience passée, même traumatisante.

Lorsque votre état ou votre symptôme a pour cause une identification, votre première question devrait être, à peu près : « Mon état provient-il de ce que je m'identifie à quelqu'un ? Est-ce que j'essaie d'être semblable à tel autre ? ». Si la réponse est « oui », demandez avec qui vous vous identifiez, et pourquoi ?

Quand vous vous trouvez en présence d'une relation organique entre le langage et le corps, demandez d'abord : « Ce symptôme provient-il de quelque idée qui a été acceptée par mon subconscient et qui réapparaît sous la forme de mon symptôme, ou de mon état ? » Selon le symptôme, vous pouvez poser aussi une question particulière telle que : « Ai-je mal à la tête parce que quelque chose de désagréable m'est un véritable casse-tête ? »

Il est aussi relativement facile de savoir si votre souffrance est l'expression d'un besoin d'auto-punition. Formulez votre question de façon à découvrir ce qui a été libéré par vos sentiments de culpabilité. Des expériences antérieures ou des événements passés peuvent aussi jouer leur rôle, et vous arriverez à les localiser par des questions appropriées.

Cette méthode vous sert d'une façon générale pour découvrir n'importe quelle causalité. Une compréhension de la causalité est indispensable. De plus, votre compréhension consciente doit avoir pu assimiler l'information qu'elle a recueillie.

La compréhension consciente n'est pas un but en soi ; il faut aussi corriger la manière de voir du subconscient ou l'atténuer. Le subconscient doit être incité à abandonner un symptôme. La suggestion se révèle fort utile pour ce faire. Quand vous avez une vue d'ensemble de toute la situation, le processus d'assimilation s'en trouve facilité.

Dans certains cas, vous devez écarter les suggestions que votre subconscient vous fait. Vous devez vous déshypnotiser et enlever leur virulence aux réflexes conditionnés. Les relations des différentes maladies, maux de toutes sortes, récits de cas spéciaux, etc., vous guideront certainement.

L'interprétation des rêves nous permet aussi de détecter certains conflits intérieurs et autres déviations émotionnelles. Mais lorsqu'on ne connaît pas le symbolisme et la structure du rêve, il est difficile de découvrir sa signification profonde. La compréhension consciente peut trouver un rêve tout à fait absurde. Le subconscient connaît cependant sa signification et sa symbolique, puisque c'est lui qui a fait naître le rêve. Dans l'auto-thérapie, on peut interpréter un rêve sans en connaître le mécanisme profond. En état de transes, certaines personnes arrivent à comprendre la signification d'un rêve. Plus l'état de transes est profond et plus cette interprétation semble aisée. Si vous faites un rêve qui vous paraisse significatif, mettez-vous en état d'hypnose et interrogez votre subconscient.

Comment surmonter les périodes de dépression

Comme nous l'avons déjà dit, il est contre-indiqué et déconseillé d'utiliser l'auto-thérapie en cas de profonde dépression. S'il s'agit d'un état chronique caractérisé, la situation n'est pas sans dangers et exige plus qu'un auto-traitement. Comme ces dépressions mènent souvent au suicide, un traitement psychiatrique est absolument nécessaire. Sur les 25.000 suicides enregistrés l'an dernier aux Etats-Unis, la plupart étaient dus à des dépressions nerveuses. Une étude des cycles de la sensibilité a démontré que chacun passait alternativement par des périodes de dépression et des périodes d'exaltation.

La courbe entre ces deux états, à leur point d'intersection, se maintient un moment en ligne droite, à la normale.

Le cas extrême que peut présenter ce cycle porte le nom de psychose maniaco-dépressive : c'est une maladie mentale très grave.

Si notre cycle de sensibilité est normal, nous avons par exemple trois jours de bonne humeur suivis d'une relâche où nous nous sentons en état moyen, mentalement et corporellement. Vient ensuite une période de trois jours où nous nous sentons moins bien, légèrement tendus émotionnellement. La longueur de ce cycle varie considérablement mais sa moyenne se situe entre treize et trente-trois jours. Parfois, les hauts et les bas sont bien marqués, et il peut aussi se produire un cycle dans le cycle.

Nous ne nous occuperons pas ici du cycle normal mentionné plus haut, et pourtant nous devrions nous en souvenir et éviter de prendre des décisions à ses points extrêmes.

Lors de dépressions ne relevant pas uniquement de ce cycle, ce sont nos sentiments et nos pensées confuses qui sont les responsables. La Palisse dirait : On ne peut pas être heureux lorsqu'on est déprimé et l'on ne peut pas être déprimé lorsqu'on est heureux ! Ces deux sentiments sont en opposition directe. Si nous regardons en face nos problèmes et y trouvons une solution, ou si nous maîtrisons nos craintes, un sentiment de bien-être nous pénètre et notre état dépressif disparaît.

Le Dr Hornell Hart, dans son livre « Autoconditioning » (Prentice Hall Inc., Englewood Cliffs, New-Jersey), traite de nos dispositions d'esprit et de la façon de les contrôler. Il conseille d'établir un diagramme de l'évolution de nos sentiments journaliers où figurent, tout en haut, nos sentiments d'extase et d'exaltation, puis le contentement et le bonheur normal et, en-dessous, les sentiments de souci, d'anxiété, de découragement, etc., jusqu'à la dépression, tout au bas de l'échelle.

Hart préconise cinq points pour notre conditionnement personnel :

1) prendre conscience de notre problème,
2) le faire apparaître au grand jour pour nous en débarrasser,
3) se relaxer en état d'hypnose,
4) utiliser la suggestion pour y trouver une solution,
5) se réveiller et, si nécessaire, répéter l'ensemble du problème.

A ce propos, on peut se concentrer encore une fois sur le même problème, ou en choisir un autre. D'après le Dr Hart, en maîtrisant nos dispositions d'esprit négatives et déprimées, nous atteindrons le bonheur et le succès. Cette méthode est très recommandable pour trouver une solution à vos problèmes superficiels et à vos conflits.

Victoire sur l'insomnie

Chaque année, il se vend plusieurs centaines de millions de comprimés hypnogènes et sédatifs, ce qui prouve combien de gens souffrent d'insomnies ! Personne n'en meurt ni n'en tombe malade, mais malgré tout ces insomnies sont bien gênantes.

Souvent les insomnies résultent simplement de mauvaises habitudes de sommeil et, dans ce cas un auto-traitement amènera très rapidement une amélioration.

Mais il peut s'agir aussi d'un symptôme de névrose profondément enfouie et difficile à traiter.

Il y a deux genres d'insomnies : dans le premier, le sujet n'arrive pas à s'endormir. Souvent des heures passent jusqu'à ce qu'il s'assoupisse.

Dans le deuxième, le sommeil s'installe relativement vite, mais le sujet s'éveille après trois ou quatre heures de sommeil et il n'arrive plus à se rendormir. Ces insomnies se produisent au milieu de la nuit, ou aux petites heures du jour.

Dans le cas où la perte de sommeil est une suite de mauvaises habitudes, le sujet continue à penser à ses problèmes au lit ; il voit souvent tout en noir et son esprit continue à travailler, l'empêchant de s'endormir. Des pensées négatives et des suggestions se superposent selon la loi du résultat inversé, dont nous avons souvent parlé, et son état empire encore. Il se couche, retourne ses problèmes dans sa tête et cherche à s'endormir, bien persuadé d'après ses expériences antérieures (réflexe conditionné) qu'il n'y arrivera pas. Il s'y essaie cependant, se concentre sur son désir de s'endormir et ne réussit qu'à se réveiller tout à fait. Finalement il se sent si fatigué qu'il abandonne ses vains efforts et c'est alors qu'il s'endort d'un coup.

La peur, cause d'insomnie

Ces deux genres d'insomnies peuvent également avoir des causes névrosiques. Comme nous l'avons déjà vu pour d'autres maladies, la peur est souvent une source d'insomnies. Certains insomniaques craignent, au coucher, l'inconscience où ils vont être plongés et qui pourrait les livrer sans défense à un événement terrible. La peur de la mort est également très répandue chez les insomniaques. Le sommeil est mis en parallèle avec la mort, représentation qui a ses racines dans l'enfance. Comme il est difficile d'expliquer à un enfant le phénomène de la mort, on lui dit souvent, dans sa famille : « Grand-maman vient de s'endormir et ne se réveillera plus ». Lorsqu'on oblige un petit enfant à voir un mort, on provoque un profond traumatisme. Ce qui est pire encore, c'est d'obliger l'enfant à baiser le cadavre. Outre les insomnies, cela peut provoquer quantité d'autres réactions. Peut-être certains d'entre vous ont-ils eu l'occasion de lire « Three Faces of Eve » (Les trois visages d'Eve), traitant d'un cas de multiplicité de la personnalité ? Ils se souviendront que l'enfant avait été obligé d'embrasser sa grand-mère morte, ce qui avait été la raison majeure de cette scission de la conscience.

Il semble incroyable que des parents puissent exposer leur enfant à une expérience aussi effroyable et incompréhensible pour lui.

Et pourtant il y a des cas où cela s'est produit, avec toutes les répercussions émotionnelles auxquelles ou pouvait s'attendre...

D'autre associations d'idées relient le sommeil et la mort. Ainsi on parle souvent de la mort comme « d'un long sommeil ». Beaucoup d'enfants ont appris la petite prière :

> Et voici je vais m'endormir
>
> Priant Dieu de garder mon âme,
>
> Si je mourais avant le jour
>
> Que Dieu reprenne à Lui mon âme.

Comment un jeune enfant interprète-t-il ces mots ? Ils lui suggèrent qu'il pourrait mourir pendant son sommeil. Le second vers semble dire aussi qu'un danger menace l'âme endormie. J'ai découvert avec beaucoup d'étonnement, chez nombre de mes patients, que la relation entre la peur de la mort et la crainte de succomber au sommeil provenait précisément de cette prière d'enfant, et avait été la cause principale des insomnies (d'autres facteurs étaient venus s'y ajouter par la suite) que j'avais à traiter. Dans certains cas, mes patients avaient vu un mort dans leur enfance, ce qui avait encore renforcé l'association d'idée entre sommeil et mort.

Les insomnies peuvent aussi avoir leur source dans l'identification avec l'un des parents ou avec un proche que l'on a souvent entendu parler de ses insomnies.

Il peut exister également un besoin masochiste d'auto-punition, puisque les insomnies sont, en soi, fort désagréables.

Une autre crainte peut les provoquer : celui qui est sujet aux cauchemars éprouvera naturellement une certaine répulsion à s'endormir.

L'auto-thérapie décèle les causes de l'insomnie

Examinez toutes les possibilités énumérées ici, en repoussant celles qui ne s'appliquent pas à votre cas. Quand on se rend compte qu'une peur est infondée, elle disparaît.

Un adulte qui a compris l'effet que fit sur lui une prière d'enfant admet qu'il n'y a pas de relation véritable entre le sommeil et la mort. Dans bien des cas, il est utile de revoir en esprit le moment où on a vu un mort pour la première fois. Dès qu'on aura retrouvé les sentiments et les émotions liées à cet événement, leur effet disparaîtra.

La suggestion est évidemment un excellent moyen de retrouver le sommeil. A côté de la recherche des causes, l'auto-hypnose est le meilleur moyen de se libérer pour toujours de ses insomnies. Je l'emploie toujours avec les insomniaques.

Au coucher, lorsqu'on veut s'endormir, on se met sous hypnose. Employez la suggestion suivante : « Dans un instant, je vais m'endormir, et je dormirai ensuite profondément, d'un bon sommeil. Je vais bien dormir, et profondément, toute la nuit. » Vous vous concentrerez ensuite immédiatement sur un sujet agréable, en évitant soigneusement de penser au sommeil. L'expression « dans quelques instants » ou simplement le mot « bientôt » est indéfini dans le temps. Il peut aussi bien représenter deux ou trois minutes que quinze ou vingt minutes, voire plus. Ainsi la suggestion a le temps de pénétrer le subconscient et d'amener le sommeil. Par contre, si l'on fixe sa pensée sur le sommeil, on obtiendra l'effet contraire (loi du résultat inversé).

Plus vous serez persuadé que cette méthode vous amènera le sommeil, plus vous êtes assurés du succès.

L'expectative et la crainte de ne pas s'endormir jouant un rôle certain, vous pouvez également obtenir des résultats avec la méthode suivante : vous vous dites que c'est vraiment désagréable de rester couché sans dormir, mais que ce manque de sommeil ne présente pas le moindre danger pour vous. « Qu'est-ce que cela peut faire, si je reste éveillé un moment ? Je vais malgré tout me reposer. Même si une ou deux heures se passent jusqu'à ce que je m'endorme, cela n'a pas d'importance. Cela m'est vraiment tout à fait égal. Je finirai bien par m'endormir. » En pensant ainsi, vous supprimez la puissance du doute et de l'anticipation. S'il vous est indifférent de vous endormir maintenant ou plus tard, et si vous ne tentez rien pour vous endormir, vous allez rapidement tomber dans le sommeil. Dans ce cas, la loi du résultat inversé n'intervient pas. En admettant que vous dormirez bien — peut-être moins longtemps et moins profondément que vous le souhaiteriez — et que votre santé n'en sera pas altérée, vous vous libérerez en quelque sorte de vos craintes et vous accueillerez plus facilement les pensées que nous conseillons de favoriser.

Elle s'éveillait continuellement

Une de mes patientes — que nous appellerons Eva — représentait l'exemple parfait du sujet qui s'endort facilement, mais se réveille assez rapidement, sans pouvoir retrouver le sommeil. Elle dormait pourtant quelques heures d'affilée, généralement après 6 heures, lorsque son mari s'était levé. Après son départ, elle dormait souvent jusqu'à 9 heures ou même plus longtemps, sauf en fin de semaine, car il avait congé pour les week-end.

Ces cinq ou six heures de sommeil semblaient suffire à Eva, qui se sentait dispose et en très bonne santé. Elle se plaignait simplement de rester éveillée des nuits durant, étendue dans son lit. Son mari se couchait tôt, mais elle aimait encore lire un peu ou regarder la télévision. Elle s'endormait dès qu'elle avait la tête sur l'oreiller, pour deux ou trois heures, puis elle s'éveillait et restait sans dormir jusqu'au petit matin. Elle reconnaissait que, pendant ces heures de veille, il lui arrivait de s'énerver ou de se faire du souci pour différents problèmes. On lui conseilla d'exagérer cette habitude, afin de la détruire. Chaque soir, avant d'aller au lit, elle devait se faire d'énormes soucis, proprement insurmontables, et reprendre ces inquiétudes point par point, dès qu'elle s'éveillait de son premier sommeil. Une des meilleures méthodes pour détruire une habitude consiste à l'exagérer volontairement. Eva se concentra ainsi une ou deux nuits sur ses soucis mais, au fur et à mesure que le temps passait, elle trouvait de plus en plus difficile d'y arrêter son esprit ; elle dut finalement admettre combien son comportement était risible.

On la questionna par le pendule afin de localiser éventuellement d'autres causes d'insomnies. Voici ce questionnaire :

Q. : Y a-t-il une autre raison qui vous fait vous éveiller pendant la nuit ?

R. : (pendule) Oui.

Q. : Y a-t-il plus d'une raison ?

R. : Oui.

Q. : Y a-t-il plus de deux raisons ?

R. : Non.

Q. : Avez-vous l'intention de vous punir, pour rester faible ? Trouvez-vous cet état extrêmement désagréable pour vous ?

R. : Non.

Q. : Vos insomnies proviennent-elles d'une crainte quelconque ?

R. : Oui.

Q. : Avez-vous des cauchemars ?

R. : Non.

Q. : Avez-vous peur de mourir pendant que vous dormez ?

R. : Oui.

Q. : Cette crainte a une raison. Pendant votre enfance, l'un de vos proches est-il mort et vous a-t-on dit qu'il s'était « endormi » ?

R. : Oui. Je me souviens de l'enterrement de ma grand-mère. J'avais 7 ans à l'époque. J'eus très peur lorsque je dus aller la voir dans son cercueil. On m'a dit qu'elle dormait.

Q. : Cet événement de votre enfance est-il pour quelque chose dans le fait que vous vous réveillez ?

R. : Oui.

Q. : Vos insomnies sont-elles encore causées par une autre crainte ?

R. : Non.

Q. : Vous réveillez-vous encore pour un autre motif ?

R. : Oui.

Q. : Désirez-vous en trouvez la raison ?

R. : Oui.

Q. : Ces insomnies servent-elles à atteindre un but quelconque ?

R. : Oui.

Q. : Y a-t-il une relation avec une expérience passée ?

R. : Non.

Q. : L'un de vos parents souffrait-il d'insomnies ? Vous identifiez-vous à quelqu'un qui souffre d'insomnies ?

R. : Non.

Quelques questions furent encore posées, mais on ne découvrit pas le second motif de ces insomnies. Pour finir, je dis à Eva que j'allais compter jusqu'à trois et que, soudain, la deuxième cause lui apparaîtrait clairement. Elle me répondit alors : « Je le sais maintenant. Je crois que c'est pour éviter des rapports conjugaux avec mon mari. Je crois que je suis frigide. Je déteste voir mon mari s'approcher de moi, et il le fait surtout la nuit. Je crois que je me réveille pour qu'il ne puisse pas me prendre par surprise ; si je suis éveillée, je puis toujours invoquer quelque excuse ! »

Au bout de quelques consultations, Eva se défit de sa frigidité et ses insomnies disparurent du même coup.

RÉSUMÉ :

Les maladies émotionnelles peuvent servir de moyen de défense. Dans ce cas, vous pouvez éprouver un très fort besoin inconscient de maladie, et votre subconscient résistera à tout traitement. On peut venir à bout de cette résistance et corriger les vues du subconscient dès qu'on connaît les raisons ou les motifs de la maladie. Le but n'est pas de détruire un mécanisme de défense, mais de le rendre utile.

En questionnant votre subconscient par la méthode des réponses « idéo-motrices », vous pouvez découvrir ces raisons. Dans presque toute maladie psychosomatique, il en existe au moins deux, mais souvent plusieurs des facteurs mentionnés ici jouent chacun leur rôle.

Nous vous rappelons que ces sept clés sont les suivantes :

1. Conflits intérieurs
2. Motivation
3. Puissance d'une suggestion
4. Effets de la parole sur le corps
5. Identification
6. Auto-punition
7. Expériences passées.

Dès que vous aurez déterminé lequel, ou lesquels, de ces facteurs est (sont) à la base de votre maladie, vous aurez déjà fait le pas décisif vers la guérison. Vous savez également comment se produisent les dépressions. On peut surmonter une légère dépression dès qu'on en connaît les causes. Mais si vous êtes très déprimé, évitez de vous traiter vous-même et faites en tout cas appel à un psychiatre.

Dans ce chapitre, on vous a également indiqué comment vous pouvez, par l'auto-hypnose, venir à bout de vos insomnies. Pour en établir les motifs, il vous faut d'abord vous interroger. Il arrive que les insomnies soient un symptôme de névrose très grave, et l'auto-thérapie ne suffira donc pas à obtenir la guérison. Cependant la plupart des gens qui souffrent d'insomnies peuvent s'en débarrasser en employant l'hypnose, dès qu'ils sont couchés ; ils se suggèrent alors que, « dans quelques instants », ils vont s'endormir. Cette méthode devrait également permettre de vaincre les mauvaises habitudes de sommeil.

CHAPITRE 12

Lutte contre les appréhensions et les phobies

Il arrive à chacun d'éprouver parfois une crainte ou une appréhension informulée, que l'on ne peut qualifier de névrose, et qui obéit à des raisons logiques et valables. Un état d'appréhension, d'anxiété ou de crainte — même s'il n'a aucun fondement — peut représenter un mécanisme de protection. C'est aussi le cas des phobies, mais celles-ci comptent déjà des symptômes névrosiques.

Si vous avez l'occasion d'interroger vos amis et connaissances, vous constaterez avec étonnement que presque tout le monde admet ressentir quelque phobie, petite ou grande.

L'une des phobies les plus fréquentes est l'acrophobie : le vertige. En psychologie, il existe une longue liste de termes scientifiques désignant différentes peurs anormales :

la claustrophobie : ou peur des lieux fermés ;
l'agoraphobie :   ou peur des espaces découverts ;
la zoophobie :   ou peur des animaux ;
l'hydrophobie :   ou peur de l'eau.

Il en existe encore beaucoup d'autres. Celles que nous citons ici sont les plus courantes. On pourrait définir la phobie comme une peur anormale et panique de quelque chose.

La phobie est toujours une peur irraisonnée, sinon on ne pourrait pas la classer dans la catégorie des phobies. Par exemple, la plupart des gens ont un recul instinctif devant les serpents, parce que certains serpents possèdent un venin dangereux et qu'il vaut donc mieux les éviter. L'histoire du Jardin d'Eden peut encore renforcer la répulsion que nous inspirent les serpents. Mais si n'importe quel serpent, même un orvet tout à fait inoffensif, provoque une réaction panique ou une frayeur intense, on se trouve en présence d'une phobie. Le dénominateur commun des phobies, c'est le degré de la peur. On a même vu des cas extrêmes où la simple vue d'un dessin de serpent déclenchait la peur panique...

Comment se développent les phobies

La peur névrosique est souvent un « transfert ». On craint quelque chose, mais la pensée en répugne tant qu'on transfère la peur sur autre chose, en la déplaçant. Elle se trouve projetée sur une substitution. Cette peur déraisonnable peut se produire devant un objet ou une situation donnée qui la fait naître. Mais ce genre de phobie est rare.

Plus fréquemment, une phobie est un réflexe conditionné, produit par une expérience effrayante du passé, ou par une série d'expériences identiques. Ces expériences, le plus souvent, datent de l'enfance, mais elles peuvent aussi se développer chez un adulte. Des enfants qui jouent enferment parfois le plus jeune d'entre eux dans une armoire ou dans un petit cabinet noir. Si l'enfant est laissé seul à cet endroit, il éprouvera rapidement une peur intense, voire de la panique. Il se sentira suffoquer.

On peut s'étonner à bon droit de voir des parents ou des éducateurs mettre un enfant en punition dans un endroit sombre, l'y enfermer et l'y laisser seul un certain temps. Outre la claustrophobie, cette expérience peut provoquer la peur de l'obscurité, dans sa généralité. Chaque expérience qui cause beaucoup de frayeur peut engendrer une phobie durable. La crainte de se noyer, si on l'a ressentie, peut amener par extension la peur de l'eau.

A quatre ans, ma petite sœur aimait m'accompagner à la piscine ; elle ne savait pas encore nager. Un jour, une amie beaucoup plus âgée l'amena à la plage, en eau libre. Pendant qu'elle se baignait, une vague particulièrement haute la fit basculer, en roulant sur elle. Elle but, essaya de reprendre son souffle, et toute cette histoire l'effraya beaucoup. Par la suite, chaque fois qu'il s'agissait d'aller dans l'eau, elle pleurait et refusait même sa baignoire...

Deux ans plus tard, j'estimai qu'elle était assez grande pour bénéficier d'un traitement hypnotique. Je la fis remonter le temps jusqu'à l'incident de la plage ; elle le revécut si intensément qu'elle se mit à pleurer en me suppliant d'arrêter. Je la fis recommencer plusieurs fois cette expérience, et ce traitement la libéra de sa peur. La dernière fois, en racontant l'histoire, elle se mit même à rire en relatant comment son amie avait été bousculée par la même vague. Elle apprit bientôt à nager et retourna dans l'eau avec plaisir. Sans ce traitement, elle aurait vraisemblablement souffert toute sa vie de cette phobie.

Comment se libérer d'une phobie ?

En traitant une phobie par l'auto-thérapie, on obtient en général de rapides résultats. (Ce n'est pas le cas pour les phobies de « transfert », mais elles sont très rares.)
Il faut découvrir avant tout le ou les événements ayant provoqué la phobie. En même temps, tous les sentiments qui sont en connexion avec cet événement doivent être déchargés de leur contenu émotionnel. Il ne suffit donc pas de se souvenir simplement de ce qui s'est passé. Un psychothérapeute ferait revivre à son patient le moment en question. Lors de la première expérience, la crainte éprouvée est très vive ; la deuxième fois, l'émotion est encore grande, mais déjà atténuée. Il est donc utile de faire revivre plusieurs fois l'événement, jusqu'à ce que la dernière trace de crainte se soit envolée. Il suffit souvent de répéter cet exercice trois ou quatre fois.
Quand tous les sentiments ont été vidés de leur contenu émotionnel, le phobie est guérie. Cette façon de décharger l'excitation émotionnelle s'appelle, en nomenclature psychologique, « Catharsis », ou réaction d'éloignement. La phobie est née d'événements excitants. La catharsis, produite par une réminiscence de cet événement, a donc un effet suspensif.

Recherche de l'événement panique

Vous pouvez traiter cette phobie par l'auto-hypnose, en répétant plusieurs fois l'expérience. Tout d'abord, il vous faut localiser l'expérience qui a provoqué la peur, soit en vous en souvenant consciemment ou — lorsque cet événement est oublié ou refoulé — par la méthode des réponses « idéo-motrices ».

Avant de revivre l'événement en question ou de vous en souvenir, vous devriez tout d'abord poser la question : « Puis-je sans danger revivre encore une fois cette expérience ? » La réponse est rarement négative. Si elle l'était, il vous faudrait sans doute attendre à plus tard pour obtenir une réponse affirmative. Une réponse négative signifie que l'événement en question est encore trop traumatisant pour que vous puissiez, à ce moment-là, en supporter la réminiscence.

Le principe d'inhibition peut également être utilisé à l'occasion d'autres situations paniques. Le Dr Joseph Wolpe recommande une excellente méthode pour se libérer par la répétition des peurs et des phobies. (« Psychotherapie by Reciprocal Inhibition » — Psychothérapie par inhibition réciproque). Le Dr Wolpe recommande au patient d'établir une liste complète de tout ce qui l'effraye, l'énerve ou l'embarrasse, en supprimant, bien sûr, ce qui effrayerait n'importe quel être humain (exemple : être attaqué par un malfaiteur, etc.). Le patient doit recopier cette liste par ordre d'importance, le plus grave en haut, le moins grave en bas, en succession décroissante.

Insensibilisez-vous contre les situations désagréables

Le Dr Wolpe recommande au patient de se décontracter à fond. Il l'hypnotise ensuite (mais l'hypnose n'est pas indispensable) et lui fait revivre, sous hypnose, une scène passée. Cette scène, choisie dans la liste établie par le patient, est l'une de celles qui comporte le moins d'excitation.

Il vaut en effet mieux commencer tout en bas de la liste ; en commençant en tête de liste, on se heurterait à une forte résistance, inconnue dans les situations de moindre importance.

Le Dr Wolpe fait ainsi revivre au sujet plusieurs scènes comportant peu d'excitation, chacune de ces scènes ne devant durer que quelques secondes.

Un de ses clients avait un peu peur des enterrements. Le médecin lui fit revivre mentalement, d'une distance de 200 mètres, des funérailles ; ensuite, il lui fit voir un corbillard vide, puis une scène près de la tombe, où les croque-morts portaient le cercueil et le mettaient en terre. Chaque scène fut répétée plusieurs fois, et chaque fois la réaction était plus faible. A la fin, cette légère peur des funérailles disparut.

Lors de séances ultérieures, on se reporte à des événements désagréables figurant aussi en bas de liste puis, graduellement on s'occupe des faits vraiment effrayants, jusqu'à ce que le patient soit enfin totalement libéré de ses réactions paniques.

Wolpe insiste sur la nécessité d'une parfaite décontraction, pour que le traitement agisse vraiment. Les mêmes résultats s'obtiennent sans hypnose, mais ils sont plus lents.

En parcourant la liste établie par le sujet, on découvre souvent d'autres situations génératrices de peur, et il faut donc les ajouter à la liste.

Dans l'auto-traitement, on peut aussi utiliser cette technique pour se libérer de réactions de peur ou de phobies. Les phobies sont les plus faciles à atteindre, car on peut localiser leurs causes et se souvenir des événements qui les ont provoquées, tout en déchargeant émotionnellement les sentiments qui y sont liés. Le plus souvent, en questionnant le subconscient, on trouve rapidement la racine du mal.

Dans les récits de cas de maladies relatés plus loin, vous trouverez quantité d'exemples de questions à poser.

Si vous avez affaire à plusieurs événements, occupez-vous pour commencer du plus ancien. Sitôt que vous avez déchargé cet événement de sa puissance émotionnelle, localisez l'événement qui lui fait suite, et continuez de même jusqu'à la complète libération de vos phobies.

Comment vaincre la résistance de votre subconscient ?

Si vous vous heurtez à une résistance du subconscient et si vous n'arriviez pas à mettre en lumière l'événement que vous recherchez, utilisez la méthode de Wolpe. Une fois libéré des petits événements générateurs de peur, vous serez à même de découvrir l'événement panique qui provoque la phobie.

Pour surmonter une crainte au moment où elle se révèle et pour s'en libérer définitivement, appelez à la rescousse une réaction émotionnelle plus forte.

Si quelqu'un a le trac et craint de parler en public, il ne s'en libérera qu'en éprouvant une autre crainte, encore plus forte ! Par exemple, pour réussir ses examens, un élève récitera un poème, malgré son trac. Ce motif sera assez puissant pour le faire parler, malgré sa crainte, et il vient sans doute s'y ajouter le sentiment que, sinon, il se déconsidérerait... Lorsqu'il aura commencé à parler, sa crainte s'estompera ou disparaîtra même tout à fait. Si cette crainte devait se répéter, elle faiblirait chaque fois pour disparaître enfin.

Le meilleur traitement, évidemment, consisterait encore à rechercher les motifs de ce « trac » à parler en public.

La méthode de Wolpe repose sur l'utilisation d'images mentales. De plus, la force de la suggestion indirecte fait naître la certitude que le sujet sera libéré de ses craintes ou phobies.

Les phobies ont généralement pour causes des expériences passées, voire des conflits intérieurs, ainsi que des suggestions faites à l'enfant de craindre quelque chose. Si l'un des parents présente des réactions de phobies dans certaines situations, l'enfant peut reprendre ces phobies à son compte, en partie par l'identification, en partie par la suggestion : si son père ou sa mère a peur d'un certain danger, l'enfant aura peur à son tour. Quoi qu'il en soit, la situation est mal interprétée et cette erreur la fait considérer comme dangereuse.

La crainte de voler

Les phobies peuvent se développer également chez les adultes, mais généralement elles se produisent déjà dans l'enfance.

Lors d'un Séminaire sur l'hypnose, où l'on enseignait sa technique aux médecins, l'un de ceux-ci servit de cobaye pour démontrer la manière de détecter les causes d'une phobie.

Le Dr Johnson raconta que, pendant la dernière guerre, il avait servi dans l'aviation : il avait pris part à nombre de combats sans être blessé, et il adorait piloter son avion. Lors d'une échauffourée, il se fit presque abattre, mais finalement il arriva à atterrir sans mal. Libéré du service, il n'eut plus, pendant longtemps, l'occasion de voler.

Mais un jour, lors d'un voyage en avion commercial, il avait été pris d'une peur panique. Depuis ce jour, il n'avait plus mis les pieds dans un avion. Il n'arrivait pas à comprendre les raisons de sa peur, surtout dans son cas, à lui qui avait été pilote de guerre. Il pensait que l'angoisse qu'il avait éprouvée dans l'avion commercial était simplement de la claustrophobie.

Grâce à la méthode des questions « idéo-motrices », on put établir que sa phobie avait été engendrée par une expérience panique plus ancienne. Il s'agissait manifestement d'un souvenir refoulé. Sous hypnose, il revécut cet événement et le répéta quatre fois, pour le décharger de sa puissance émotionnelle.

Voici ce que cette expérience fit découvrir :

La guerre finie, le Dr Johnson reçut l'ordre de voler d'une place d'aviation dans le Texas jusqu'à Seattle, où devait prendre fin son engagement. Son escadrille était sous les ordres d'un major. Le Dr Johnson avait, lui, le grade de capitaine d'aviation. En survolant l'Idaho, ils virent un violent orage venir à leur rencontre. Les membres de l'escadrille auraient voulu contourner la tempête, mais le major leur donna l'ordre de la traverser, car ils avaient juste assez d'essence et ne pouvaient se permettre de faire un pareil détour pour éviter l'orage.

Le mauvais temps fut plus terrible qu'ils ne s'y attendaient. Les avions perdirent leur contact entre eux. Les éclairs et la foudre frappaient de façon continue, et le Dr Johnson craignait que son avion ne fût touché car il était ballotté de côté et d'autre, puis entraîné dans un violent courant contraire. Lorsqu'il fut sorti de celui-ci, l'une des ailes de son avion vibrait fortement... Finalement il perdit la maîtrise de son appareil et sauta en parachute, horriblement malmené par la tempête durant la descente. Plus tard, il apprit que deux autres pilotes avaient également dû sauter en parachute. Un pilote fut tué, son avion ayant percuté une montagne.

Après son sauvetage, le Dr Johnson rejoignit Seattle par le train et fut démobilisé, sans avoir piloté à nouveau un avion. Lui-même n'avait jamais fait le rapport entre cet événement et sa phobie. C'était donc là ce qui l'avait provoquée en premier lieu, et l'engagement au cours duquel il risqua sa vie ne fut, en fait, qu'une cause seconde.

Sous hypnose, quand il revécut ces moments, il manifesta une peur intense et une très forte émotion. Après plusieurs répétitions de l'événement, il se tranquillisa complètement et se sentit très soulagé. Quelques mois plus tard, le Dr Johnson m'écrivit qu'il avait acheté un avion, qu'il avait passé son brevet de pilote civil et qu'à nouveau il trouvait beaucoup de plaisir à piloter.

Ce médecin n'avait nullement refoulé ses souvenirs : simplement il n'avait pas fait le rapport entre ce qu'il avait vécu et la peur qu'il éprouvait à voler. Pour n'avoir pas à y repenser, il avait baptisé « claustrophobie » ce qu'il ressentait, mais en fait il n'avait jamais éprouvé cette phobie.

Voilà un cas typique qui montre comment fonctionne le subconscient : il s'arrange pour éviter de revenir à un événement déplaisant ou désagréable en détournant ailleurs l'attention.

Lorsque je fis cette démonstration, je disposais de peu de temps pour la mener à bien. Mais je pense — quoique je n'aie pas fait cette recherche ni pu vérifier le fait — qu'une autre expérience effrayante avait autrefois été la cause première de cette phobie : par exemple, il aurait pu se produire qu'enfant on l'ait laissé tomber. De toute façon, ce traitement, en découvrant les causes cachées de cette phobie, a suffi à la faire disparaître.

Ma supposition repose sur le fait que, presque toujours, les phobies trouvent leur source dans des événements survenus pendant la première enfance.

RÉSUMÉ :

La peur peut être une réaction tout à fait normale ; si elle est extrême et irraisonnée, on parlera d'une phobie.

La méthode du Dr Wolpe est plutôt indiquée pour le traitement des états anxieux que pour celui des phobies. La plupart ne sont pas très graves et il est facile de détecter les situations qui les font naître. Il en existe pourtant d'autres qui sont vraiment nocives, ou qui vous sont préjudiciables. Par exemple, si vous souffrez de claustrophobie et ne pouvez prendre l'ascenseur, il vous faudra monter quantité de marches d'escalier ! Les phobies ont souvent pour cause un événement survenu dans l'enfance.

Avec l'aide de la méthode décrite dans ce chapitre, vous pourrez facilement vous défaire de vos phobies. Localisez tout d'abord les faits qui l'ont causée, retournez à l'événement en question et répétez l'expérience, jusqu'à ce que vous l'ayez déchargée de toute portée émotionnelle. Demandez toujours à votre subconscient si vous pouvez retourner sans dommage à cet événement. Il est fort rare que son souvenir soit intolérable ; mais évidemment il faut tout de même prévoir cette possibilité. Dans ce cas, il ne vous sera sans doute pas possible de vous rappeler l'événement qui s'y rapporte, mais en posant la question, vous avez une marge de sécurité supplémentaire.

Les peurs et phobies peuvent être guéries par auto-traitement. Toutefois, dans le cas d'une phobie névrosique, il vaut mieux s'adresser à un spécialiste.

CHAPITRE 13

Restez jeune et mince sans régime

Dans quantité de maladies on retrouve les mêmes facteurs émotionnels et psychologiques. Nous ne nous occuperons ici que des principales.

Il n'est pas toujours facile d'admettre que les mêmes facteurs provoquent, chez l'un, une maladie de peau, chez l'autre, une maladie du système digestif, tandis qu'un troisième souffrira des voies respiratoires.

Ne considérons ici qu'un des troubles les plus communs : l'obésité. On ne peut pas réellement parler de maladie, mais souvent cet état présente une base émotionnelle caractérisée.

Ces malheureux kilos excédentaires...

L'excédent de poids est généralement le résultat d'une alimentation trop riche. Dans ces cas se combinent d'ailleurs différentes raisons et motifs.

Ce supplément de poids ne peut être que de quelques kilos mais, lorsqu'on a affaire à un obèse, il peut porter sur 50 kilos, voire plus ! Il est facile de se débarrasser de quelques kilos en trop, une fois qu'on a décidé de maigrir. Mais l'obésité représente un problème autrement grave. Il peut même s'agir d'une forme de névrose, qui nécessite un traitement psycho-thérapeutique.

Organiquement, il peut s'agir d'un dérangement glandulaire et, dans ce cas, il faut consulter un médecin. On pensait précédemment que seuls 2 obèses sur cent relevaient d'un dérangement du système glandulaire. Dernièrement on admit un pourcentage beaucoup plus élevé. De plus, dans certains cas, les troubles glandulaires ne sont pas la cause du supplément de poids, mais le résultat de l'obésité. Pour se débarrasser de quelques kilos seulement, il suffit d'un régime

approprié, d'un traitement d'autosuggestion, le tout accompagné
d'une bonne dose de volonté.

Nous ne traiterons ici que des cas où l'excédent de poids est
important.

Il arrive qu'un régime donne le résultat souhaité, même si le supplément de poids provient de facteurs névrosiques. Si le patient est
suivi médicalement, on lui donnera des pilules qui lui coupent
l'appétit et le font « brûler » plus, probablement aussi un diurétique
pour évacuer l'excédent d'eau. Il suivra un régime dit « à basses
calories » et devra apprendre à discipliner son appétit. Le sujet
commence toujours par perdre du poids, pour le reprendre très vite,
dès qu'il arrête son régime. Même s'il continue ce régime pendant
un temps prolongé et peut se targuer d'une réelle perte de poids,
il est très probable qu'une année plus tard le sujet en question sera
revenu automatiquement à son ancien poids... Il est très rare que
la perte de poids puisse être définitive, et le patient en sera déçu
et découragé.

La raison ? C'est qu'on a traité un symptôme, et non pas ses causes.
Le succès du traitement dépend donc de la découverte des causes
de ce besoin boulimique de nourriture.

Si, au cours de votre auto-thérapie, vous désirez maigrir passable-
ment, vous devriez vous faire conseiller par un médecin, qui vous
dira à quel rythme vous pouvez perdre du poids. Il vous prescrira
sans doute des médicaments qui vous couperont l'appétit et vous
aideront au début de votre cure.

Une partie de votre tâche, à vous, consistera à découvrir pourquoi
vous mangez trop. Après avoir identifié ce besoin et l'avoir éliminé,
le supplément de poids disparaîtra. Mais, malgré cela, il vous faudra
aussi modifier vos habitudes alimentaires...

Pourquoi mange-t-on trop ?

Les raisons et motifs invoqués sont aussi nombreux que variés, mais
beaucoup d'entre eux se retrouvent invariablement dans les cas
traités.

Le besoin de nourriture prend un caractère de contrainte, qui ne
dépend plus du contrôle de la volonté ou d'une discipline personnelle.

Les gens trop gros disent souvent n'avoir aucune volonté. Ils en ont pourtant, mais elle n'est pas suffisamment forte.

Les principes de base de l'obésité se retrouvent souvent dans l'enfance. Quand un enfant ne se sent pas bien, c'est presque toujours qu'il a faim. Mais dès qu'il a mangé, il récupère très vite. Un réflexe conditionné s'établit donc, comme dans le cas des chiens de Pavlov. Les chiens faisaient la relation entre la sonnette et la nourriture, l'enfant met en parallèle son repas et son sentiment de bien-être.

Une personne qui a tendance à prendre du poids a tendance, dès qu'elle s'énerve, à ouvrir la porte de son frigorifique. Elle ne pense pas consciemment : « Si je mange, je me sentirai mieux », mais c'est son subconscient qui provoque ce comportement.

Chez les fumeurs, nous trouvons un conditionnement similaire (ou légèrement modifié).

L'enfant cherche à satisfaire son besoin de nourriture, fût-ce en suçant son pouce.

Le fumeur remplace le pouce par la cigarette. Le motif ou le besoin du fumeur se rapproche beaucoup de celui qu'éprouve l'enfant qui suce son pouce. Le fumeur pense que sa cigarette va lui calmer les nerfs. Sur le moment, c'est bien le cas, mais par la suite la nicotine va, au contraire, augmenter sa nervosité. Et c'est ainsi qu'une deuxième cigarette succédera à la première...

Reprenons nos sept éléments causatifs principaux et appliquons-les au problème du supplément de poids.

Commençons par *la motivation*. Quel but remplit ce besoin de nourriture ? Quand une femme cherche à éviter les rapports conjugaux, elle peut se servir de son poids excédentaire pour se rendre peu désirable aux yeux de son mari en particulier, ou des hommes en général (frigidité).

Par ailleurs, une femme dont les appétits sexuels normaux ne sont pas satisfaits peut chercher une satisfaction « de rechange » dans la nourriture. Lorsque c'est le cas, elle ressent un impérieux besoin de douceurs.

Une femme qui n'est pas aimée peut agir de même.

Un enfant que ses parents repousse peut aussi se mettre à manger trop pour se consoler de n'être pas apprécié.

Il peut s'agir aussi d'*une identification*, quand le père ou la mère sont trop gros. Des tendances innées à l'obésité peuvent exister, mais il est plus vraisemblable que l'enfant ressent un besoin inconscient de ressembler à ses parents.

L'une des causes les plus fréquentes de l'excédent de poids, c'est *une suggestion* recueillie dans l'enfance, tout à fait inconsciente. « Tu dois finir ce qu'il y a dans ton assiette » — « On ne doit pas gâcher de la nourriture » — « Tu n'auras ton dessert que lorsque tu auras tout mangé » — « Tu dois manger pour devenir grand et *fort* » : voilà le genre de phrases qui font l'objet de multiples répétitions ! En effet, la plupart des enfants traversent des périodes où ils mangent très peu, ce qui donne du souci à leurs parents. Le *complexe d'infériorité* et le *sentiment d'indignité* peuvent aussi jouer un rôle dans l'obésité. L'image qu'on se fait de soi peut être un empêchement à paraître attrayant : on en arrive à une récusation de soi-même, voire peut-être à une forme d'auto-punition. Lors de votre auto-thérapie, examinez chacun de ces facteurs. Déterminez si des événements survenus dans votre enfance sont à la base de ce besoin maladif de manger. N'oubliez pas que la suggestion est une partie importante du traitement.

Vous n'avez pas besoin de régime !

Si vous voulez maigrir, il vaut mieux que vous vous absteniez de tout régime. Pour un « gros », le seul mot de « régime » a une consonnance haïssable ! Il connaît d'ailleurs tous les régimes que l'on préconise, il en a fait l'essai et les a abandonnés après avoir perdu quelques kilos. Le seul fait de penser à un régime provoque en lui du ressentiment, qui se transforme vite en rébellion. Personne n'aime suivre un régime strict. Si vous vous traitez vous-même, renoncez donc simplement à suivre un régime : vous allez plutôt modifier vos habitudes alimentaires.

A l'intérieur de votre bouche, les nerfs gustatifs contrôlent la saveur des aliments : ce sont eux qui provoquent votre plaisir à manger, comme l'a voulu la Nature. Vous préférez certains aliments à d'autres, mais vous trouvez bon goût à la plupart d'entre eux. Il est normal que vous preniez plaisir à ce que vous mangez, mais choisissez de préférence les aliments riches en protéines, et évitez les hydrates de carbone, les graisses animales et les douceurs. D'après le Dr Hermann Toller (« Calories don't Count », Simon & Schuster, New-York), on devrait employer seulement des graisses non stabilisées, et ne jamais utiliser de graisses stabilisées. Il recommande aussi de diminuer les hydrates de carbone.

Vous pouvez, dès l'abord, prévenir tout ressentiment contre une façon de vous alimenter en vous disant que personne ne vous force à l'adopter. Si vous préfériez, vous pourriez tout aussi bien prendre du poids, mais vous n'en avez pas besoin et vous ne le voulez pas. Vous allez maigrir, parce que c'est un souhait raisonnable. Personne ne vous demande de renoncer pour toujours à une praline ou à un bon dessert, mais vous en mangerez rarement.

Vous n'avez nul besoin de vous priver de nourriture : mangez tout simplement autre chose.

Relatez par écrit vos raisons de maigrir

Pour corriger votre poids, les motifs qui vous animent sont importants. Dressez-en une liste écrite, votre subconscient s'en imprégnera mieux. En tête, faites figurer les motifs qui ont trait à votre santé. Toutes les statistiques montrent combien l'excédent de poids raccourcit la durée de la vie. Bien des gens creusent vraiment leur tombe avec leur fourchette ! L'obésité oblige le corps à des efforts supplémentaires. Si, tout au long de la journée, on vous obligeait à porter 15 ou 20 kilos dans chaque main, quelle ne serait pas votre fatigue ! Cette surcharge constante use rapidement le corps.

Dans certains pays orientaux, l'obésité féminine représente un des canons de la beauté — chez nous, le contraire se produit.

Il vaudrait la peine de maigrir, même si ce n'était que pour se sentir plus à l'aise. L'obèse ne retire aucun profit de son état, ni corporellement ni mentalement, et il est handicapé à bien des points de vue.

Transformez vos habitudes alimentaires

Les obèses mangent habituellement de façon tout à fait automatique et vorace, avec une grande rapidité.

Mangez donc lentement, mâchez chaque bouchée un peu plus longtemps qu'il ne le faudrait, en vous appliquant à en exprimer toute la saveur. Votre besoin quantitatif de nourriture baissera. La plupart des gens sont enclins à manger tout ce qui se trouve dans les plats. Si vous mangez chez vous, ne servez que de très petites portions de chaque mets. Ensuite, si vous avez vraiment encore faim, vous pouvez vous servir une deuxième fois, mais vous constaterez que ce sera rarement nécessaire.

Dans les restaurants, et suivant les régions, on sert souvent des portions fort copieuses. Laissez tout simplement des restes dans les plats, vous n'indisposerez personne.

Les obèses sont aussi des habitués des petits repas supplémentaires : avant de se coucher, ils se préparent encore volontiers un quatrième petit repas !

La meilleure méthode d'éviter ce supplément de calories est évidemment de supprimer ces habitudes ! Si vous éprouvez vraiment un sentiment d'intolérable fringale entre les repas — ce qui prouve que la teneur en sucre de votre sang a baissé — contentez-vous de quelque chose qui n'ait qu'une basse teneur en calories.

Le « truc » du drapeau rouge

Voici une excellente méthode pour avoir toujours sous les yeux le danger des petits repas intermédiaires : mettez sur votre armoire frigorifique un mouchoir ou un petit drapeau rouge. Ce signal vous dit : DANGER, laissez la porte fermée !

Pendant une cure d'amaigrissement, on a la tentation de se peser chaque jour. Ceci est à déconseiller. Pesez-vous chaque semaine, ou mieux encore, tous les quinze jours, et toujours au même moment de la journée.

Même si plusieurs personnes mangent exactement la même chose — à une calorie près — chaque corps brûlera des quantités de nourriture différentes. L'un engraissera, tandis que l'autre maigrira. Des différences aussi sensibles ne peuvent pas s'expliquer uniquement par une activité plus ou moins intense, ou une différence dans les exercices physiques. Si vous vous suggérez que vous allez maigrir, votre subconscient donnera des ordres correspondants pour que vous retiriez moins d'énergie des aliments que vous consommerez. Suggérez-vous que vous n'allez utiliser que ce qu'il vous faut pour atteindre un poids inférieur d'une douzaine de kilos de votre poids actuel. Nous n'avons pas la preuve scientifique que le subconscient contrôle de cette façon le degré d'absorption, mais il est vraisemblable qu'il met en jeu d'autres réactions physiques.

Si vous choisissez la suggestion pour lutter contre votre désir boulimique, vous devez bien préciser vos raisons. Fixez-vous un but — le poids définitif que vous voulez atteindre — et prenez la ferme résolution que rien ne vous en détournera. En plus de la suggestion, provoquez également les images mentales. Si vous constatez que chaque énervement vous mène immanquablement au frigorifique, vous pouvez contrer cette tendance. Vous enregistrerez souvent des défaites : dès que vous recommencerez à trop manger, vous reprendrez un ou deux kilos !

Ne vous laissez jamais décourager. Peut-être d'ailleurs ne connaîtrez-vous pas de défaite. Pourtant, si c'était le cas, dites-vous que ce n'est qu'une défaite passagère, et repartez courageusement vers le but que vous vous êtes fixé.

Sitôt votre poids idéal atteint, vous pourrez vous y tenir par des suggestions occasionnelles et un contrôle de votre appétit.

Autres troubles digestifs

Nos troubles émotionnels se traduisent souvent par des maladies du tube digestif, des ulcères d'estomac, la nausée, la constipation, la diarrhée, l'inflammation du gros côlon, la gastrite, les hémorroïdes, voire même la chute des dents.

Beaucoup d'autres maladies sont également de nature psychosomatique. L'anxiété peut avoir ses répercussions physiques sur n'importe quelle partie du tube digestif. Quand nous avons peur, notre estomac se contracte, le processus de la digestion s'arrête et, s'il s'agit d'une peur panique, il arrive même que l'intestin se vide. Des états d'anxiété ou de crainte troublent donc tout le système digestif, et de plusieurs façons.

Un certain type d'homme souffre volontiers d'ulcères d'estomac. Il est constamment sur le qui-vive, actif, combatif et capable ; il assume de grosses responsabilités et occupe souvent une place en vue. Les médecins, par exemple, sont vulnérables à l'ulcère d'estomac (comme, d'ailleurs, aux maladies de cœur).

Les gens qui souffrent d'ulcères d'estomac sont, dans leur profession et dans la vie, des personnalités de premier plan, ayant atteint leur plein développement ; chez eux, ils sont bien différents, dépendant beaucoup de leur entourage, présentant même souvent un développement infantile.

Feu le D^r méd. J. A. Winter commente ces caractéristiques contradictoires dans son livre « The Origins of Illness and Anxiety » (Julian Press, New-York). Il prend l'enfant comme point de comparaison et relève qu'il prend de fréquents petits repas, comme le sujet qui souffre d'ulcères. L'un comme l'autre se nourrissent de lait et de purées. Tous deux sont iritables et se plaignent dès qu'ils sont contrariés ou qu'ils ont faim. Tous deux aiment qu'on les dorlote et qu'on s'occupe d'eux. Pour les gens qui souffrent d'ulcères, il y a donc conflit entre la nécessité de se conduire en adulte et le désir de se laisser choyer comme un petit enfant.

La nausée et son traitement

Le subconscient, pour venir à bout d'un événement désagréable, effrayant ou menaçant, le repousse purement et simplement dans le domaine corporel, ce qui se traduit par des vomissements, une colite ou de la diarrhée. Par en haut et par en bas, l'estomac refuse les aliments avariés. Le subconscient tente de faire de même avec les pensées ou les situations qui lui sont désagréables. Peut-être le but n'est-il pas atteint, mais en tout cas l'effort est fait, souvent d'une manière continue. Le résultat réel, c'est qu'il provoque la nausée, la diarrhée, la colite. Mais nous savons que le subconscient agit souvent de façon illogique et sans tenir aucun compte des résultats finals. Il semble penser que si son action ne réussit pas dès l'abord, elle aboutira cependant à la longue.

Le cas de Marion

Une jeune femme — Marion — souffrait depuis plusieurs mois d'une nausée chronique. Son estomac refusait toute nourriture. On dut l'hospitaliser trois fois et la nourrir au moyen de piqûres intraveineuses. Elle avait ainsi perdu beaucoup de poids. A sa sortie de clinique, son médecin me l'adressa pour la soigner par l'hypnose, car son cas était désespéré et aucun traitement ne lui avait réussi. Consciemment, elle était tout à fait prête à se faire hypnotiser mais elle présentait une résistance subconsciente si forte qu'elle ne put jamais atteindre un état de transes, même léger.

Elle venait me voir chaque jour, et je lui fis des traitements répétés. Par la suggestion, j'arrivai à lui faire garder quelque nourriture, et elle commença à reprendre un peu de poids et à se sentir moins faible. Mais, comme par le passé, elle continuait à souffrir de nausées soudaines et répétées. Elle n'avait aucune connaissance consciente des raisons de son mal.

A l'aide du pendule, je questionnai Marion et je pus déterminer qu'une expérience passée était la source de sa maladie. Un nouvel incident plus récent l'avait fait surgir. Comme j'avais à lutter contre une forte résistance inconsciente, les événements en question me restèrent imperméables. Par la suggestion, je rendis alors attentif le subconscient au danger que présentait sa prise de position. Après quelques séances de consultation, Marion arriva enfin à ramener au jour les causes de sa maladie.

Il semble qu'un symptôme soit souvent la résultante d'un événement passé, mais qui reste en sommeil jusqu'au jour où un autre incident identique survient. Comme dans le cas de Marion, c'est alors que la maladie se déclare.

Voici l'histoire de Marion :

Elle avait 14 ans au moment où son père dut faire face à de grosses difficultés financières qui représentaient pour son commerce une menace de fermeture. La maison qu'il habitait était très bien assurée et un jour, incidemment, il dit en passant qu'il voudrait bien que la maison brûlât pour toucher le montant de l'assurance et sauver son commerce. Marion entendit sa remarque. Elle aimait beaucoup son père et aurait souhaité lui venir en aide. Elle réfléchit donc pendant un certain temps, puis décida de passer à l'action.

Elle attendit que ses parents sortissent un soir ensemble. Elle fit un tas de papier, au salon, sous les rideaux, l'arrosa de pétrole et y mit le feu. Elle sortit, ferma toutes les portes, et la chambre prit feu. Mais elle eut des remords et ne put s'empêcher de courir chez des voisins pour appeler les pompiers. Ceux-ci arrivèrent rapidement et éteignirent le feu, sans qu'il y ait eu de gros dommages à déplorer. Mais en allumant le feu, Marion avait oublié son petit chien. Elle n'avait pas remarqué qu'il s'était endormi au salon : la fumée et le manque d'oxygène l'étouffèrent. En le voyant mort, le cœur de Marion lui manqua, et elle se mit à vomir. Elle se sentait affreusement coupable : elle avait causé la mort de son petit chien, et elle craignait de confesser sa faute à ses parents.

Ce qui avait précipité les choses, peu de temps auparavant — comme la sonnette du réflexe conditionné —, c'est que son mari lui avait fait cadeau d'un chien et l'avait amené à leur foyer. Il était de la même race que celui qu'elle avait tant aimé et dont elle avait provoqué la mort : Marion en fit une crise d'hystérie et recommença à vomir. Comme elle voyait chaque jour ce petit chien, ses vomissements devinrent chroniques. Elle essayait de refouler cet horrible souvenir et ses sentiments de culpabilité pour l'incendie qu'elle avait provoqué.

Dès que la jeune femme eut compris les motifs de son comportement, ses sentiments de culpabilité perdirent de leur acuité. Je lui suggérai de parler de ces événements passés à ses parents, car la confession soulage toujours l'âme. Je lui dis qu'elle avait suffisamment souffert pour la faute qu'enfant elle avait commise. D'ailleurs le plan qu'elle avait formé avait échoué et l'assurance n'avait payé que les réparations indispensables.

Le mari de Marion était riche. Dès qu'il eut compris la situation, il offrit de rembourser l'assurance des 1000 dollars environ qui avaient été versés en son temps, après l'incendie. Ceci contribua beaucoup à libérer Marion de ses sentiments de culpabilité et ses vomissements disparurent.

Constipation

La vente des médicaments contre la constipation est presque aussi forte que celle des somnifères. Des millions d'hommes souffrent de constipation. Cela devient un état de fait, et le processus de la digestion doit continuellement être stimulé.

Les raisons doivent également en être recherchées dans l'enfance, plus exactement au moment où l'enfant est habitué à faire sur le pot. L'enfant résiste à sa mère en se retenant lorsqu'on le met sur sa petite chaise percée. La mère s'énerve, l'oblige à y rester, et l'enfant se refuse à s'exécuter ! L'enfant découvre vite que c'est là une méthode très efficace pour narguer sa mère... Il se soulage ensuite dans ses langes et exerce ainsi une petite vengeance sur sa mère, qui doit se livrer à un travail désagréable. L'habitude de se retenir est prise, et peut-être l'enfant souffrira-t-il toute sa vie de constipation. La constipation peut découler aussi d'un autre motif, étroitement apparenté à l'avarice. Les psychanalistes croient en effet que, dans le subconscient, l'idée d'excréments ou fèces s'associe à celle d'argent. L'insécurité et les craintes d'origine financière pourraient donc conduire à la constipation, tout comme l'avarice.

La constipation et la paresse des muscles intestinaux peuvent également provoquer des hémorroïdes.

Une tension émotionnelle peut à son tour avoir ses répercussions punitives sur le rectum. Après une période de tension nerveuse particulièrement forte, cet état devient parfois si dangereux qu'il impose même une intervention chirurgicale.

RÉSUMÉ :

Si vous souffrez d'un excédent de poids et que vous désirez maigrir, vous devez avant tout interroger votre subconscient pour savoir quels facteurs causent votre état. Vous pouvez utiliser, pour y parvenir, la méthode « idéo-motrice » et faire usage des moyens décrits ici pour perdre du poids.

En réalité, vous mangez trop : votre supplément de poids n'en est qu'une conséquence. Vous n'avez nul besoin d'observer un régime ou de compter vos calories mais vous devez, évidemment, modifier vos habitudes alimentaires. Les ulcères d'estomac, les nausées, la constipation et autres maladies du circuit digestif sont étudiés ici. Si vous souffrez de l'une de ces maladies, vous devriez pouvoir vous guérir vous-même. Souvent les soins d'un médecin sont indispensables.

CHAPITRE 14

Plus jamais de maux de tête !

En étudiant les statistiques médicales, nous savons qu'en Amérique plus de trois millions d'hommes souffrent de migraines. Les femmes sont les plus atteintes. Des maux de tête autres que la migraine sont encore plus répandus. Chacun éprouve, de temps à autre, un léger mal de tête.

Puisque ces maux de tête sont aussi répandus, nous allons nous en occuper ici. Les symptômes en seront exactement décrits et leurs causes rendues évidentes.

La migraine ne semble atteindre qu'un certain « type » humain. Il existe toujours des exceptions, mais la plupart des femmes qui souffrent de migraines sont petites, coquettes et jolies. Les hommes présentent les caractéristiques exactement contraires : grands, à larges épaules, musclés : le type même du boxeur !

Au point de vue psychologique, ces deux types humains sont des amateurs de perfectibilité (ils cherchent constamment à se perfectionner eux-mêmes). Ils sont conciliants à l'extrême et très sociables.

La migraine se caractérise par des maux de tête violents, qui n'atteignent généralement qu'une partie de la tête. Les yeux peuvent aussi être touchés, ce qui rend ces douleurs très acérées et pénibles à supporter. La vue peut en être affectée. Ces maux s'accompagnent souvent de nausées et de vomissements, voire même d'entérite. Avant une attaque de migraine, la vue est souvent voilée.

Les migraines ont tendance à apparaître selon un certain cycle, certains jours de la semaine, ou à un certain intervalle.

Ce n'est évidemment pas toujours le cas. Il arrive aussi que les migraines ne surviennent que très rarement, comme elles peuvent être fréquentes. Chez les femmes, elles sont souvent liées au cycle menstruel. Ces violentes douleurs, accompagnées de dérangements d'estomac ou d'intestins, forcent ceux qui en souffrent à se mettre au lit dans une chambre obscure.

La cause de ces maux de tête

Presque tous les genres de migraines ont en commun les mêmes dénominateurs.

Leur victime a toujours un caractère complaisant, accommodant, sociable, et aimerait en tout atteindre la perfection. Mais l'être intérieur présente un aspect bien différent !

Comme les migraines sont des douleurs plus typiquement réservées aux femmes, nous allons choisir une femme comme exemple. La « migraineuse » est, en fait, pleine d'animosité cachée et refoulée, de mécontentement, de sentiments de frustration et d'amertume qui ne peuvent trouver d'exutoire, et dont elle admet d'ailleurs à peine l'existence. Elle considère ces sentiments comme tabous et les refoule. On peut comparer son cas à celui d'une marmite à pression : lorsque la pression monte trop, la vapeur s'échappe par une soupape de sécurité. Les migraines représentent précisément cette soupape de sécurité. Lorsque la tension émotionnelle devient trop forte, les douleurs s'installent.

Ces sentiments étant considérés comme interdits et mauvais, le sujet hésite à les éprouver, ce qui entraîne un besoin de punition. Ce but est rempli idéalement par les maux de tête !

Lorsque ces douleurs apparaissent en même temps que la menstruation — et peut-être aussi en certaines autres circonstances — il peut s'agir d'un sentiment de culpabilité relevant d'inhibitions sexuelles. De plus, un côté physique y joue aussi son rôle, avec les modifications endocrines qui surgissent pendant cette période.

Chez une personne qui entend tout faire à la perfection, chaque chose doit être à sa place exacte. Les vêtements doivent être nettoyés et suspendus en bon ordre dans la penderie, les chaussures doivent être soigneusement cirées. Qu'un plat ou une terrine sale reste dans l'évier lui semble inimaginable... Les cendriers doivent être immédiatement vidés, les meubles garder leur place exacte, l'ordre et la propreté la plus méticuleuse doivent régner en maîtres. Si ce n'est pas le cas, ce type de femme se « sent mal dans sa peau » et s'active à vite tout remettre en ordre ! Un tableau qui penche un peu doit immédiatement être remis d'aplomb.

Bien sûr, tout ce travail s'accompagne de mécontentement et d'amertume contre celui — c'est généralement le conjoint — qui trouble ainsi l'ordre et met tout sens dessus dessous. C'est encore là une raison supplémentaire de migraines.

En général, la « migraineuse » nie ce genre de sentiments. En lui expliquant ces facteurs, son médecin traitant ne lui aide pas beaucoup. Il faut cependant qu'elle en prenne conscience. Elle avouera peut-être qu'elle se met parfois en colère — mais rarement — mais pour cela il faut qu'elle soit excitée au plus haut point. Elle n'admettra jamais éprouver de la rage ou de la haine, car ces sentiments lui paraissent inacceptables et honteux.

Les médicaments peuvent aider à supporter les migraines, mais ne les guérissent que très rarement. Souvent le patient sait bien à l'avance qu'un accès se prépare (même si cela se produit pendant son sommeil) et il devrait donc prendre ses médicaments au premier signe avant-coureur du mal. Souvent les médicaments ne servent à rien. D'ailleurs, ils ne soignent que le symptôme et non pas les causes.

Il faut attirer l'attention du patient sur le fait que ses souffrances proviennent d'un énervement refoulé.

Lorsque je traite un cas de migraines par l'hypnose, je provoque un accès en cours de consultation. Evidemment je choisis de faire revivre un léger accès, et non pas de violentes douleurs. Je laisse mon patient éprouver la douleur pendant quelques instants, et je le transfère ensuite au moment où l'accès s'arrête. Cette expérience persuade le patient le plus sceptique que les causes de son mal sont émotionnelles et non pas organiques. Il constate de plus qu'on peut non seulement déclencher les maux de tête, mais aussi les contrôler.

Les migraines peuvent être une caractéristique familiale

Il y a des familles entières qui souffrent de migraines, mais nous ne savons pas avec certitude s'il s'agit de dispositions héréditaires. Il faut en tout cas admettre une tendance constitutionnelle. Un enfant peut aussi, par l'identification, hériter les tendances de ses parents, ou de l'un ou de l'autre. C'est ainsi que « la manie de la perfection » s'apprend en général de ses parents. De même, si sa mère souffre de migraines, l'enfant peut se complaire dans ce climat dramatique.

En essayant de ressembler à sa mère, il suscite l'accès migraineux. Lorsque l'enfant fait preuve d'un tempérament violent, on le punit et on le gronde, lui apprenant ainsi implicitement que la colère et l'animosité sont de « mauvais » sentiments, qu'il vaut mieux refouler.

Ce qui caractérise la femme qui souffre de migraines, c'est le parfait contrôle qu'elle a d'elle-même. Si elle n'arrive pas à modeler son entourage à son image, elle se sent menacée dans ses positions ; elle éprouve aussi une peur panique d'être dépossédée. Mais comme un tabou intérieur l'oblige constamment à surmonter ses tendances, elle ne voit pas d'autre échappatoire que de refouler ses sentiments. C'est un cercle infernal. Elle craindrait le pire, si elle ne se contrôlait plus et se laissait aller...

Cette « manie de la perfection » est une caractéristique du sentiment d'insécurité que l'on éprouve à s'évaluer soi-même. Il provoque un complexe d'infériorité qui, à son tour, ramène aux sentiments d'amertume et de colère.

Pour se sentir à l'abri, ce genre de femme doit tenir son entourage sous sa coupe. Mais comme cet entourage se compose de plusieurs personnes, elle ne peut pas toujours exercer pleinement ce contrôle. Au point de vue nerveux, la « migraineuse » est un être très sensible. Elle prendra par exemple pour elle une remarque d'ordre général et qui ne la concernait en rien. Elle se sent volontiers coupable, dans les causes comme dans les résultats. « Tout est entièrement de ma faute » : voilà une phrase qui la reflète tout entière.

Comment traiter ces maux ?

Pour traiter avec succès la migraine — que ce soit par auto-traitement ou par toute autre méthode — il est absolument indispensable de découvrir ses causes et de corriger certaines des attitudes décrites ci-dessus.

Pour venir à bout de cette « manie de la perfection », je demande souvent à ma patiente : « Croyez-vous que votre mère vous aurait demandé d'agir ainsi, si elle avait su que des maux de tête en résulteraient ? »

Ensuite, je conseille vivement à ma cliente d'abandonner son attitude figée : « Rentrez chez vous et laissez quelque désordre dans votre appartement. Laissez par exemple quelques assiettes sales dans l'évier. Ne rangez plus les choses au fur et à mesure que votre mari les déplace. Laissez-le se déshabiller en laissant tout par terre ! Votre petit appartement peut être en ordre, même si vous n'enlevez pas immédiatement chaque petit « minon » de poussière. Modérez votre tendance à la perfection. Mais n'essayez pas de la refouler. En réalisant à 90 % votre « manie de la perfection », vous faites tout votre devoir. Ne vous fixez plus pour but les 100 % que vous n'arriverez jamais à atteindre. Vous ne faites que développer des sentiments de frustration et de culpabilité. »

Bien des possibilités s'offrent pour donner un exutoire à la colère et à l'hostilité. Il faut absolument que la migraineuse admettre que ces sentiments sont tout à fait normaux. Quand ils apparaissent, il ne faut en aucun cas les refouler, mais leur trouver un échappement.

Une solution acceptable est plus difficile à la femme qu'à l'homme. Elle pourrait aussi s'adonner à un sport ou à des exercices physiques. Si elle n'a pas d'autre solution de rechange, elle devrait tout simplement s'enfermer dans sa chambre, saisir un tape-tapis et se mettre à battre violemment ses oreillers. Elle peut aussi exprimer verbalement sa colère.

Pour un auto-traitement efficace, il faut avoir recours à ces subterfuges ou transferts. Questionnez aussi votre subconscient par le pendule pour savoir, parmi les sept facteurs causatifs, duquel il s'agit. Si vous faites usage de médicaments pour soulager vos douleurs, diminuez-en la dose et, finalement, renoncez-y tout à fait.

Si, dans votre cas, les migraines surviennent pendant les périodes menstruelles ou avant celles-ci, votre gynécologue pourra vous donner des médicaments appropriés, par exemple des diurétiques, qui amélioreront votre état et supprimeront une des causes de vos maux de tête.

Si vos accès présentent une certaine régularité, il existe sans doute quelque lien avec une expérience passée. Vous pouvez vous en assurer en questionnant le subconscient.

Habituellement les patient n'aiment guère qu'on leur fasse revivre un accès précédent, car ils craignent la douleur. Lorsque c'est possible, il vaudrait donc mieux éviter un retour dans le temps.

De toute façon, il est précieux de savoir qu'une migraine peut être suscitée artificiellement et éliminée de même.

Autres maux de tête

Peuvent également provoquer des maux de tête quantité de raisons psychiques ou de causes organiques.

Parmi celles-ci, on pourrait classer : la fatigue, la fatigue des yeux, les maux de tête-excuses servant à éviter une corvée désagréable, etc. Les maux de tête peuvent également accompagner les refroidissements, grippes, états fiévreux, infections, etc. Comme toute douleur, ils peuvent poursuivre un but d'*avertissement*.

Si vous souffrez de maux de tête, souvent et de façon chronique, vous devriez absolument consulter un médecin. Son diagnostic peut vous indiquer qu'un traitement médical est indispensable. Mais même lorsque ces maux de tête ont une cause organique, la suggestion hypnotique peut beaucoup pour les alléger. Ce procédé restera sans résultat si ces maux résultent d'un pressant besoin névrosique.

L'explication physiologique que l'on donne de la plupart des maux de tête est la stagnation du sang dans le tissu cérébral. Mais nous savons que le subconscient peut contrôler la circulation du sang. Des suggestions appropriées peuvent donc supprimer cette stagnation et faire disparaître du même coup les maux de tête. Vous supprimez ainsi le symptôme, plus sûrement encore qu'en absorbant de l'aspirine.

Auto-thérapie d'un mal de tête chronique

Si vous voulez traiter vous-même vos maux de tête chroniques, il vous faut, comme dans toutes les maladies psychosomatiques, découvrir les causes qui les provoquent. Mais ne faites cette recherche que lorsqu'un médecin vous aura affirmé qu'il ne détecte à ces maux aucune cause organique.

Par exemple, il serait de la plus grande inconscience de traiter soi-même des maux de tête provenant d'une tumeur du cerveau, ou de toute autre maladie organique grave.

Cherchez, parmi les sept facteurs causatifs, lequel entre en jeu. Souvent, il s'agit de l'effet de la pensée sur le corps, par exemple : « Ceci me fait mal à la tête », qui suscite cet état. N'importe quelle situation, expérience ou idée désagréable peut provoquer cette pensée et, partant, les maux de tête. Il est probable que vous découvrirez plus d'un des sept facteurs causatifs. Les maux de tête étant très douloureux, il pourrait s'agir aussi d'une auto-punition.

Si vous traitez vos maux de tête par la suggestion, vous formulerez à peu près ceci : « Dans quelques instants, ma tête va commencer à se dégager. Le sang excédentaire va se drainer dans mon corps et diminuer la pression sanguine qui s'exerce sur mon crâne. Je vais bientôt me sentir soulagé et mon mal de tête va disparaître. » Vous devriez répéter deux ou trois fois ces suggestions. Puis concentrez votre attention sur un autre sujet.

Pourquoi John D. souffrait de maux de tête chroniques

John était peintre, il avait 43 ans et souffrait depuis de longs mois de maux de tête chroniques. Leur fréquence et leur intensité ne cessait d'augmenter, et il en souffrait maintenant trois à quatre fois par semaine. Ces maux de tête se produisaient toujours la nuit. Ils étaient parfois si violents qu'il s'éveillait en criant de douleur. On ne put découvrir aucune cause organique à ces maux et les médicaments étaient sans effet sur lui. Un neurologue qu'il avait consulté recommanda une lobotomie (opération du cerveau), pensant que c'était le seul moyen de supprimer ces douleurs. Mais cette opération a parfois pour effet de ramener le patient à la vie végétative. John était si désespéré qu'il était prêt à prendre ce risque, mais son médecin de famille lui conseilla d'essayer d'abord un traitement hypnotique.

Certains maux de tête bien précis débutent toujours la nuit. Mais dans le cas de John D., cette possibilité semblait exclue. En effet, les maux de tête qui commencent la nuit sont l'indication d'une cause psychologique, mais John avait consulté un neurologue, qui devait bien le savoir. John était persuadé, quant à lui, que ces douleurs avaient une cause organique, mais il espérait néanmoins que, par la suggestion, on pourrait les faire disparaître.

Je choisis la méthode du pendule et posai les questions suivantes :

Q. :   Souvent nos sentiments ont des répercussions telles sur notre corps qu'ils provoquent des réactions physiques. Il serait possible que vos maux de tête aient également des causes émotionnelles. Votre subconscient sait si tel est le cas. Cela peut fort bien être aussi autre chose, et nous allons essayer de découvrir quoi.

Vos maux de tête ont-ils une origine émotionnelle ?

R. :   (le pendule oscilla la réponse « oui ». John le regardait avec beaucoup de surprise.) Il dit alors que cela se pouvait bien, que c'était sans doute le cas, si le pendule le prétendait. Il acceptait donc cette hypothèse.

Q. :   Souvent nous nous sentons coupables de nos actes. Ces sentiments de culpabilité peuvent aussi être en corrélation avec certaines de nos pensées. Nous faisons tous des choses que nous regrettons. S'agit-il d'une auto-punition ?

R. :   Oui (pendule).

Q. :   Vous sentez-vous coupable ?

R. :   Oui.

Q. :   Votre sentiment de culpabilité a-t-il une cause définie, ou est-ce seulement quelque sentiment indéterminé ?

R. :   Oui.

Q. :   Vos maux de tête ont commencé voici à peu près un an. Peut-être vos sentiments de culpabilité sont-ils en parallèle avec un événement plus ancien, mais peut-être aussi avec un événement qui s'est produit à peu près à la même époque. L'événement en cause s'est-il produit dans les trois dernières années ?

R. :   Oui.

Q. :   Dans les deux dernières années ?

R. :   Oui.

Q. :   Peu de temps avant le début des douleurs ?

R. :   Oui.

Q. :   Y a-t-il un rapport quelconque avec le sexe ?

R. :   (Le pendule se mit en diagonale, et non pas dans l'une des quatre positions classiques. Cela pouvait signifier « peut-être », ou cela voulait dire que la question était mal posée et ne pouvait recevoir de réponse ni négative ni positive.)

Q. : Sans doute cette question n'était-elle pas claire. Avez-vous fait quelque chose que vous trouvez immoral ?
R. : Oui.
Q. : S'agit-il d'une femme ?
R. : Oui.
Q. : Etait-ce votre femme ?
R. : Non.

Ici John D. me raconta que sa femme était morte quelques mois avant l'apparition des maux de tête et que, depuis lors, il s'était remarié. Ces douleurs avaient débuté peu de temps après son second mariage. Cela me donna une précieuse indication.

Q. : Votre état a-t-il une quelconque relation avec votre femme ?
R. : Oui.
Q. : Racontez-moi brièvement la mort de votre femme.

John me raconta qu'elle avait longtemps souffert d'un cancer du cerveau et qu'elle en était morte. Il avait fait la connaissance de sa femme actuelle environ un an avant la mort de sa première femme. Il eut des relations intimes avec elle. Il trouvait que c'était mal mais, d'un autre côté, il y avait longtemps qu'il n'avait plus pu avoir de relations sexuelles avec sa femme. Il me dit qu'il aimait cette jeune femme et l'avait épousée sept semaines après la mort de sa première femme. Les parents de celle-ci lui en avaient fait le reproche, et il en avait conçu un profond sentiment de culpabilité.

Q. : Les maux de tête sont-ils donc une punition ?
R. : Oui.
Q. : Vous croyez à la vie éternelle après la mort. Si votre première femme sait que vous vous êtes remarié et que vous êtes heureux, si vous pouviez en discuter avec elle, comment pensez-vous qu'elle réagirait ?
R. : Elle m'a dit elle-même que je devais me remarier, mais peut-être pensait-elle que j'attendrais un peu plus longtemps pour le faire. Je pense qu'elle aurait été d'accord.
Q. : Croyez-vous qu'elle aimerait que vous vous punissiez de la sorte ?

R. :   Non (oralement).

Q. :   Vos maux de tête ont-ils encore une autre cause ?

R. :   Oui.

Q. :   Cela est-il aussi en corrélation avec l'auto-punition ?

R. :   Non.

Q. :   Y a-t-il un lien avec une expérience passée ?

R. :   Non.

Q. :   Y a-t-il une corrélation avec votre entourage ?

R. :   Oui.

Q. :   Qu'est-ce qui vous tracasse, dans votre situation actuelle, à côté des maux de tête ?

R. :   (à haute voix) Voilà, je suis à court d'argent. La maladie de ma première femme a fait fondre mes économies. Je gagnais bien ma vie dans ma profession mais, depuis que j'ai ces maux de tête, nombreux ont été les jours où je n'ai pas pu travailler. Le matin, je me retrouvais totalement épuisé. J'ai ainsi manqué de nombreuses occasions de gagner de l'argent. L'état de mes finances m'est vraiment un casse-tête !

Q. :   Au point de provoquer de véritables maux de tête ? Votre subconscient prend-il à la lettre l'expression : « un véritable casse-tête » et provoque-t-il de ce fait vos maux de tête ?

R. :   Oui.

J'expliquai à John la puissance que peut avoir la parole. Puis je l'hypnotisai et lui parlai longuement. Je lui dis que l'état de ses finances allait immédiatement s'améliorer, dès que ses maux de tête auraient cessé. Quand je lui demandai s'il pouvait maintenant se sentir libéré de ses douleurs, puisqu'il en connaissait les causes, il me répondit affirmativement avec les doigts : « oui ».

Tout ceci s'était déroulé lors de la deuxième visite de John. A la troisième séance, il me dit que sa première femme avait souffert de migraines. Ses maux de tête — même si ce n'étaient pas exactement des migraines — représentaient donc une punition justifiée pour sa faute.

Après sa dernière visite, John ne souffrit plus jamais de maux de tête. La clé de sa souffrance se trouvait donc dans la combinaison des facteurs : effet de la parole sur le corps et gros besoin auto-punitif.

RÉSUMÉ :

Avant de vous décider à traiter vous-même vos maux de tête, consultez un médecin. La plupart des maux de tête peuvent être supprimés par la suggestion hypnotique, mais le simple bon sens veut que vous demandiez à votre médecin si ces maux ont quelque origine organique.

Si vous souffrez vous-même de migraines, vous pensez peut-être que les caractéristiques décrites plus haut ne s'appliquent pas à votre cas. Un détail en diffère peut-être totalement, mais certains traits se retrouvent certainement. Si vous êtes dans le doute, questionnez votre subconscient avec le pendule. Peut-être pensez-vous que l'hostilité refoulée est étrangère à votre cas, mais vous vous apercevrez presque certainement qu'elle existe également. Avant tout, vous devez apprendre à considérer ces manifestations émotionnelles comme normales, et non plus comme mauvaises. Cherchez un moyen acceptable de vous libérer de ces sentiments.

L'auto-thérapie vient aussi à bout d'autres types de maux de tête. Recherchez toujours les causes ; les causes variées seront souvent guéries par la simple suggestion sans qu'il soit nécessaire d'en déterminer les origines.

Les douleurs chroniques peuvent également être traitées de cette manière, mais une guérison définitive n'est possible que si vous découvrez les causes de vos maux et modifiez votre comportement émotionnel et mental en conséquence.

Si vous vous inspirez des cas qui sont exposés dans les différents chapitres de ce livre, vous apprendrez rapidement comment on formule les questions pour localiser les causes possibles.

CHAPITRE 15

La clé d'une vie sexuelle plus heureuse

On estime qu'il y a plus de trois millions d'hommes qui souffrent de migraines, à peu près la même quantité de cas d'alcoolisme connus, et à peu près le double qu'on ne connaît pas. Mais en ce qui concerne la vie sexuelle, il est impossible d'évaluer, même très approximativement, les cas de frigidité, d'impotence, d'homosexualité, de perversion et d'inhibitions sexuelles.

Dans le domaine de la gynécologie, on pourrait probablement dire que toutes les femmes, du moins occasionnellement, souffrent de désordres psychiques, par exemple : menstruations douloureuses ou irrégulières, stérilité, pertes, et quantité d'autres maux. Si nous voulions parler ici de tous les cas qui se rapportent à ce domaine, nous dépasserions de beaucoup le cadre de cette étude. Mais tous offrent plus ou moins de similitude et se traitent à peu près de la même façon.

Le Dr Cheek croit que les menstruations difficiles ont toujours une cause psychologique, quel que soit le moment où cette difficulté apparaît, qu'il y ait ou non des causes organiques.

Les crampes menstruelles peuvent avoir pour cause plusieurs de nos sept facteurs, soit : l'auto-punition, l'identification, des conflits sexuels internes, le désir d'éviter des relations sexuelles et surtout le résultat de suggestions.

Le même effet de suggestion se produit pour les vomissements de la grossesse. Dès que des amies savent qu'une femme est enceinte, elles lui demanderont : « Est-ce que tu te sens déjà mal, le matin ? » La plupart des femmes s'attendent à éprouver ce désagrément. Or ce n'est pas parce que le système endocrinien est perturbé par la grossesse que les nausées doivent se produire : en réalité, elles ne sont pas comprises dans ce processus. Chez les femmes des tribus primitives, ce désagrément est presque inconnu.

Les cas simples peuvent être guéris habituellement par la simple suggestion, dès que la patiente a compris que son cas n'est que le résultat de suggestions.

Les causes des périodes douloureuses de Ruth

Le cas le plus grave de crampes menstruelles qu'il m'ait été donné de rencontrer — à moi et au médecin qui la soignait — fut celui de Ruth R., 28 ans, mariée à un homme dont le frère jumeau lui ressemblait en tous points. Le médecin traitant avait eu recours à la morphine, pour atténuer ses fortes douleurs, mais malgré cela elle continuait à avoir des règles très douloureuses et devait chaque fois garder le lit un ou deux jours.

Ruth se souvenait très bien, lors de ses premières règles, avoir entendu parler des crampes de la menstruation ; ses périodes étaient, à l'époque, toujours accompagnées de légères douleurs. Avec l'âge, cet état empira. Un questionnaire idéo-moteur en découvrit les causes. Le voici :

Q : Votre état a-t-il encore d'autres causes que celles qui vous ont été suggérées et auxquelles vous vous attendiez ?

R. : Oui (avec les doigts).

Q. : S'agit-il d'un conflit intérieur au sujet des relations sexuelles ?

R. : Non.

Q. : Vous identifiez-vous à quelqu'un qui souffrait de ces crampes ?

R. : Non.

Q. : Vos crampes ont-elles une relation avec un ou plusieurs événements antérieurs ?

R. : Oui.

Q. : S'agit-il de plus d'un incident ?

R. : Non.

Q. : Avant que vous ayez 20 ans ?

R. : Non.

Q. : Quand cela est-il arrivé ? Etait-ce avant que vous ayez 15 ans ?

R. : Non.

Q. : Est-ce que c'était entre 18 et 20 ans ?

R. : Oui.

Q. : Aviez-vous 18 ans ?

R. : Non.

Q. : 19 ans ?

R. : Oui.

Q. : Est-ce que c'était une expérience sexuelle ?

R. : (oralement) Oui, maintenant je sais ce que c'était. A 19 ans, j'ai eu ma première aventure amoureuse. Je me sentais terriblement coupable de ces rapports, mais je continuai, car j'étais très amoureuse de ce garçon. Après l'avoir fréquenté pendant sept mois environ, je n'eus pas mes périodes. Une semaine se passa ainsi et je commençai à avoir terriblement peur. J'étais certaine que quelque chose s'était passé. Un soir, je me mis à genoux et suppliai Dieu de m'envoyer mes règles. Je lui dis que cela m'était égal d'avoir très mal, mais qu'il devait m'aider et faire en sorte que je ne fusse pas enceinte.

Le matin suivant, elle eut ses règles. A dater de ce jour, ses menstrues furent toujours accompagnées de fortes douleurs. Quand je lui demandai si vraiment elle croyait qu'il y avait eu miracle, elle secoua la tête en souriant. Je lui fis alors remarquer qu'elle n'avait pas du tout été enceinte et que son pacte avec Dieu était sans objet. Je la questionnai par la méthode des réponses « idéo-motrices » pour savoir si, maintenant, elle pourrait se libérer de ses douleurs menstruelles, si elle ne s'était pas suffisamment punie. La réponse fut oui.

Ruth — *une année plus tard*

Environ une année plus tard, Ruth revint me consulter. Elle n'avait plus jamais eu d'ennuis jusqu'à ses dernières règles, qui avaient à nouveau été très douloureuses. Je lui demandai si elle avait quelque chose sur la conscience qui lui donnait un sentiment de culpabilité. Elle le nia. « Moi aussi, j'ai envisagé cette possibilité, me dit-elle, mais je ne puis me souvenir de rien. »

Pourtant le questionnaire idéo-moteur livra une histoire bien différente :

Q. : **Vous punissez-vous à nouveau ?**

R. : Oui.

Q. : Avez-vous fait quelque chose de défendu ?
R. : Oui.

Q. : Avez-vous été infidèle à votre mari ?
R. : Oui.

Q. : Vous sentez-vous coupable ?
R. : Oui.

Q. : Cela se rapporte-t-il au domaine sexuel ?
R. : Oui.

Q. : Quelque chose doit s'être passé. Cela s'est-il produit peu
avant vos dernières règles ?
R. : Non.

Je lui suggérai alors (elle était sous hypnose) que la raison lui en apparaîtrait subitement.

« Oh, me dit-elle tout à coup, ce doit être cette histoire avec mon » beau-frère. Mais oui, c'est ça. Il a souvent fait des tentatives de » rapprochement, mais je ne voulais rien avoir à faire avec lui, et » je le lui dis. Mais une nuit, alors que j'avais des relations sexuelles » avec mon mari, il me sembla qu'il serait intéressant de m'imaginer » que c'était son frère. Je n'avais pas de sentiment de culpabilité, » puisque ce n'était pas vrai. » (Elle essayait de tranquilliser sa conscience avec des arguments logiques.)

Elle n'avait évidemment commis aucune faute réelle, mais son subconscient estima que cette expérience était coupable et nécessitait une punition : c'est pourquoi ses crampes la reprirent. Quand elle l'eut admis et eut pris la décision de ne plus se laisser aller à des imaginations fantaisistes, ses douleurs disparurent d'elles-mêmes.

Beaucoup d'autres cas de menstruations douloureuses ont également une base émotionnelle. Des périodes rapprochées pourraient être un moyen d'éviter les relations sexuelles. Cheek détermine un renoncement à sa propre féminité dans la stérilité, les pertes répétées, l'atrophie du vagin, la vaginite et la frigidité.

La femme frigide et l'homme impuissant

Tous les problèmes sexuels, pris à leur source, sont le fait d'inhibitions, de pensées confuses et coupables et de craintes. La peur est la plus destructrice des émotions. Elle nous est donnée par la nature pour nous protéger et nous préserver mais, par une confusion de pensées, elle atteint des fins contraires et nous apporte le malheur, la maladie et même la mort. Le but principal d'un traitement psychothérapique consiste précisément à nous libérer de nos craintes infondées.

Aujourd'hui encore, la plupart des enfants grandissent sans recevoir d'explications exactes sur la sexualité. Je crois que seul l'Etat d'Orégon prévoit dans les écoles des cours appropriés. Les parents éprouvent tant de honte qu'ils n'arrivent pas à donner des explications claires. Lorsqu'une jeune fille n'a jamais entendu parler auparavant de la menstruation, ses premières périodes, avec la perte de sang qu'elles comportent, seront pour elle une expérience effrayante — et c'est bien ce qui arrive souvent.

Comme on insuffle à l'enfant l'idée que le sexe est mauvais et sale et qu'une jeune fille digne de ce nom ne doit jamais se laisser toucher par un garçon, il n'est pas étonnant du tout qu'il y ait autant de femmes frigides. D'après les statistiques, sur trois femmes, la troisième est partiellement ou entièrement frigide.

La sexualité est si souvent considérée comme amorale que la signification du mot prend presque toujours un sens péjoratif. On finit par faire de « moral » l'antonyme de « sexuel ». Cette expression désigne pourtant plusieurs caractéristiques et modes de comportement et, dans son sens général comme dans son sens particulier, elle ne se rapporte pas uniquement au domaine sexuel.

Tous les enfants éprouvent un intérêt normal pour leur corps et veulent donc aussi savoir pourquoi l'autre sexe est différent. Mais dès qu'un enfant forme le projet d'en examiner un autre pour constater ces différences, il s'attire généralement les foudres de ses parents et il est sévèrement puni. La sexualité fait l'objet d'un tabou, et on la considère comme mauvaise et dangereuse dans son essence. Devenu adulte, l'enfant peut corriger son point de vue moral concernant la sexualité, mais son subconscient persistera à considérer que le sexe est « mauvais ». Si le concept est fortement enraciné, le mariage n'y change rien. Aujourd'hui, même dans la bonne société, il est possible d'aborder le sujet de la sexualité. Voici quelques années, cette attitude aurait été inconcevable et aurait témoigné d'un manque de tact grossier. Mais aujourd'hui encore, le terme « masturbation » demeure tabou, bien que nous ayons abandonné un peu de notre puritanisme. Sur ce thème, nous nous conformons à la politique de l'autruche. Le concept de masturbation est considéré comme mauvais et pervers. Les sentiments de culpabilité qu'il soulève et les idées fausses qu'on se fait de ses effets sont pour beaucoup dans les difficultés sexuelles.

Elle croyait qu'elle avait perdu la raison

Une jeune fille de 21 ans, que nous appellerons Hélène, alla voir un psychiatre. Elle était très nerveuse et troublée. A la suite de ses difficultés émotionnelles, elle avait abandonné son emploi de secrétaire. Elle assura au psychiatre qu'elle était mûre pour un établissement psychiatrique, et lui demanda de la faire interner. Quand il lui en demanda la raison, elle se buta et dit qu'elle avait l'esprit dérangé. Il essaya en vain de la tranquilliser et, comme il était très occupé, il me l'envoya.

L'explication apparut bien vite. A l'âge de 10 ans, sa mère l'avait surprise en train de se masturber et l'avait sévèrement punie. Elle dit à sa fille combien ce « mauvais emploi » de soi était abominable, et elle l'envoya chez leur médecin de famille. Les médecins ne sont pas tous des puits de science dans ce domaine, et eux aussi peuvent se faire des idées fausses sur la sexualité. Ce médecin, dans lequel elle voyait une personne respectable et une autorité en la matière, lui dit que si elle n'abandonnait pas immédiatement cette habitude, elle perdrait la raison quand elle serait grande. C'est là une idée largement répandue, mais qui ne repose en fait sur aucune base sérieuse.

Comme Hélène avait de forts besoins sexuels, elle continua à se masturber, mais en éprouvant une crainte très violente et un vif sentiment de culpabilité.

Et maintenant, elle avait 21 ans, elle était donc adulte. Son médecin de famille l'avait assurée qu'elle deviendrait folle, si elle n'abandonnait pas ses pratiques, et cette idée ne la quittait plus. Le trouble de son comportement et son excitation confirmaient ce qu'il avait dit. Elle devait donc bien avoir perdu la raison.

Quand on lui eut expliqué de façon précise de quoi il s'agissait en réalité, elle se sentit très soulagée. Elle avait eu des amis, mais la crainte qui l'habitait l'avait empêchée d'avoir des relations avec eux ou de tomber amoureuse et de se marier.

Six mois plus tard, elle me téléphona pour me dire qu'elle venait de se marier et qu'elle était très heureuse.

Le traitement des problèmes sexuels

Pour traiter les problèmes sexuels, il est à conseiller de faire lire par le sujet un bon livre sur la sexualité et le mariage. Un couple devrait lire ce livre, chacun pour soi, et discuter ouvertement des différentes questions qui se posent. C'est le meilleur moyen d'éviter des idées fausses et des inhibitions.

La masturbation est un comportement naturel, si l'occasion manque de satisfaire autrement les besoins sexuels. Tous les animaux qui vivent en captivité, même les oiseaux, se masturbent lorsqu'ils n'ont pas de partenaire, à certaines périodes de l'année. Ils n'éprouvent évidemment aucun sentiment de culpabilité. Celui-ci n'est qu'un réflexe conditionné, qui se produit uniquement dans la race humaine. Dans le monde des animaux, la femelle ne s'intéresse à la sexualité que pendant son ovulation et ne permet aucun rapprochement à d'autres moments. Chez les hommes, tel n'est pas le cas. Il est évident que la Nature a voulu que la femme puisse jouir n'importe quand de sa vie amoureuse. La crainte et les inhibitions vont donc à l'encontre du dessein de la Nature.

Certaines femmes frigides éprouvent un recul devant l'acte sexuel et ne se donnent que par devoir. D'autres trouvent les relations sexuelles très agréables, mais n'atteignent jamais l'orgasme. Un troisième groupe y parvient parfois, mais rarement. Certaines rêvent à l'amour sexuel et atteignent l'orgasme, mais seulement en rêve.

Les hommes, eux aussi, éprouvent des difficultés sexuelles

Souvent la difficulté n'émane pas de la femme, mais c'est l'ignorance de l'homme ou ses inhibitions qui en sont responsables. La femme n'est pas frigide de fait, mais n'est pas stimulée comme elle le devrait. La plupart des hommes se considèrent comme de grands amoureux, sexuellement parlant. Mais dans la plupart des cas, les faits contredisent cette flatteuse opinion. La plupart se contentent d'un jeu amoureux très bref avant l'amour, si bien que l'acte sexuel est accompli en quelques instants et comme la femme a besoin d'un moment d'incitation pour se sentir excitée sexuellement, elle n'atteint jamais l'orgasme. La plupart des hommes, qui atteignent trop vite ce point culminant, trouvent ce comportement féminin tout à fait normal. Ils seraient très étonnés si on leur disait que c'est là une forme d'impotence. Si l'homme arrive à contenir cet orgasme prématuré, il verra que la femme qui semblait frigide aura une réaction tout à fait normale. Trop souvent les hommes prennent pour mesure de leur compétence la fréquence de leurs relations sexuelles — ils remplacent la qualité par la quantité.

Chez les hommes, les Casanova, les don Juan, les coureurs de jupon, toujours à l'affût de nouvelles conquêtes, se vantent de leurs exploits féminins et y voient la preuve de leur forte masculinité. En réalité, ces hommes-là cachent, bien refoulé, un doute secret de leur force. Ils doivent donc continuellement se prouver à eux-mêmes leur puissance sexuelle, sans vraiment parvenir à chasser ce doute. Le rapport Kinsey montre que la durée moyenne de l'acte sexuel, en Amérique, se situe entre 5 et 10 minutes. Des recherches semblables faites en France indiquent une durée moyenne de plus d'une demi-heure. Lorsqu'on dit que les gens du Sud sont de bons amoureux, on voit donc que ce n'est pas une légende.

Dans le domaine sexuel, les hommes ont généralement moins d'inhibitions que les femmes ; pourtant, dans leur enfance, on leur a également inculqué que la sexualité était mauvaise et pervertie. Il est possible qu'on leur ait dit aussi que la masturbation conduisait plus tard à l'impuissance. Cette idée est largement admise, quoi qu'elle n'ait aucun fondement. A elle seule, elle suffirait comme suggestion qui pourrait, effectivement, conduire à l'impuissance. Le « complexe de castration », qui fait partie des théories de Freud, peut aussi jouer un rôle dans l'impuissance. Les disciples de Freud croient que tous les garçons, et certaines filles également, éprouvent ce complexe pendant un certain temps, dans leur enfance. Normalement il disparaît après un certain temps, mais il peut arriver qu'il subsiste chez des adultes.

Le terme « castration » est impropre car, en fait, il s'agit d'une crainte que le sexe puisse être blessé. Un garçon que l'on surprend à se masturber peut recevoir l'avertissement suivant : « Si tu recommences, je te coupe tout ça ». Une remarque de ce genre peut produire le complexe en question. Dans certains cas, le garçon éprouve aussi la crainte d'abîmer ses organes sexuels en faisant l'amour.

Les hommes comme les femmes ont tendance, de temps à autre, à voir dans leur partenaire le symbole de leur père ou de leur mère. Inconsciemment les hommes cherchent souvent une femme qui corresponde au type de leur mère, et les femmes cherchent un père. Lorsque l'époux ou l'épouse identifie inconsciemment son partenaire à l'un de ses parents, l'acte sexuel prend un caractère incestueux. Ni l'homme ni la femme n'en est conscient, mais on trouve là un facteur important de frigidité ou d'impuissance.

Inhibitions sexuelles et leurs causes

J'eus une fois à traiter un cas vraiment exceptionnel. Il s'agissait d'un jeune athlète qui avait épousé une fille ravissante, pleine de sex-appeal. En trois ans de mariage, ils n'avaient eu que six rapports sexuels. Ce qui était plus curieux encore, c'est que ce jeune homme avait de violents appétits sexuels et que, physiquement, il était manifestement construit pour les satisfaire. Pourtant il n'arrivait que bien rarement à approcher sa femme. Il n'était pas impuissant, mais entièrement « bloqué » mentalement, en face de l'acte sexuel. Le questionnaire que je lui fis subir — au moyen du pendule — révéla les faits suivants :

Q. : Eprouvez-vous quelque crainte qui vous éloigne de l'acte sexuel?
R. : Non.
Q. : Peut-être considérez-vous que la sexualité est sale et mauvaise?
R. : Oui.
Q. : Vos difficultés ont elles encore une autre cause ?
R. : Oui.
Q. : Y a-t-il une relation avec un événement passé ?
R. : Non.
Q. : Avez-vous tendance à comparer votre femme à votre mère ? Représente-t-elle pour vous une personnification maternelle ?
R. : Oui.

Le jeune homme raconta que sa mère était morte quand il était encore petit et que c'était une tante qui l'avait élevé. Sa femme ressemblait à cette tante sous bien des rapports.

Q. : Est-ce que l'acte sexuel vous paraît un péché parce que vous voyez dans votre femme une remplaçante de votre tante ?

R. : Oui.

Quand je lui demandai de vive voix pourquoi il voyait dans la sexualité une manifestation mauvaise et sale, il me répondit qu'il admirait et respectait beaucoup sa femme. Il lui semblait dégradant, pour une personne aussi fine, de devoir se soumettre aux relations sexuelles. Il la désirait, mais il avait l'impression qu'il la souillait et la dépréciait ; les femmes convenables ne doivent pas éprouver d'intérêt sexuel. Une situation tout à fait inhabituelle en était résultée. Chez les femmes, les difficultés sexuelles peuvent provoquer un rejet de leur propre féminité, mais sans penchant vers l'homosexualité. L'envie qu'elles éprouvent pour les avantages réservés dans le monde aux hommes peut provoquer un blocage de l'influx sexuel normal. Un profond ressentiment latent envers les hommes peut exister, ou une crainte de ce qu'ils sont, ce qui agit comme facteur de frigidité. Ce facteur se retourne ensuite contre l'homme — ou les hommes — et devient un moyen d'exercer une vengeance.

La peur et le ressentiment peuvent provenir d'un rejet passé, réel ou imaginaire, soit de la part du père, soit lors d'un amour non partagé. On remarque une autre cause de ressentiment chez les filles jolies qui ont constamment dû faire opposition aux avances sexuelles des hommes. Telle fille dira : « Tous les hommes ne sont que des animaux. La seule chose qui les intéresse, c'est le sexe ! »

Souvent l'impuissance ou la frigidité n'existent qu'envers le partenaire habituel. Avec d'autres, la capacité amoureuse restera entière. Ici, ce sont les relations personnelles entre l'homme et la femme qui sont en cause. Peut-être un certain ressentiment s'y fait-il jour, et on pourrait y détecter aussi le fait qu'en prenant de l'âge on devient moins attrayant. La proximité constante et l'habitude que l'on a de son partenaire peuvent aussi refroidir le désir. Mais si l'intérêt est éveillé par quelqu'un d'autre, un changement total d'attitude survient. Par exemple, lorsqu'un homme a des relations sexuelles avec une fille plus jeune et plus jolie que sa femme, son désir sexuel s'en trouve considérablement augmenté et l'impuissance disparaît.

L'élément d'expectative et de doute, lié à la loi du résultat inversé, jouent un grand rôle dans le blocage sexuel. Lorsqu'un homme n'arrive pas à l'érection et à l'orgasme, il retire une impression d'échec de cette expérience, et celle-ci se reproduira lorsqu'il essayera de se contraindre, mais sans succès.

Comment parvenir à un équilibre émotionnel ?

Les hommes comme les femmes trouvent très difficile de se maintenir en état d'équilibre émotionnel. Souvent la fatigue, les soucis ou une autre émotion mineure peuvent provoquer des difficultés qui ne sont que temporaires. Presque tout le monde l'a éprouvé. Mais si l'homme n'arrive pas à découvrir les raisons de son échec, il est bien possible que sa crainte devant d'autres relations sexuelles provoque un blocage. L'impuissance devient alors chronique.

Après la dernière guerre mondiale, un jeune officier de marine se trouva libéré du service militaire. Il était marié, mais pendant les deux ans de service qu'il avait faits dans le Pacifique, il avait eu des relations sexuelles avec une garde-malade et en éprouvait de vifs remords. Il se réjouissait de reprendre la vie commune avec sa femme. Une fois chez lui, il fut fort étonné de constater qu'il était totalement impuissant. Il avait fait un long voyage, il se sentait fatigué et épuisé, mais il pensait qu'après une si longue absence, il se devait, dès la première nuit, « d'honorer son épouse »... Comme il n'y parvenait pas, il se décida, réellement alarmé, à consulter un psychologue. Les causes étant faciles à détecter, ces difficultés disparurent rapidement.

On lui expliqua qu'il fallait mettre son impuissance de la première nuit sur le compte de la fatigue. Ses sentiments de culpabilité et d'auto-punition y jouaient aussi un rôle. On l'engagea vivement à confesser à sa femme l'adultère qu'il avait commis. Ce conseil ne lui aurait d'ailleurs pas été donné si sa femme n'avait pas eu une forte personnalité et ne l'avait pas aimé. Elle lui pardonna, et ses difficultés disparurent pour toujours.

L'âge et la vigueur sexuelle

On admet généralement que l'âge amène une nette diminution de la vigueur sexuelle. Cela peut être le cas, sous certains rapports ; mais la diminution des appétits sexuels avec l'âge est beaucoup plus faible qu'on ne le pense. Il est évident que si l'on s'attend à cette diminution, elle se produira. Et pourtant, il y a beaucoup de vieillards de 80 ans qui sont toujours pleins de vigueur sexuelle.

La boutade : « Tout ça n'est que de l'imagination » est donc partiellement vraie. Dans un questionnaire sur le sexe, on demanda à un homme de 82 ans quelle fréquence présentaient ses relations sexuelles. Il répondit : « Mais, chaque nuit, n'en va-t-il pas de même pour tout le monde ? » Il aurait certainement mérité une médaille d'or ! ! !

Une technique pour l'homme impuissant

L'impuissance et la frigidité ne sont pas des manifestations profondément enracinées et, de ce fait, on peut facilement y remédier, quand on en connaît les causes.

Volpe recommande une excellente technique pour l'homme impuissant. On peut en appliquer également le principe à la femme frigide.

Il faut d'abord s'assurer la collaboration de la femme, dont le rôle n'est pas simple. On conseille à l'homme de se livrer à un long jeu amoureux avec sa femme, étant convenu dès l'abord que ce jeu n'aboutira pas à des relations sexuelles. L'homme doit arriver à l'érection, mais se retenir d'aboutir, même s'il y est prêt. C'est là un pacte avec le subconscient : je peux jouir de mon sexe jusqu'à un point déterminé d'avance, mais je n'irai pas plus loin.

Dès que le subconscient a compris et que l'idée qu'il n'y aurait pas d'aboutissement s'est bien enracinée, les inhibitions disparaissent.

Cet exercice doit être répété plusieurs fois. A chaque fois, l'homme sent augmenter ses désirs. Finalement il est autorisé à s'y livrer. A chaque fois, sa crainte a diminué et la glace est brisée.

Cette méthode devrait également être utilisée avec une femme qui n'arrive pas à l'orgasme. Peu de femmes savent que les muscles du vagin peuvent être contrôlés consciemment et contractés. Le

Dr Arnold Kegel a découvert qu'en enseignant le contrôle musculaire et sa pratique pendant les relations sexuelles, s'il ne s'agit que de causes superficielles, on mettra souvent fin à la frigidité.

L'homosexualité, les perversions sexuelles et certaines autres anomalies ne peuvent pas être l'objet d'un auto-traitement. Nous n'en discuterons donc pas ici. Leur traitement devrait être confié à un psychothérapeute averti. Toutes ces dépravations peuvent être corrigées, si le patient le désire vraiment. Mais bien souvent, tel n'est pas le cas.

RÉSUMÉ :

Mes lectrices ont sans doute maintenant une compréhension exacte des raisons des règles douloureuses. Si elles ont toujours souffert de crampes, sans raison organique, elles devraient arriver à se traiter sans grande difficulté avec les méthodes d'auto-thérapie mises à leur disposition. Voyez s'il s'agit d'effets de suggestion et, si oui, mettez-vous en hypnose et suscitez des suggestions contraires. Voyez aussi si des sentiments de culpabilité ou d'auto-punition jouent leur rôle.

Le point majeur de l'auto-traitement consiste à corriger les idées fausses que l'on se fait de la sexualité. Recherchez si, toute jeune, vous avez eu des expériences sexuelles, peut-être des contacts avec d'autres enfants, ou même avec des adultes, et dont le souvenir vous a échappé. Ressentez-vous quelque crainte cachée ? Si oui, établissez bien de quel genre de crainte il s'agit. Pensez que la Nature a voulu que les relations sexuelles soient une joie. Recherchez les raisons d'éventuels sentiments de culpabilité. Est-ce que la masturbation y a part ? Avez-vous peur d'être enceinte ?

Pour l'homme impuissant, il faudrait procéder de même. L'homme, comme la femme, peut identifier son partenaire avec son parent de sexe opposé. A mon avis, ceci se produit plus souvent chez les hommes que chez les femmes. Ils ont inconsciemment tendance à faire de leur femme une personnalisation maternelle. Un facteur très important dans l'impuissance, c'est la crainte qu'elle ne soit durable, sur la foi d'expériences ratées précédemment.

Presque personne n'est à l'abri d'une défaillance passagère, quelle qu'en soit la raison — en général le surcroît de fatigue —. Des sentiments de culpabilité éprouvés à la suite d'un adultère peuvent aussi conduire à l'impuissance, comme moyen auto-punitif.

La plupart des hommes sont très ennuyés lorsque cela leur arrive, mais ils se rendent compte que c'est une expérience que chacun peut faire et qu'elle n'est pas d'une grande importance.

Si l'on s'en alarme trop, la crainte que ce fait ne se reproduise surgit, et cette crainte possède une force suggestive qui, réellement, produit cet effet ! Défaites-vous de cette attente angoissée — la boutade « Et après ?... » peut vous aider.

Dans cette situation, Wolpe recommande une excellente technique. Dites à votre femme ce qu'il en est, demandez-lui son aide et livrez-vous avec elle à un long jeu amoureux, mais sans aboutir à l'acte sexuel. Même si vous vous sentez apte à l'accomplir, il faut y renoncer pour débuter. Utilisez cette technique trois ou quatre fois, ou même plus, jusqu'à ce que vous vous sentiez sûr de retirer de cet acte pleine satisfaction.

CHAPITRE 16

Comment se dominer et se libérer de ses allergies

L'une des maladies psychosomatiques les plus répandues dont l'humanité ait à souffrir, c'est le rhume. L'expression « les plus répandues » est ici bien à sa place. Il y a plus d'heures de travail perdues à cause du rhume que pour toute autre maladie. Rares sont d'ailleurs ceux qui n'ont pas le rhume, de temps à autre.

Malgré toutes les recherches faites pour vaincre le rhume, cette maladie reste un secret pour la science médicale. Ses symptômes sont identiques à ceux de la grippe et de quelques autres maladies. C'est ce qui a fait naître la théorie que le rhume est provoqué par un virus, ce qui rend malheureusement cette maladie très contagieuse. Il semble qu'il y ait différentes sortes de rhumes, dont certains sont en effet provoqués par un virus.

A l'examen, certaines croyances populaires concernant le rhume se sont révélées fausses. Les pieds mouillés, un courant d'air, un sentiment de froid ou des frissons ne provoquent pas nécessairement un rhume — mais si vous y croyez, vous pouvez susciter ce résultat ! Par contre, une forte excitation émotionnelle peut, elle, provoquer un rhume. Lorsqu'un enfant fait des colères ou qu'il s'énerve, son nez ne tarde pas à couler. Peut-être ce symptôme est-il une imitation des pleurs.

La toux, les sinus enflammés, le nez qui coule, les glaires qu'on expectore peuvent être une tentative de débarrasser le corps de quelque chose, comme c'est le cas pour les vomissements.

Bien des rhumes servent en fait à nous éviter quelque corvée désagréable... Un rhume peut empêcher l'enfant d'aller à l'école, un adulte y trouvera motif d'éviter une activité qu'il n'aime pas : il peut encore servir d'alibi dans quelque situation désagréable.

Le rhume peut également être le moyen d'exprimer une émotion, par exemple il peut être un signe de mécontentement ou de compassion pour soi-même.

La sinusite, l'inflammation chronique du nez et des voies respiratoires, le rhume des foins présentent une similitude de symptômes et peuvent être le reflet d'un état émotionnel bien précis.

De nombreux malades demandent l'aide d'un psychothérapeute lorsqu'ils souffrent d'un violent rhume. Si, lors du traitement, on pousse les investigations vers les motifs inconscients ou les causes de ce rhume, il arrive que le patient soit immédiatement guéri et rentre chez lui débarrassé de son rhume. Dans ce cas, il ne peut être question d'une maladie à virus.

L'allergie et ses causes

Toute la question de l'allergie est aussi mystérieuse que la cause du rhume. On peut présenter une sensibilité et une réaction au pollen, à la poussière, à presque n'importe quel facteur, voire même — dans certains cas très rares — à un être humain. En Angleterre, un mariage fut dissous parce que la femme ressentait une allergie pour son mari qui, à chaque contact, se traduisait par une poussée éruptive !

Mais pourquoi sommes-nous si sensibilisés à certaines choses ? Les animaux domestiques peuvent souffrir d'allergies similaires à celles que leurs maîtres éprouvent. Par contre, je me suis laissé dire que, chez les animaux sauvages, on n'avait jamais noté la moindre allergie. Ceci tendrait à prouver que les réactions allergiques sont un produit de la vie moderne, un résultat de notre tension nerveuse, qui se traduit par un malaise physique.

Pour bien en montrer la signification psychologique, on raconte souvent l'histoire de l'homme qui était allergique aux roses. Celui-ci, dès qu'il voyait une rose, se mettait à éternuer, ses yeux à couler, et un accès d'allergie se déclarait. Un jour, il entra dans une chambre où se trouvait un beau bouquet de roses, fit aussitôt son accès d'allergie... qui disparut bien vite quand il sut qu'il s'agissait en fait de roses artificielles !

Réaction allergique à des roses imaginaires...

Lors d'un cours fait sur l'hypnose à un Séminaire groupant des médecins, dentistes et psychologues, le directeur mit en hypnose tout le groupe qui assistait à cette conférence.

Ensuite, il demanda à ses étudiants de fermer les yeux et de s'imaginer qu'ils avaient devant eux, sur leur table, un vase. Puis de mettre dans le vase une rose jaune imaginaire, de la contempler et de respirer son parfum. Un des médecins de l'assistance se mit aussitôt à éternuer et à renifler, puis à étouffer. Il ouvrit les yeux, se leva en hâte et quitta la salle. Mais bientôt il revint et on lui demanda de gagner le podium et de se prêter à une expérience pour le traitement d'une allergie. Il exprima son étonnement d'avoir réagi à une rose jaune imaginaire... On lui expliqua la méthode du pendule et le questionnaire se déroula comme suit :

Q. : Votre réaction allergique à une rose a-t-elle une cause ? Pouvons-nous apprendre quelle est cette cause ?
R. : Oui (mouvement du pendule).
Q. : Etes-vous allergique à toutes les roses ?
R. : Non.
Q. : Seulement aux roses jaunes ?
R. : Oui.
Q. : Dans ce cas, il s'agit sans doute d'une association d'idée avec une expérience passée. Est-ce bien le cas ?
R. : Oui.
Q. : Plus d'un événement est-il en cause ?
R. : Non.
Q. : Quel âge aviez-vous lorsque cet événement se produisit ? Moins de 15 ans ?
R. : Oui.
Q. : Moins de 5 ans.
R. : Non.
Q. : Moins de 10 ans ?
R. : Non.

En continuant à poser les questions, on détermina l'âge de 10 ans.

Q. : S'agit-il d'un événement effrayant ?
R. : Oui.
Q. : Quelqu'un d'autre était-il présent ?
R. : Non.
Q. : Où cela se produisit-il ? En vacances ?

R. : Oui.
Q. : Chez vous, à la maison ?
R. : Non.
Q. : A l'école ?
R. : Non.

En continuant le questionnaire, on détermina que cet événement avait eu lieu dans la ferme du grand-père.

Le Dr N. fut alors hypnotisé et prié de remonter le temps jusqu'à ce moment. Il chevauchait un cheval à cru, mais l'animal avait pris peur et l'avait renversé dans une plate-bande de roses jaunes. Les épines l'avaient lacéré, spécialement au visage, et le sang et la douleur l'avaient effrayé. Il avait ensuite repris le cheval, s'était juché sur lui, tandis que l'animal mangeait quelques-unes de ces roses jaunes. Le Dr N. cuillit une rose et en mangea les pétales, voulant savoir s'ils avaient bon goût, puisque son cheval semblait les aimer.

Lorsqu'il atteignit la ferme, la réaction vint et il se mit à vomir. Il pleurait et son nez coulait.

Une fois l'histoire racontée, les réponses données par la méthode « idéo-motrice » prouvèrent que cette allergie n'avait pas eu d'autres causes. La vue de roses jaunes provoquait immédiatement en lui un accès d'allergie.

On lui demanda alors si, maintenant qu'il en connaissant les raisons, il serait libéré de son allergie. La réponse fut « oui ».

A peine avait-il fait cette réponse qu'un des médecins présents quitta la pièce et revint bientôt avec une rose jaune, qu'il avait été acheter chez la fleuriste. On pria le sujet allergique de la respirer, ce qu'il fit avec beaucoup de prudence. A son grand étonnement, aucune réaction ne se produisit.

Le lendemain matin, le Dr N. raconta qu'il avait fait une expérience intéressante le soir précédent. Depuis des années, il souffrait de claustrophobie, et il était pris d'une peur panique dès qu'il se trouvait enfermé dans un lieu clos, par exemple un ascenseur.

Comme le traitement réussi de son allergie ne quittait pas sa mémoire, il décida d'essayer le soir même de trouver, par le même moyen, les causes de cette claustrophobie. Il apprit ainsi qu'à l'âge de 5 ans, une de ses tantes l'avait puni et enfermé dans un endroit sombre, où il avait eu très peur : il cria fébrilement jusqu'à ce qu'on le sortît de là. Le D\u02b3 N. avait oublié cet incident, mais il s'en souvint lorsque le pendule attira son attention sur ce fait. Comme son allergie avait disparu dès que ses causes étaient apparues, il pensa que sa claustrophobie pouvait bien être guérie de la même manière. Il quitta donc sa chambre d'hôtel, appela l'ascenseur, monta et descendit plusieurs fois sans éprouver la moindre crainte ou le moindre malaise.

Notre mémoire ou notre conscience peut ignorer tout à fait ce qui provoque une allergie, une phobie ou tout autre malaise. Le subconscient, par contre, sait exactement quand et à partir de quoi elle a surgi.

Parfois il arrive qu'une résistance inconsciente empêche d'en faire apparaître rapidement les causes, et tout n'est pas toujours aussi facile que dans les cas mentionnés ici. On peut les découvrir par d'autres méthodes, telle l'Association libre, mais cela prend un temps considérablement plus long.

Vous trouverez, dans les exemples ci-après, la formulation qu'il faut adopter pour poser les questions, et vous pourrez l'adapter à votre cas particulier.

Elle toussotait continuellement

Le rêve de Charlotte avait toujours été d'être une grande chanteuse et, dès sa jeunesse, elle avait fait des études de chant. On lui fit entrevoir une carrière marquante. Lorsque je fis sa connaissance, elle avait 35 ans, elle était amère et morose et son travail ne la satisfaisait pas du tout. Sa carrière n'était plus qu'un souvenir. A l'âge de 22 ans, elle s'était mise à toussoter continuellement. On n'avait pu en découvrir aucune cause organique, et aucun traitement ne la libéra. Son état était devenu chronique, elle ne s'était jamais mariée.

Le seul souhait de Charlotte, c'était que l'hypnose pût la soulager. Quelqu'un avait attiré son attention sur cette solution. Elle s'attendait à ce que la première ou la deuxième consultation lui apportât la guérison et me dit, pleine de ressentiment, que ses moyens ne lui permettaient pas de supporter les frais d'un traitement plus long. Comme il était impossible de préjuger de la longueur du traitement, je lui indiquai la méthode du pendule, afin qu'elle pût questionner son subconscient et se traiter elle-même. Les oscillations du pendule l'étonnèrent et l'intéressèrent.

Deux semaines plus tard, elle vint me voir, toute souriante, d'humeur bien différente de la première fois. Le symptôme dont elle souffrait avait disparu et elle me raconta une histoire fort digne d'intérêt. A l'âge de 22 ans, elle s'était fiancée à un jeune homme qu'elle aimait de tout son cœur. Un jour, ils partirent ensemble canoter sur le lac. Mais ils voulurent changer de place et le canot se retourna. Tous deux tombèrent à l'eau. Elle ne savait pas nager, et son fiancé ne nageait pas bien. Avec de gros efforts, il parvint à la pousser jusqu'au canot retourné, et elle s'y agrippa. Mais le jeune homme était si épuisé qu'il ne parvint pas à se maintenir sur l'eau et se noya. Un moment plus tard, elle fut sauvée par d'autres personnes à bord d'un bateau à rames. Elle avait bu beaucoup d'eau, elle crachait, toussait et s'étranglait. Au cours du questionnaire qu'elle s'était fait subir, elle y avait découvert la cause du toussottement dont elle souffrait.

Son sentiment de culpabilité était très profond, car elle pensait que sa maladresse avait causé la mort de son fiancé. C'est aussi pour cette raison qu'elle ne s'était jamais mariée. Et, en guise d'auto-punition, elle s'était interdit inconsciemment de poursuivre sa carrière de chanteuse.

Elle en était arrivée maintenant à la conclusion que cette auto-punition n'était plus nécessaire. Elle me dit qu'elle avait décidé d'épouser un homme qu'elle fréquentait, et que son malaise avait totalement disparu.

L'asthme et son auto-thérapie

Cette maladie peut se présenter à l'état chronique, sous forme d'un désagréable malaise, ou au contraire sous l'aspect de crises si violentes que, pendant un accès, le patient peut mourir étouffé. L'asthme peut remplir d'effroi celui qui en souffre, car il doit vraiment lutter pour respirer.

Un traitement médical est susceptible d'atténuer l'asthme, car il existe des médicaments qui relâchent les spasmes au niveau des bronches et rendent plus fluide le mucus. Les hormones, par exemple, la cortisone et l'ACTH peuvent amener un soulagement. Cependant tous ces médicaments traitent un symptôme, et non ses causes.

Les difficultés respiratoires d'un asthmatique peuvent se produire en expirant ou en inspirant. Si l'on interroge le patient à ce sujet, il ne sait pas lui-même comment les choses se passent. Il doit faire un gros effort de concentration pour s'en souvenir. En l'examinant attentivement au cours d'un accès, on note encore d'autres phénomènes : la respiration prend un certain rythme, des symptômes de crainte apparaissent — transpiration, pouls rapide et tremblements. Si vous souffrez d'asthme, vous êtes certainement sous contrôle médical. Mais vous pouvez également trouver une aide dans l'auto-thérapie.

Si vous pensez vous en servir, prenez en considération les manifestations secondaires d'une crise d'asthme. Employez par exemple la méthode de Dunlat, en exagérant les réactions dont vous avez l'habitude. Essayez, pendant une crise, d'exagérer le plus possible vos réactions. Si cela provoquait une nouvelle crise, elle serait très légère. Voilà qui vous démontre que les crises d'asthme peuvent être provoquées consciemment, contrôlées par vous et que vous pouvez y mettre fin.

L'asthme est-il une allergie ?

Rares sont les asthmatiques qui savent verser des larmes. Lorsqu'on les questionne à ce sujet, ils sont très étonnés de cette particularité. Certains psychiatres voient dans l'asthme une suite de pleurs refoulés. Dans toutes les crises d'asthme, on pense qu'il peut s'agir aussi d'un conflit, au centre duquel on trouve la mère.

Cette maladie débute donc dans l'enfance et provient de l'habitude prise de refouler les larmes. Une autre théorie psychiatrique voudrait que l'asthme soit la suite d'une faute cachée à sa mère par l'enfant.

Lorsque je traite des cas d'asthme, je pose brusquement au patient, pendant qu'il respire en haletant, la question : « Quel âge avez-vous ? » Souvent la réponse est : « Huit ans », ou un autre âge tendre, ce qui étonne beaucoup le patient. Lorsque cela se produit, il s'agit d'une régression spontanée ou d'une association d'idées avec un événement qui est survenu à cet âge. A ce moment-là, il est facile de continuer à poser des questions sur cette base.

Dans cette maladie, les relations de l'enfant à la mère jouent un grand rôle : la preuve en est donnée par les enfants asthmatiques, lorsqu'on les sépare de leur univers familial.

Dans un sanatorium californien pour enfants asthmatiques, la plupart des petits patients guérissaient très vite, dès qu'ils s'étaient habitués à leur nouvel entourage du sanatorium et qu'ils étaient séparés de leur mère. Sitôt qu'ils rentraient chez eux, les crises les reprenaient presque toujours. Dans ce cas, il faut modifier complètement le comportement de la mère ou du père vis-à-vis de l'enfant.

A l'appui de la théorie qui veut que l'asthme soit une allergie, on fait valoir que même des enfants au berceau sont sujets à ces crises. C'est parfaitement vrai, mais les enfants au berceau ont une vie émotionnelle, tout comme les adultes. L'asthmatique exprime ses sentiments par son mal. Il peut en prendre conscience et s'efforcer de trouver d'autres moyens d'objectiver sa colère et ses sentiments d'hostilité, comme le migraineux doit le faire.

De plus, l'asthmatique doit absolument apprendre à pleurer et à éviter ainsi les réactions et comportements secondaires qui accompagnent ses crises.

Le cas d'un psychiatre asthmatique

Le Dr S., psychiatre, qui souffrait d'asthme, devint mon patient, après avoir suivi un cours sur l'utilisation de l'hypnose et sa valeur psychothérapeutique. Il fut psychanalysé pendant de longues heures, mais son asthme persista. Pourtant, il était un sujet de tout premier ordre.

En le questionnant, j'arrivai à connaître quelques-unes des causes qui provoquaient son état. Par la psychanalyse, j'en connaissais déjà la plupart, mais je ne les connaissais pas toutes. Elles correspondaient au schéma mentionné ici. Pendant les huit séances où je le traitai sous hypnose, voici les questions et les réponses « idéo-motrices » qui s'entrecroisèrent :

Q. : Vous connaissez maintenant quelques-unes des raisons qui font que depuis votre enfance, vous souffrez d'asthme. Essayons de remonter aux racines du mal, au premier événement de votre vie où vous avez éprouvé des difficultés respiratoires, à la cause première. Quel âge aviez-vous à ce moment ? Aviez-vous moins de 5 ans ?

R. : Oui (avec les doigts).

Q. : Aviez-vous moins de 3 ans ?
R. : Oui.

Q. : Moins de 2 ans ?
R. : Oui.

Q. : Avant votre premier anniversaire ?
R. : Oui.

Q. : Avant que vous ayez 6 mois ?
R. : Oui.

Q. : Avant que vous ayez 3 mois ?
R. : Oui.

Q. : Avant que vous ayez 1 mois ?
R. : Oui.

Q. : Est-ce que cela pourrait s'être produit immédiatement après votre naissance ?

La réponse des doigts montra que la question n'était pas claire ou trop incroyable.

Q. : S'est-il produit quelque chose lors de votre naissance qui ait une relation quelconque avec votre état ?
R. : Oui (la réponse des doigts fut répétée plusieurs fois, comme pour bien souligner la réponse).

A cet instant, le psychiatre, toujours sous hypnose, remarqua : « C'est vraiment étrange. Personne ne se souvient de sa propre naissance. C'est risible. Le subconscient doit se moquer de nous ! »

Q. : Cet événement était-il effrayant ?
R. : Oui.

Q. : Pouvez-vous vous en souvenir à peu près ?
R. : Oui.

Q. : Gardez-vous dans votre mémoire le souvenir d'être né ?
R. : Oui.

J'utilisai alors le processus de la régression partielle dans le temps, et le Dʳ S. fut prié de se reporter à l'instant qui précéda immédiatement sa naissance. Il raconta qu'il se sentait mouillé et terriblement à l'étroit et se mit à crier d'étonnement, tant ses impressions étaient vives. Je lui demandai de revivre l'événement de sa naissance, et il montra des signes de profond malaise. Son visage devint d'un rouge profond, il s'étranglait, toussait et gémissait qu'il ne pouvait pas respirer. Un moment plus tard, il prit une profonde inspiration et dit : « Le docteur me prend maintenant par les talons et me tient en l'air, et il vient de me donner une tape sur le derrière. Maintenant j'arrive à respirer ! » Il semblait très soulagé et la rougeur quitta son visage.

Prié de revivre encore une fois cet événement, ses réactions, cette fois-ci, furent plus atténuées. Il répéta l'expérience deux ou trois fois, et je lui demandai alors :

Q. : Est-ce que ce sont les difficultés que vous avez éprouvées à votre premier souffle qui sont la cause de votre asthme ?

R. : Oui.

Q. : Maintenant que vous en connaissez les raisons exactes et que vous savez ce qui s'y rapporte, serez-vous libéré de votre asthme ?

R. : Oui.

Réveillé de son hypnose, le Dʳ S. analysa son expérience et dit qu'il était persuadé qu'il s'agissait bien d'un souvenir réel, et non pas d'une idée qu'il se faisait. Il se déclara très impressionné et extrêmement soulagé. Il croyait, ses réactions ayant été d'une telle intensité, qu'aucune idée qu'il se serait faite n'aurait pu provoquer des réactions aussi marquantes. Il remarqua à ce sujet que jamais la psychanalyse n'avait pu réveiller un souvenir aussi lointain.

Après ce traitement, le Dʳ S. n'eut plus jamais de crise. Ce qui est remarquable, dans ce cas, c'est qu'il n'y eut pas la plus petite suggestion insinuant que l'asthme était une conséquence de la naissance. Mais le subconscient, spontanément, rappela les causes premières de la maladie.

L'événement de la naissance : cause première de maladie

Dans une série de cas d'asthme que j'avais à soigner, un traitement selon cette méthode ramena au même événement. Bien des patients souffrant de maux de tête découvrirent dans les événements de leur naissance les raisons réelles de leur maladie : il est intéressant de noter qu'il s'agissait, dans tous les cas, *de naissances aux forceps*. A mon avis il s'agit bien, dans ces différents cas, de souvenirs réels, quoi qu'il soit difficile de le prouver scientifiquement. Même si la naissance aux forceps est ensuite confirmée par la mère ou le médecin accoucheur, il est toujours possible qu'on ait relaté ces faits au patient, plus tard, si bien qu'il ne s'agit plus d'un souvenir réel. Par ailleurs, beaucoup de psychothérapeutes ont découvert que l'asthme, les maux de tête, le refus de sa propre féminité, dans beaucoup de cas, relevaient des événement de la naissance. Dans les cas de rejet de la féminité, il faut y voir la suite du regret de la mère de n'avoir pas eu de garçon.

Bref regard sur l'allergie

Le corps réagit à des stimuli allergiques dans les cas de maladies respiratoires, par exemple l'asthme ou le rhume des foins, la sinusite ou d'autres maladies des voies respiratoires. Une réaction allergique à certains aliments provoque des dérangements digestifs. La peau peut ne pas supporter le pollen, la poussière ou d'autres facteurs. Comme beaucoup d'autres maladies, l'allergie semble être le résultat d'un réflexe conditionné.

Si, conjointement au traitement médical, on se soigne aussi soi-même, on devrait tout d'abord rechercher les sources de ce réflexe et les causes de la réaction allergique. Presque sans exception, derrière un dérangement d'estomac allergique, on trouvera une expérience passée de même nature. C'est le cas d'un aliment que l'enfant, déjà, ne supportait pas. Le dérangement d'estomac peut d'ailleurs provenir, non pas de l'aliment en question, mais d'une relation qui s'est établie à l'insu du sujet entre cet aliment et celui qui a été consommé.

L'affirmation qu'un produit de la nature n'est pas bon à consommer peut avoir un effet suggestif certain. Voici quelques générations, nul ne mangeait de tomates, car on les croyait vénéneuses. Que l'on mange une tomate en croyant à cette affirmation suffira à provoquer des malaises, des nausées ou de la diarrhée...

La peau

Dans un de mes précédents livres : « Techniques of Hypnotherapy » (Julian Press, New-York), une partie de l'ouvrage est consacrée à l'utilisation de l'hypnose dans différents domaines médicaux. Un des articles les plus marquants à ce sujet a été écrit par le Dr Michael J. Scott, de Seattle, sur l' hypnose en dermatologie « Hypnosis in Dermatology ». Cet article est un « digest » très bref d'un livre de ce médecin sur la question.

D'après le Dr Scott, bien des maladies de la peau ont des causes émotionnelles ou psychologiques. Il établit une longue liste de maux qui peuvent en découler. Sous quelque forme qu'apparaisse la maladie de la peau, les causes en sont toujours identiques. Parfois il s'agit d'une maladie organique, mais qui est exagérée émotionnellement. La suggestion peut apporter un soulagement, même si elle n'atteint pas les causes du mal.

Les démangeaisons peuvent être atténuées ou même supprimées par la suggestion.

Il y a plusieurs siècles qu'on emploie la suggestion pour supprimer les verrues. Il peut s'agir de quelque suggestion indirecte, par exemple quand on emploie quelque médicament pour les soigner. Comme on s'attend à ce que le médicament agisse, on fait du même coup disparaître les verrues. Chez un enfant, on peut faire disparaître une verrue en lui disant qu'on la lui « achète ». On lui dit, par exemple : « Tu as là une verrue. Peut-être n'en veux-tu pas ? Sais-tu que je fais collection de verrues ? Veux-tu me vendre la tienne ? Je t'en donnerai un sou. »

La tractation menée à bien, on dit à l'enfant que la verrue ne lui appartient plus et qu'il n'a donc plus le droit de la garder. Elle disparaîtra probablement dans les deux semaines qui suivent.

Dans les maladies de la peau purulentes, il s'agit généralement, comme dans l'asthme, d'une compensation aux larmes. Dans les dermatites et autres maladies de la peau, prurigineuses et purulentes, on trouve généralement deux facteurs. En voici un exemple :

Comment l'éruption de Betty fut guérie

Un dermatologue me demanda un jour de me rendre à son cabinet pour examiner une de ses clientes de 17 ans, que nous appellerons Betty. Elle souffrait d'une nevrodermite extrêmement violente, et tout son corps était recouvert d'une éruption de couleur rouge, prurigineuse et purulente. La mère de Betty s'était finalement décidée, après avoir longuement hésité, et sur le conseil de son médecin, à faire traiter sa fille par l'hypnose. Elle voulait être présente, mais elle dut rester à la salle d'attente.

Manifestement, cette mère était autoritaire, exagérément soucieuse et traitait sa fille comme un petit enfant. Ravissante, Betty portait des habits qui lui seyaient mal et des bas de coton que les filles de son âge détestent.

Betty fut un sujet facile à hypnotiser. Je lui dis qu'elle pouvait parler sans s'éveiller, et je fis cette remarque, sur un ton décidé : « Quelque chose vous irrite. Qu'est-ce que c'est ? » Betty s'assit et ouvrit les yeux, toujours en hypnose : « C'est ma mère ! » s'écria-t-elle pleine d'amertume. « C'est ma mère, elle me traite comme une toute petite fille. Je n'ai jamais le droit de faire ce que les autres filles font. Je n'ai pas le droit de m'habiller comme elles. Regardez mes habits, ma coiffure. Je n'ai jamais eu le moindre rendez-vous. Je n'obtiens d'aller à une sauterie que si ma mère m'y accompagne. C'est la faute de ma mère ! »

J'encourageai Betty à débrider la plaie et à parler très ouvertement de ce qui la troublait : on lui interdisait le moindre cosmétique ; tout faisait l'objet d'interdictions. Je lui expliquai l'effet de la parole sur le corps, et je lui dis que sa peau était la partie extérieure d'elle-même et, comme telle, exposée aux influences du dehors. Le comportement de sa mère l'avait irritée, ce qui se traduisait par une maladie éruptive de la peau. De plus, cela la « démangeait » de faire ce qui lui était défendu. Je lui conseillai de remplacer mentalement le mot « irrité » par irritable, et le mot « démanger » par désirer. Comme elle connaissait maintenant les causes de sa dermite, je lui suggérai que sa peau redeviendrait normale dès que ses conditions de vie seraient revenues à la normale.

Le dermatologue discuta ensuite de la situation avec sa mère. Elle fut très frappée d'apprendre que son excès de protection, ses interdictions et restrictions indues étaient les responsables de la maladie de peau de sa fille. Elle se déclara volontiers prête à changer d'attitude, à considérer sa fille presque comme une adulte et à la laisser agir comme toutes les autres jeunes filles de son âge. Au bout d'un mois, la peau de Betty était tout à fait normale et fraîche... L'effet du langage sur le corps joue un rôle dans quantité de maladies. « Etre irrité », « démanger », sont des expressions couramment employées qui, néanmoins, peuvent réellement entraîner les maladies de la peau correspondantes. D'autres facteurs importants que l'on retrouve dans ces maladies sont le masochisme et l'identification. Les partisans de Freud considèrent que les démangeaisons et maladies prurigineuses représentent une compensation à la masturbation. C'est pousser les choses un peu loin, mais il se peut que, dans certains cas, ce soit exact. Si une allergie semble en cause, il faudrait en rechercher les origines cachées.

R É S U M É :

Si vous souffrez d'une des maladies exposées ici, les exemples donnés vous indiqueront comment vous en débarrasser. Vous savez maintenant comment procéder. Si vous êtes en traitement médical, continuez-le (à ce propos, on peut regretter que certains dermatologues ne soient pas familiarisés avec l'hypno-thérapie et négligent de ce fait l'arrière-plan émotionnel). Les médecins d'autres spécialités plaisantent souvent les dermatologues en leur disant que, dans leur branche, le patient ne meurt jamais... mais ne guérit jamais non plus ! Les dermatologues ne courent guère le risque de se voir appeler au milieu de la nuit chez un malade, c'est vrai aussi !
Les médecins qui tiennent compte de ces problèmes émotionnels dans leur traitement réussissent, comme le Dr Scott, des cures quasi miraculeuses. Un gros avantage du traitement par l'hypnose, dans les maladies de la peau très prurigineuses, c'est de faire disparaître les démangeaisons : le prurit étant une forme atténuée de douleur peut, de ce fait, être traité avec succès par la narcose hypnotique.

CHAPITRE 17

L'auto-thérapie de quelques maladies répandues

Les maladies psychosomatiques des muscles ou des os sont aussi répandues que celles des voies respiratoires ou digestives. Les orthopédistes recherchent toujours les causes organiques de ces maladies, et ne renvoient donc qu'un nombre restreint de patients aux psychothérapeutes. Un traumatisme dans les disques intervertébraux sera plus facilement confié au chirurgien qu'au psychologue Le Dr Wayne Zimmermann, à Tacona, Washington, est l'un des seuls orthopédistes-chirurgiens que je connaisse qui soit pleinement conscient du rôle que jouent les sentiments dans ce domaine de la physiologie. Je cite : « L'esprit et le corps ne peuvent pas être séparés et, dans leurs manifestations, ils sont interdépendants l'un de l'autre. » Nous retracerons brièvement ici l'historique d'un cas que le Dr Zimmermann eut à traiter. Il en fait la description dans un article intitulé « Hypnosis in Orthopedic Curvery », dans mon ouvrage de synthèse « Techniques of Hypnotherapy ».

Une recherche et une prise de conscience des causes ne sont pas toujours nécessaires

En un an, une patiente s'était démis sept fois l'épaule et, finalement, une opération s'imposa. Un an plus tard, dans la même épaule, se produisit une bursite (inflammation des bourses séreuses voisines des articulations) que l'on dut opérer. Au bout d'un certain temps, cette épaule recommença à être douloureuse, sans qu'on pût en déterminer la raison.
Ces maladies successives et répétées de la même épaule éveillèrent l'attention du Dr Zimmermann qui pensa que celles-ci pourraient bien avoir un arrière-fond émotionnel.

Il questionna sa patiente par la méthode « idéo-motrice ». Il demanda si la maladie avait quelque cause émotionnelle, et la réponse des doigts fut « oui ». La question suivante fut : « Vous est-il permis d'en parler ? Le doigt fit le signe que non. Manifestement la patiente ne se souciait pas de connaître ces motifs. Cette situation était très désagréable pour la patiente comme pour le médecin, car elle empêchait tout progrès.

Le chirurgien recommanda alors à sa cliente de se relaxer complètement et de se concentrer sur ce problème. Elle commença à pleurer et fit montre de beaucoup d'excitation, mais sans en connaître le motif. Elle n'y voyait nulle raison. Le médecin la calma et demanda à nouveau si les causes pouvaient maintenant être approchées. La réponse fut à nouveau négative.

Le D\r Zimmermann demanda alors au subconscient de se concentrer sur ce problème et de s'attacher à le résoudre. Il fallait donc placer le problème au niveau du subconscient. Entre temps, la conscience centrale devait laisser l'épaule malade tranquille, afin que la patiente pût continuer son travail. Par la réponse des doigts, on conclut que le subconscient acceptait ce pacte. Les raisons réelles de cette maladie ne furent jamais découvertes, mais la patiente n'eut plus jamais de douleurs et utilisa normalement son bras.

Voilà qui souligne un fait important : les difficultés émotionnelles prennent leur origine dans le subconscient, qui les connaît donc parfaitement. Si l'on influe sur le subconscient par des suggestions appropriées, son attitude peut être corrigée ou normalisée sans que la conscience remarque de changement.

Tout ceci est en contradiction avec les théories de Freud, selon lesquelles une douleur ne peut être traitée et guérie que si on en connaît les causes de façon consciente. Il est évidemment préférable d'arriver à cette compréhension des causes, mais ce processus n'est pas obligatoire. On en trouve confirmation dans le cas exposé par le D\r Zimmermann, dans mes expériences et dans celles de beaucoup d'autres psychothérapeutes.

Quand une résistance intérieure empêche la compréhension consciente, la méthode préconisée ici peut malgré tout réussir. On enregistrera un échec lorsque la résistance ou les tabous sont trop forts, ou lorsque le subconscient considère qu'un symptôme est trop important pour y renoncer.

L'arthrite, comment la combattre

C'est également une maladie très répandue et mystérieuse, médicalement parlant. Les causes organiques possibles sont nombreuses : manque de vitamines, sous-alimentation, virus ou bactéries, infection buccale provoquée par la dentition, désordres glandulaires, et j'en passe.

Pour la traiter, on emploie différents médicaments et drogues, venin d'abeilles, traitement aux ultra-sons ou aux hormones, la cortisone et l'ACTH, par exemple. C'est encore avec les hormones qu'on obtient les meilleurs résultats.

L'arthrite peut être très douloureuse, car elle provoque l'enflure ou la rigidité des articulations ou de l'épine dorsale. Si elle s'attaque aux genoux, le malade ne peut plus se déplacer. Beaucoup d'arthritiques dépendent entièrement de leur entourage.

Cette maladie semble présenter certaines constantes qui la caractérisent. Tout comme l'homme qui souffre de migraines, l'arthritique ne veut pas montrer ses sentiments d'hostilité, de ressentiment ou d'agressivité : il les refoule donc et les surmonte. Il s'agit souvent de gens à la personnalité rigide et inflexible, et ces caractéristiques mentales et morales peuvent se retrouver dans la rigidité des articulations. L'arthritique est généralement fort ambitieux et consacrera jusqu'à ses dernières forces à atteindre le succès.

Cette maladie pourrait donc servir de frein dans une vie tout entière vouée au succès ; la crainte de ne pas réussir suffirait aussi à la déclencher. Dans bien des cas, elle a pour base la peur de se laisser aller à son tempérament sans contrôle et de se lancer de ce fait dans les difficultés.

Un conflit intérieur se développe à partir de la volonté de se venger du sort ou d'une personne donnée, de la crainte qu'on éprouve devant les suites possibles de cette vengeance et les sentiments de culpabilité qui en sont l'aboutissement. L'auto-punition est donc un facteur que l'on retrouve fréquemment dans cette maladie.

Pourquoi Karen devint arthritique

Karen avait 40 ans bien sonnés, elle était Européenne, célibataire, fort intelligente et de formation universitaire. Elle connaissait à fond

cinq langues, était fille d'une famille fort riche qui avait perdu toute
sa fortune pendant la dernière guerre mondiale. Pendant les hostilités,
elle avait travaillé dans les services secrets des Alliés et avait près
de cent personnes sous ses ordres.

A l'armistice, Karen se rendit en Amérique, où ses économies ne
firent pas long feu. Pour finir, et en désespoir de cause, elle accepta
un emploi de bonne auprès d'une femme riche, alcoolique, extrêmement désagréable, et incapable de garder quelqu'un à son service, à
cause de ses accès de rage. Karen était assez bien payée mais n'arrivait
pas à faire la moindre économie : son père était malade en Europe et
elle lui envoyait chaque mois de l'argent.

Quelque mois avant de venir me consulter, Karen souffrit d'une
violente arthrite dans les deux mains. Les articulations de ses doigts
étaient si enflées et douloureuses qu'elle n'arrivait presque plus à
bouger la main. Ses doigts ressemblaient à des griffes, car elle ne
pouvait plus les étendre. Tout cela lui nuisait beaucoup dans son
travail.

Karen avait vu plusieurs médecins et s'était soumise sans succès à
différents traitements. Ses souffrances ne faisaient qu'augmenter.
Elle n'avait jamais songé à la psychothérapie ; elle pensait que sa
maladie était d'origine purement physique, mais elle espérait que
l'hypnose diminuerait ses douleurs.

Karen fut très étonnée lorsque le pendule répondit que son arthrite
avait une cause émotionnelle. Je l'encourageai à me raconter l'histoire
de sa vie. Elle me décrivit son existence, me raconta comment son
employeuse la traitait, elle et les autres employés. Elle aurait voulu
partir, mais elle n'avait pu mettre suffisamment d'argent de côté pour
abandonner son emploi. Elle se sentait diminuée et éprouvait de
l'amertume à penser que sa fortune avait disparu et qu'elle devait
maintenant travailler comme servante...

Pendant une consultation, alors qu'elle me parlait de son employeuse,
elle s'exclama soudain : « Je hais cette femme, oui, je la hais ! C'est
une mégère — je pourrais la tuer, oui, l'étrangler de mes propres
mains ! » Tout en parlant ainsi, elle avait levé l'une de ses mains —
si déformée qu'elle ressemblait à une serre — comme si elle prenait
quelqu'un à la gorge. Tout à coup, elle comprit la valeur symbolique
de son geste. « Oh, se récria-t-elle, mais voilà pourquoi mes mains
sont si déformées ! »

Le désir de tuer cette femme lui semblait une pensée affreuse. Et le fait qu'elle ait accueilli pareille idée nécessitait, lui semblait-il, une auto-punition. Ses souffrances provenaient donc du refoulement de ses sentiments : elle avait été incapable de trouver une autre soupape de sortie à sa colère. Le symbole du symptôme était clair : les doigts en forme de serre s'agrippant sur la gorge de son employeuse...

Un second motif, que l'on put mettre à jour par la suite, était un essai inconscient de se libérer de ce travail qu'elle détestait, sous le prétexte de ses mains déformées.

Dès qu'elle eut compris les causes de sa maladie, elle en fut très soulagée, et ses douleurs cessèrent. Mais ses conditions d'existence restèrent les mêmes, et Karen n'y pouvait rien changer.

Peu de temps après, son employeuse la fit voyager avec elle en Europe. Mais là, prise soudain d'une crise de delirium, elle la renvoya en lui payant deux mois de salaire et un voyage de retour par avion en première classe. Karen voyagea en classe « touriste », et elle économisa ainsi assez d'argent pour en vivre quelque temps. Finalement elle trouva une situation qui lui convenait mieux, où elle pouvait employer ses connaissances acquises en Europe et les langues qu'elle savait.

Entre temps, les douleurs qu'elle avait ressenties dans les mains avaient totalement disparu et l'enflure des jointures avait considérablement regressé.

Son amour-propre blessé trouva une précieuse consolation dans le fait que sa mégère vint s'excuser de sa conduite auprès d'elle et lui offrit de l'engager à nouveau.

Autres cas d'arthrite et de bursite

Dans beaucoup de ces cas, on découvre la rage refoulée et le désir de battre quelqu'un. La caractéristique particulière de ces maladies réside dans les sentiments haineux qui n'arrivent pas à s'extérioriser en actes, et deviennent de ce fait auto-punitifs.

Comme des modifications nettement physiques se produisent dans ces maladies, il est possible qu'un traitement psychothérapeutique n'ait pas de résultat. Si votre bursite provient de résidus calcaires qui se déposent à tel endroit, une opération supprimant ce dépôt peut devenir nécessaire.

Inflammation des disques intervertébraux et douleurs dorsales

Dans un magazine, j'ai lu un jour la boutade suivante : « Ce sont les douleurs dorsales qui vous épargneront le plus de travail ! » Voilà qui peut faire office de parfait alibi en même temps que d'auto-punition.

Une surcharge de la tension nerveuse peut amener une tension chronique des muscles du dos et provoquer ainsi une inflammation des disques intervertébraux. Mais ce mal peut aussi survenir quand on a porté des charges trop lourdes, ou à la suite d'un mouvement malheureux. Quand on sait combien d'accidents sont suscités en fait par le subconscient, on peut se demander si le mouvement qui a provoqué le déchirement des muscles ou une inflammation des disques intervertébraux n'a pas été voulu par le subconscient.

Chez les hommes comme chez les femmes, ces maux peuvent aussi servir d'excuse pour éviter les relations sexuelles. Souvent aussi les douleurs des reins masquent un problème sexuel. Ces symptômes peuvent également être suscités par le « besoin de faire de l'air » dans les domaines où une forte tension émotionnelle existe.

Torticolis

Voilà un mal bien particulier, où les médecins décèlent rarement une relation avec des tensions émotionnelles. Et pourtant il est difficile de comprendre quels facteurs organiques y jouent un rôle ; quant à moi, tous les cas qu'il m'a été donné de rencontrer avaient des causes psychologiques.

Dans le torticolis ou, comme on l'appelle dans certaines campagnes, la « nuque de bois », la tête est rejetée de côté par une crampe des muscles de la nuque. Celui qui en souffre doit faire de gros efforts pour remettre sa tête en place et, souvent, il n'y parvient pas. Il arrive aussi que la tête se penche en avant, plutôt que sur le côté. Le sujet doit donc tourner les yeux et tout son corps à la fois pour voir devant lui. Il devient difficile, voire dangereux, de conduire une voiture dans cet état. Les muscles prennent une telle rigidité qu'ils en sont douloureux. Si cet état devait durer longtemps, il conduirait à une atrophie musculaire, très difficile à traiter.

Le torticolis est un mal douloureux et désagréable et, médicalement, on le traite par des médicaments propres à relâcher les muscles, ou par des massages. Mais comme on ne soigne que le symptôme, le mal lui-même subsiste.

Elle lui tournait la tête

Jusqu'ici, j'ai soigné quatre cas de torticolis, dont trois avaient des causes différentes.

La première fois, je me trouvai en présence d'un problème vraiment insoluble et j'employai simplement la suggestion hypnotique pour décontracter les muscles. Ce fut un échec complet.

Un an plus tard, un homme d'affaires nommé Kelly vint me voir : sa tête se trouvait tirée presque à angle droit vers la gauche, il avait déjà vu plusieurs médecins, pris différents médicaments et fait faire des massages, sans que son état s'en trouvât modifié pour autant. En employant la méthode « idéo-motrice » et en le questionnant, j'eus rapidement une vue d'ensemble de la situation. Kelly était marié, il avait une femme ravissante et plusieurs enfants. Il avait engagé une charmante secrétaire, dont le pupitre se trouvait à la gauche de son bureau. Pour ses affaires, il devait souvent aller trinquer avec ses clients, et il se peut fort bien qu'il fût devenu ainsi alcoolique, quoiqu'il en eût toujours disconvenu. Il prétendait pouvoir s'arrêter de boire n'importe quand. Mais il n'avait en réalité jamais tenté l'expérience et n'avait d'ailleurs aucune envie d'essayer !

L'étroit contact journalier avec sa secrétaire les fit tomber amoureux l'un de l'autre. Tous deux appartenaient à la même religion, et ils étaient également pratiquants. Leur doctrine religieuse leur interdisait le divorce. Ils vécurent plusieurs mois difficiles, jusqu'au jour où ils décidèrent d'un commun accord que la jeune fille devait se trouver une autre place et qu'il ne leur fallait plus se revoir. Cette séparation souleva en Kelly un tumulte de sentiments. Ils s'en tinrent pourtant à leur décision, qu'ils considéraient comme la meilleure solution à leur problème.

Quand cette jeune fille eut quitté son travail, Kelly constata que les muscles de sa nuque entraînaient constamment sa tête vers la gauche. Cette contrainte devint de plus en plus forte et ne céda devant aucun traitement. Pour terminer, il ne pouvait quasiment plus tourner la tête.

Je me trouvais ici de nouveau en présence du facteur que nous avons appelé « effet de la parole sur le corps » : littéralement, cette jeune fille lui avait « tourné la tête » (en fait, vers le côté gauche, où elle était assise). Plein de regrets, il « regardait en arrière » pour revoir cet innocent amour. Comme il le relatait lui-même, depuis leur décision, les choses avaient pris « le tournant ».

Une autre cause encore de son mal, c'est qu'il se sentait coupable d'un adultère moral et qu'il s'en punissait.

Dès que Kelly eut reconnu ces différents facteurs et compris l'effet de la parole sur le corps, ses muscles de la nuque se « déverrouillèrent » et il put de nouveau tenir la tête droite, à son grand soulagement. Mais à la visite suivante, sa tête était de nouveau tordue sur le côté. Il s'était enivré le soir précédent et s'était réveillé avec la « gueule de bois » et ce torticolis.

En le questionnant, je constatai qu'il s'agissait à nouveau d'une auto-punition — puisqu'il s'était enivré. Après quelques suggestions hypnotiques, son état s'améliora et il me quitta, la tête haute.

Kelly ne s'enivrait que rarement dans le courant de la semaine, mais chaque samedi il se couchait un peu « pompette ». Chaque dimanche, il se retrouvait donc avec la nuque raide et son torticolis durait deux ou trois jours. La punition semblait alors lui avoir suffi et, le reste de la semaine, les douleurs disparaissaient.

Entre temps, il s'était parfaitement rendu compte de l'arrière-fond de son état, mais il ne voulait pas cesser de boire.

La dernière fois que j'entendis parler de lui, j'appris qu'il continuait à avoir la nuque raide de temps à autre, mais que pendant plusieurs jours il était libéré de ce mal.

Elle baissait la tête de honte

Le torticolis n'est pas une maladie bien grave, et elle est intermittente. Mais j'en ai rencontré un cas si intéressant et si inhabituel que j'aimerais le relater ici.

Il s'agissait d'une dame d'une trentaine d'années. Le torticolis ne lui avait pas tordu la tête de travers, il l'avait penchée vers l'avant : elle devait donc se tourner entièrement pour modifier son champ visuel. Son mal était de plus très douloureux. Deux facteurs en étaient responsables : l'effet de la parole sur le corps, et l'auto-punition.

Cette personne était mariée et avait deux enfants. Ni elle ni son mari n'en désiraient un troisième, mais pourtant elle se trouva enceinte. Son mari insista pour qu'elle se fît avorter. Peu de temps après cette intervention, ce torticolis s'installa.

Quand elle vint me voir, son mal durait depuis plusieurs mois et les traitements qu'elle avait suivis ne l'avaient pas soulagée.

Le cas précédent m'avait servi de leçon. Bientôt je découvris les causes de son mal. Ce n'est que contrainte et forcée qu'elle s'était décidée à se faire avorter et, depuis, elle éprouvait un lourd sentiment de culpabilité. Elle « penchait » donc la tête de honte...

C'est vraiment curieux, ce que notre subconscient peut nous faire faire !

RÉSUMÉ :

Dans ce chapitre, vous avez lu l'histoire du Dr Zimmermann : il ne put découvrir les raisons émotionnelles des douleurs à l'épaule de sa patiente, mais influença néanmoins son subconscient pour améliorer son état.

Il ne put arriver à ce que les causes du mal émergeassent à la conscience.

Dans votre auto-thérapie, vous vous heurterez parfois à des blocages subconscients et vous utiliserez alors avec succès la technique indiquée ici.

En face d'une telle situation, suggérez à votre subconscient qu'une amélioration de votre état serait tout à votre avantage.

Dans l'arthrite, on est en présence de toute une série de facteurs physiques, mais la maladie peut aussi avoir une cause émotionnelle. Comme elle est douloureuse, il peut s'agir d'auto-punition. A l'aide des sept clés que vous connaissez, vous devriez arriver à déterminer les facteurs causatifs de la maladie.

Les cas de torticolis relatés ici vous feront mieux comprendre l'effet de la parole sur le corps.

CHAPITRE 18

Cette puissance, vous l'avez !

En se référant aux cas cités dans ce livre, on pourrait inférer que l'hypno-thérapie atteint facilement et rapidement son but. C'est bien le cas lorsque les causes de la maladie sont aisées à découvrir, et si le besoin inconscient ou le motif du symptôme n'est pas refoulé trop profondément. Mais il se produit aussi des états qui relèvent de forts tabous intérieurs.

Souvent aussi, nous avons une connaissance trop fragmentaire de l'esprit humain et de ses maladies. L'antique injonction : « Connais-toi toi-même » est lourde de signification. Dans certaines situations et dans certaines conditions données, il est pourtant souvent difficile d'arriver à cette nécessaire connaissance de soi.

Les méthodes que nous conseillons ici pour mieux comprendre le cheminement de notre pensée et l'effet produit par nos tensions émotionnelles doivent nous aider également à mieux nous connaître.

En corrigeant votre point de vue, en supprimant les réflexes conditionnés, en découvrant les causes de vos maladies et de vos comportements, vous trouverez la voie qui vous fera découvrir votre véritable « Moi ». Cette connaissance est la clé de voûte du bonheur et de la santé.

L'auto-thérapie peut produire d'étonnants résultats, même là où d'autres traitements échouent. Que l'on retombe parfois dans les vieilles erreurs de la pensée négative, voilà qui n'est que normal. Mais dès que la position fausse qu'avait prise l'esprit vous frappe et qu'on y discerne la raison effective de la rechute, un échec peut être riche d'enseignements et entraîner de nouveaux efforts pour atteindre un succès plus complet encore. Qu'une petite rechute ne vous décourage donc pas ! Souvenez-vous qu'elle n'est que passagère.

Pourquoi ce chanteur devint aphone

La solution n'est pas toujours celle que le thérapeute voudrait imposer pour venir en aide à son client.

Un jour, on m'envoya en consultation un chanteur célèbre, qui craignait de perdre la voix, car le succès l'avait gâté. Il ressentait une peur panique devant cette menace. En parlant, sa voix était tout enrouée. Son agent affirmait pourtant qu'il chantait encore très bien et pouvait parfaitement se produire en public. Mais le chanteur qualifiait de « misérables » ses performances du moment et se faisait les plus dévorants soucis.

Cet état durait depuis trois ans : j'avais là un point de départ. Mais pourquoi notre chanteur n'avait-il pas demandé plus tôt d'aide médicale puisque, selon ses propres dires, son état ne faisait qu'empirer ?

Richard — c'est le nom que nous lui donnerons — était un excellent sujet à hypnotiser. Je le questionnai par la méthode « idéo-motrice ». Trois ans plus tôt, il avait subi une opération des amygdales et avait beaucoup craint que cette intervention ne touchât ses cordes vocales. Entre deux consultations, je m'étais renseigné auprès de spécialistes, et j'avais appris que la chose était tout à fait impossible. Quelque chose avait certainement dû se produire pendant que Richard gisait, inerte, sur la table d'opération. Une remarque devait avoir été faite, qui avait eu sur lui un effet suggestif et provoqué son enrouement. Sous hypnose, je le fis revivre l'opération. Il raconta qu'on lui avait mis un masque sur le visage et relata ce qui s'était passé pendant qu'il était sous anesthésie. L'opération terminée, le chirurgien dit à la sœur : « Voilà, ç'en est fini avec cette saleté ? » Il voulait sans doute dire par là que l'opération était terminée. Mais le subconscient de Richard prit les choses tout autrement. Celui-ci avait craint dès l'abord que cette opération n'eût des répercussions sur sa voix. Dès qu'il avait été remis de cette intervention, il avait commencé à se sentir enroué. Cette affection ne le quitta plus jusqu'au jour où il vint me voir.

Après la première séance de traitement, l'enrouement de Richard l'avait quitté. Réveillé de l'hypnose, il s'en alla tout joyeux et bien soulagé. Je le priai cependant de revenir me voir, car je voulais encore étudier son cas.

La semaine suivante, quand il vint à son rendez-vous, l'enrouement avait reparu. Richard se sentait découragé et était d'humeur sombre. Je trouvai facilement la raison de cette rechute : alors qu'ils se rendaient au concert avec sa femme, celle-ci avait fait une remarque, trouvant étrange que cet enrouement eût cédé si rapidement. Elle lui dit : « Je ne puis pas croire que tu sois vraiment guéri. Je parie que cet enrouement va revenir ! » Et bien sûr, c'est ce qui se produisit...

Manifestement, Richard était très facile à influencer. Il me quitta de nouveau tout à fait guéri. Pendant plus d'un mois, je n'eus plus aucune nouvelle de lui. Puis j'appris par son agent où les choses en étaient. Au bout de quelques jours, Richard était de nouveau enroué. Il trouva donc stupide de continuer le traitement.

La situation permettait d'imaginer que ces rechutes avaient encore d'autres causes. Il avait constaté lui-même que le symptôme de son mal était tout à fait curable. Mais il savait aussi maintenant que, derrière ce symptôme, se cachaient des causes psychologiques. Un besoin inconscient de son mal continuait à subsister, et c'est ce qui lui faisait considérer la suite du traitement comme stupide.

Cet exemple montre que, bien souvent, des patients interrompent d'eux-mêmes leur traitement, ou vont de médecin en médecin. Ils croient souhaiter sincèrement leur guérison mais, inconsciemment, leur symptôme leur est nécessaire.

Répétition des méthodes d'auto-thérapie

On n'arrive pas à la connaissance de soi-même sans beaucoup de peine, et les habitudes ancrées depuis des années ne peuvent être modifiées en une nuit. Certains résultats sont rapides et spectaculaires et il faut relever que, généralement, l'auto-thérapie ne prend pas beaucoup de temps. Les buts et les desseins poursuivis peuvent être très différents, d'un lecteur à l'autre. C'est d'ailleurs la raison pour laquelle il est impossible, pour chaque cas, de donner des directives rigides.

Votre but consiste peut-être simplement à modifier vos manières de penser et à contrôler vos émotions. Un autre lecteur voudra aussi se libérer de conflits intérieurs et d'autres difficultés émotionnelles. Un autre encore voudra se défaire d'une maladie psychosomatique et recouvrer la santé. Le désir de bonheur et de succès se cache derrière tous ces buts particuliers. En fait, pour chacun de ces cas d'espèce, il faut utiliser une méthode différente, dissemblable seulement sur quelques points de détail.

En lisant ce livre, vous avez acquis les connaissances suffisantes pour connaître le travail du subconscient. Vous avez aussi appris à utiliser les méthodes par lesquelles vous pourrez l'influencer pour qu'il vous aide à atteindre votre but.

Une bonne préparation, premier pas vers l'auto-thérapie

Tout d'abord, relaxez-vous bien, en suivant les méthodes que nous vous avons indiquées. Ce processus est indispensable car, comme le Dr Wolpe le souligne, quantité de patients font des progrès plus rapides dès qu'ils savent réellement se décontracter.

En vous relaxant à fond, vous vous facilitez aussi l'apprentissage de l'auto-hypnose. Après avoir lu ce livre, vous aurez sans doute perdu toute crainte de l'hypnose.

Répétons une fois encore ce que nous avons déjà dit : l'auto-hypnose hâtera et simplifiera votre marche en avant ; pourtant, elle n'est pas indispensable pour utiliser les méthodes décrites dans ce livre.

Certaines des méthodes préconisées ici vous aideront à augmenter votre confiance en soi et vous libéreront de vos sentiments d'infériorité. Vous voudrez aussi vous libérer de vos peurs paniques. Peut-être apprécierez-vous aussi de savoir parler en public ?

Une de mes patientes les plus intéressantes fut l'actrice Marilyn Monroe. Elle vint me voir sur le conseil de son médecin, qui était un ami commun. Ceci se passait quelques années avant qu'elle atteignît le faîte de la gloire.

Marilyn venait d'obtenir différentes offres de films, mais chaque fois qu'on lui réservait un rôle, les choses tournaient mal. Dès que c'était son tour, qu'elle devait prononcer les premiers mots de son rôle et que les caméras se mettaient à filmer, Marilyn se sentait paralysée de peur... Elle en perdait la voix et le mouvement !

Elle était ravissante et pleine de talent mais, malgré ses qualités, aucun régisseur ne voulait s'adjoindre une actrice qui avait si violemment le « trac ». Or c'est là une attitude caractéristique qui prouve un manque de confiance en soi, doublé de complexes

d'infériorité. Parfois il y a aussi relation avec un événement survenu
dans l'enfance, par exemple lors d'une séance de théâtre d'amateurs,
ou au cours d'une autre apparition en public où le sujet mourait
déjà de « trac » au point d'en oublier son rôle.
C'était tout cela qu'éprouvait Marilyn. Elle vint me voir huit fois
et, peu de temps après, on lui offrit un rôle dans un film. Elle
constata avec étonnement qu'elle n'avait plus ce trac et, bientôt,
elle devint une grande star.

Comment mener à bien votre programme

Le lecteur désirera avant tout trouver une solution à son problème
le plus crucial ou guérir le mal qui l'éprouve le plus, et c'est bien
normal. Pourtant ce serait commettre là une erreur funeste, propre
à rendre la réalisation de votre plan beaucoup plus difficile...
Au contraire, traitez d'abord les points les plus anodins qui figurent
au passif de votre bilan personnel. Quand vous pratiquerez
l'auto-hypnose, vous pourrez apprendre à mieux vous évaluer vous-
même. Dès que vous commencerez à corriger vos défauts caractériels
et vos mauvaises habitudes de penser, vous aurez une plus haute idée
de votre « Moi ».
Lorsque vous serez libéré de vos troubles émotionnels, et si vous
souffrez d'une maladie psychosomatique, vous pourrez alors vous
attaquer à ses causes. Mais si cette maladie fait partie d'un complexe
d'autres problèmes, il vaut mieux en repousser le traitement à plus
tard.
En tout premier lieu, habituez-vous à penser positivement : vous
atteindrez votre but d'autant plus vite. Dans d'autres domaines,
commencez à discipliner votre pensée et à corriger certains défauts
caractériels. Renforcez votre puissance de décision. Tout d'abord,
trouvez la solution d'une série de petits problèmes, avant de vous
attaquer à un problème d'importance. Les petits problèmes sont faciles
à résoudre et chaque succès vous encouragera en chassant vos doutes.
De plus, pour des problèmes de faible envergure, vous vous heurterez
à une résistance intérieure négligeable.
Peut-être voudrez-vous également faire débuter votre programme
par des exercices respiratoires.

Ces petits problèmes résolus, vous pouvez vous attaquer à ceux qui présentent plus de difficultés.

En aucun cas il ne faut traiter d'abord un problème important. Il faut au contraire réserver pour la fin du traitement vos difficultés les plus grandes.

Faites-vous un programme

Je vous conseille de déterminer, dès l'abord, quel moment de la journée vous voulez consacrer à votre auto-thérapie. Sinon vous ne ferez que remettre votre décision, pour remplacer vos exercices par des occupations qui vous paraîtront, sur le moment, plus pressantes. Il pourrait y avoir là la marque d'un désir inconscient de repousser les problèmes désagréables.

Même si vous ne voulez consacrer qu'une ou deux heures par semaine à ces devoirs, vous en déterminerez d'avance le moment exact, et vous vous en tiendrez à ce programme. Il faut que cette habitude soit inamovible.

Pour arriver à des résultats avec votre auto-thérapie, l'utilisation du questionnaire « idéo-moteur » est nécessaire. N'oubliez aucun des sept facteurs causatifs possibles. Certains jouent un rôle aussi bien dans les états émotionnels que dans certaines maladies. Couchez par écrit ces sept facteurs causatifs et consultez toujours cette liste, pour vous assurer que vous n'avez négligé aucune de ces possibilités. Lorsque plusieurs facteurs sont conjointement en cause, le symptôme ne disparaîtra que lorsque vous les aurez tous détectés. Puis, revoyez encore une fois mentalement toute la situation et incitez votre subconscient à examiner les choses. Si nécessaire, suggérez-lui de modifier sa position et d'alléger le symptôme du mal. De cette façon, vous donnerez une impulsion à la conscience centrale qui lui fait assimiler également les connaissances récemment acquises.

Vous constaterez que la technique « idéo-motrice » est un phénomène fascinant et fort intéressant. Une fois établies les quatre positions de réponses, réclamez l'aide d'un tiers et laissez-lui tenir le pendule, pendant que vous posez les questions qui doivent avoir pour réponses : oui, non, etc. Dès que vous aurez constaté que le pendule répond bien pour quelqu'un d'autre, vous trouverez plus facile d'interpréter vos propres réponses. Etablissez d'abord les réponses par le pendule, avant d'utiliser la méthode des doigts, qui vous semblera ensuite plus aisée

Consacrez au moins une demi-heure à pratiquer l'écriture automatique. Certains y arrivent très bien, et c'est là un avantage certain, car alors le subconscient ne se cantonne plus seulement dans des réponses positives ou négatives, mais il donne de son propre chef des renseignements précieux.

N'oubliez jamais les mesures de sécurité

N'oubliez jamais d'interroger votre subconscient pour savoir s'il vous autorise à obtenir un renseignement sans dommage pour vous, ou si vous pouvez revivre un événement passé. Lorsque vous retournez mentalement à une expérience donnée, vous arrivez à une régression partielle dans le temps, que vous soyez sous hypnose ou non. Après avoir revécu l'événement ou l'avoir répété plusieurs fois, faites le travail inverse pour vous retrouver dans le moment présent. Sinon vous reviendrez évidemment au moment présent, mais l'une ou l'autre des émotions suscitées par l'expérience revécue pourrait continuer à agir en vous. Une simple suggestion suffit pour vous ramener dans le présent : « Et maintenant, je reviens à mon point de départ le... » (indiquez ici le jour et la date).

Si, en revivant une expérience, l'excitation émotionnelle ainsi libérée était très forte et provoquait une peur violente, vous pourriez de même faire cesser la régression dans le temps. Il est cependant peu vraisemblable que pareille situation vous advienne : si l'événement en question devait vous effrayer beaucoup ou vous sembler intolérable, votre subconscient ne vous laisserait jamais vous en approcher.

Dès que vous commencez à vous intéresser à l'hypnose, vous pourriez être tenté d'hypnotiser un tiers. Mais si l'auto-hypnose ne présente aucun danger, vous ne pouvez savoir ce qui se passe exactement dans l'esprit d'un autre être, et les connaissances insuffisantes que vous avez de cette technique peuvent avoir des suites désagréables. Même si la chose présente peu de probabilités, contentez-vous de l'auto-hypnose.

Comme nous l'avons relevé à plusieurs reprises, il faut faire preuve de bon sens et de prévoyance en traitant une maladie. En plus de l'auto-thérapie que vous pratiquez, un traitement médical peut être également très important.

> Et voilà, bon voyage !
> Vous avez en mains les sept clés qui vous ouvriront les portes de la santé, du bonheur et du succès.
> La voie que vous indique ce livre doit vous conduire au but, et les méthodes qu'il vous a apprises vous permettront de l'atteindre.

Achevé d'imprimer
en août mil neuf cent soixante-dix-huit
sur les presses de l'Imprimerie Gagné Ltée
Saint-Justin - Montréal.
Imprimé au Canada